ARTHUR SCHNITZLER

GESAMMELTE WERKE IN EINZELAUSGABEN

DAS ERZÄHLERISCHE WERK
Band 1–7

DAS DRAMATISCHE WERK
Band 1–8

FISCHER TASCHENBUCH VERLAG

ARTHUR SCHNITZLER

LEUTNANT GUSTL
UND ANDERE ERZÄHLUNGEN

Das erzählerische Werk
Band 2

FISCHER TASCHENBUCH VERLAG

Fischer Taschenbuch Verlag
1.–10. Tausend Dezember 1977
11.–15. Tausend September 1978
16.–20. Tausend Dezember 1979
21.–27. Tausend April 1981
28.–32. Tausend Januar 1983
Ungekürzte Ausgabe

Umschlagentwurf: Jan Buchholz/Reni Hinsch
Foto: Süddeutscher Verlag

Fischer Taschenbuch Verlag GmbH, Frankfurt am Main
Lizenzausgabe mit freundlicher Genehmigung
des S. Fischer Verlags GmbH, Frankfurt am Main

Gesamtherstellung: Hanseatische Druckanstalt GmbH, Hamburg
Printed in Germany
980-ISBN-3-596-21961-2

INHALT

DER EHRENTAG

I

August Witte saß schon eine halbe Stunde im Kaffeehaus und hatte eine Menge Zeitungen vor sich liegen, die er nicht anschaute, als endlich Emerich Berger in großer Hast erschien.

»Na also,« rief ihm August entgegen, »kommst du endlich. Es ist wirklich die höchste Zeit. Alles läßt du einen allein machen.«

»Pardon,« sagte Emerich, indem er sich niedersetzte, »ich hab' noch einen Besuch machen müssen, da bin ich so schwer fortgekommen – ich hab' doch hoffentlich nichts versäumt? Ist doch schon alles arrangiert?«

»Gewiß,« antwortete August mit leichtem Stirnrunzeln – »zum Glück bin *ich* ja da.«

»Also ist eigentlich nichts mehr zu tun, bevor die Geschichte angeht!«

»Jetzt nichts mehr. Ich hab' mir nur noch den Dobrdal herbestellt, um ihm die letzten Instruktionen zu geben.«

»*Daher* – hast du den Dobrdal bestellt?«

»Warum denn nicht? Er sieht sehr anständig aus. Und dann weiß doch ein jeder, daß er nicht zu uns gehört.«

Emerich nickte zustimmend, dann fragte er: »Was ist denn mit den Lorbeerkränzen?«

»Sind schon ins Theater geschafft.«

»Na, da ist ja alles in schönster Ordnung. – Und außer uns weiß keiner was davon, nicht wahr?«

»Niemand. Dem Fred werden wir's allerdings noch sagen, weil er ja mit uns in die Loge geht.«

Emerich schüttelte den Kopf.

»Glaubst nicht, wir sollten den Fred auch lieber... überraschen?«

»Ja, warum denn?«

»Weißt, ich mein' nur, der Fred ist manchmal so komisch; der ist am End' dagegen.«

»Da kann ich ihm nicht helfen. Wir werden uns wohl noch einen Spaß erlauben dürfen. Und die Verantwortung haben doch wir allein, was?«

»Freilich. *Du* allein.«

»Jawohl, *ich* allein. Auf so einen originellen Einfall wär' sowieso keiner von euch gekommen.«

»Freilich,« lächelte Emerich, »aber irgendwie steckt die Blandini dahinter, da möcht' ich drauf wetten . . . und zwar glaub ich –«

In diesem Augenblick begegnete er einem strengen Blicke Augusts, und statt weiterzusprechen, neigte er verlegen den Kopf hin und her, warf ein Stück Zucker in den Kaffee und begann leise zu pfeifen.

»Grüß euch Gott,« sagte Fred, der eben hereingetreten war, und reichte den beiden anderen jungen Leuten die Hand. »Ich danke dir sehr für das Logenbillett,« wandte er sich zu August, »nur möcht' ich mir die Frage erlauben: warum gehn wir denn noch einmal in diese irrsinnige Operette?«

»Wirst gleich hören,« erwiderte August; »da ist übrigens der Herr Dobrdal.«

»Wer?« fragte Fred.

»Sie, Marqueur,« rief August, »sehn Sie den Herrn, der dort beim Billard steht und grad' den Franz was fragt? Rufen Sie ihn daher zu uns.«

»Dobrdal?« wandte sich Fred fragend an Emerich. »Was bedeutet das? Wer ist Dobrdal?«

Emerich wies mit den Augen auf den Herrn, welcher, vom Kellner an den Tisch der jungen Leute gewiesen, eben herzutrat und sich verbeugte.

Es war ein kleiner Mann in braunem Mentschikoff und mit einer Pelzmütze. Ein Zwicker baumelte ihm vorn an einem Bande hin und her.

August nickte ihm herablassend zu. »Guten Abend, Herr Dobrdal, lassen Sie sich vielleicht etwas geben?«

»Oh, es ist nicht notwendig.«

»Also nehmen Sie Platz.«

»Bin so frei.«

»Ich habe Sie gebeten, ins Kaffeehaus zu kommen, damit wir noch ein letztesmal . . . aber wollen Sie sich nicht doch etwas geben lassen? Da ist grad' der Kellner.«

»Bringen Sie mir eine Melange,« sagte Herr Dobrdal und nahm die Pelzmütze ab, die er auf den Tisch legte.

Emerich nahm sie vorsichtig in die Hand und legte sie auf einen Sessel.

»Danke sehr,« sagte Herr Dobrdal.

»Also,« begann August aufs neue, »wieviel Leute haben Sie drin?«

»Vierzig, und *gut* verteilt!«

»Auch im Parkett?«

»Natürlich, mit der Galerie allein machen wir nichts. Das Parkett ist doch das Wichtigste.«

»Und sehen Sie die Leute noch, bevor die Sache angeht?«

»Natürlich, ich hab' doch alle Sitze im Sack.«

»Das ist gut. Also hören Sie, Herr Dobrdal. Wir rekapitulieren noch einmal: Im ersten Akt – nichts. Ja, es wäre mir sogar angenehm, wenn nach Schluß des Aktes der Applaus lauer wäre als sonst.«

»Herr von Witte, das wird nicht gehn. Der Direktor besteht auf drei Hervorrufen.«

»Das ist mir unangenehm.«

»Aber wissen Sie was, Herr von Witte, das Parkett werd' ich feiern lassen nach dem ersten Akt.«

»Schön. Also jetzt kommt der zweite Akt – und über *den* müssen wir reden. Da ist zuerst der Chor.«

»Ich weiß doch, Herr von Witte.«

»Bitte, hören Sie nur. Nach dem Chor bleibt bekanntlich die Blandini allein auf der Szene und ist fürchterlich traurig; dann wirft sie sich auf den Diwan. In dem Augenblick tritt Herr Roland auf.«

»Und jetzt geht's los,« setzte Dobrdal hinzu.

»Roland?« rief Fred aus.

»Aber das ist ja der Witz,« sagte Emerich leise.

»Im Augenblick,« – fuhr August fort, »wo der Herr Roland auftritt – donnernder Applaus.«

»Schön,« sagte Dobrdal.

»In diesen Applaus,« sagte August, »mischen sich bereits Bravorufe; während der Applaus fortdauert, werden aus dem Orchester Kränze heraufgereicht. Jetzt hat der Roland zu sagen: Schöne Dame . . . oder schönes Weib . . . dieses Geschmeide sendet Euch mein Herr. Darauf hat die Blandini ihre Arie, während der steht der Roland an der Tür. Dann tritt die Blandini auf den Roland zu und gibt ihm das Geschmeide zurück.«

»Wie die Blandini schon ist,« bemerkte Emerich.

August betrachtete ihn düster. Emerich errötete; dann fuhr August fort: »Der Roland nimmt das Geschmeide und sagt: Was soll ich meinem Herrn ausrichten – oder so was ähnliches. Darauf die Blandini: Nichts. – Nun verbeugt sich der Roland und geht ab. – Und jetzt: kolossaler Applaus.«

»Jubel«, setzte Dobrdal hinzu.

»Richtig: Jubel, Toben; Rufe: heraus – Und jetzt dürfen Sie Ihre Leute einfach nicht aufhören lassen, bis der Roland herauskommen und sich verbeugen *muß*. – Sie haben mich doch verstanden, Herr Dobrdal?«

»Herr von Witte, Sie können sich auf mich verlassen!«

»Somit,« schloß August, »sind wir vorläufig fertig.«

Dobrdal verstand, trank eilig den Rest seiner Melange aus, erhob sich, verbeugte sich und ging.

»Jetzt möcht' ich doch endlich wissen,« sagte Fred, »was das alles zu bedeuten hat.«

»Das werd' ich dir sagen,« erwiderte August.

»Bin neugierig,« sagte Fred.

Emerich horchte gespannt auf.

»Erstens,« fuhr August fort, »seh' ich überhaupt nicht ein, warum alles etwas zu bedeuten haben soll.«

Emerich schien enttäuscht, Fred lachte. »Und zweitens,« setzte August rasch und gereizten Tones hinzu, »wenn ihr zwei überhaupt die Fähigkeit hättet, der Sache auf den Grund zu gehen, so würdet ihr gar nicht fragen. Ich will ja nicht grad' behaupten, daß ich von vornherein an etwas anderes gedacht habe, als einmal einen guten Spaß in Szene zu setzen: aber es ist mehr, es ist etwas Gutes, etwas, ja ich möchte sagen, Sinniges, was wir tun, indem wir einmal so einem armen Teufel eine Freud' machen, an den im allgemeinen kein Mensch denkt. Die Großen werden genug gefeiert, find' ich; aber zum Theaterspielen braucht man die Kleinen grad' so notwendig.«

»Das ist richtig,« warf Emerich ein.

»Darum hat mein Spaß einen tieferen Sinn, und wenn die Leut im Theater heut abends darauf eingehen, woran ja gar nicht zu zweifeln ist, und mitapplaudieren, so werden sie, vielleicht ohne es zu ahnen, in der Person des Herrn Roland all den kleinen Leuten eine Ovation bringen, die sie gewöhnlich vergessen.«

»Gewiß ohne es zu ahnen,« sagte Fred. »Denn du hast's ja auch vor fünf Minuten noch nicht geahnt, was du eigentlich für ein edler Mensch bist.«

»Der Emerich hat ganz recht gehabt,« bemerkte August rasch.

Emerich machte ein wichtiges Gesicht und fragte sich, worin er wohl recht gehabt hätte.

»Daß man dir nämlich überhaupt nichts erzählen soll,« fuhr August fort; worauf Emerich erschrak und Fred mit einer Art verständnisvoller Zärtlichkeit ansah.

»Du verdirbst einem zu allem die Laune,« sagte August.

»Ich versteh' dich wirklich nicht,« lachte Fred. »Du bist so erregt, als wenn du dich irgendwie getroffen fühltest. Alles Edle geschieht ja unbewußt, sonst wär' es gar nicht edel. Irgendeinem ordinären Kerl fällt ein Spaß ein, und er wird naturgemäß eine Gemeinheit, – dir fällt ein Spaß ein, und er wird naturgemäß eine gute Tat.«

August sah ihn mit einem bösen Blick an. »Wirst du uns vielleicht das Vergnügen rauben, in deiner Gesellschaft der Vorstellung beizuwohnen?«

»Durchaus nicht,« antwortete Fred harmlos; »außerdem hast du mich ja auch eingeladen, nachher mit dir, Emerich und der Blandini zu soupieren.«

»Ich hatte vergessen.«

»Aber ich nicht.«

»Es ist Zeit, zu gehen,« sagte August.

Sie zahlten, verließen das Lokal und fuhren ins Theater. Emerich betrachtete auf dem Wege bald den einen, bald den andern und ahnte, daß hier zwei Menschen in irgendeinem wichtigen Punkt nicht ganz gleicher Ansicht wären. So faßte er sich, als sie ausstiegen und die Treppe zum Logengang hinaufschritten, ein Herz und sagte: »Kinder, seid's doch gescheit! . . .«

August antwortete nichts. Fred aber drückte Emerich die Hand und sagte: »Ich werde versuchen.«

Die Logentür wurde geöffnet, und den drei Freunden klangen die ersten Akkorde der Ouvertüre lustig entgegen.

II

Der erste Akt war zu Ende.

Friedrich Roland saß in der Garderobe, allein. Er war mit einem phantastischen Kostüm angetan – schwarzrotsamtenes Wams und dunkelblaue Trikots – und trug eine Perücke von herrlichen, kastanienbraunen Locken, auf der ein Barett saß. Den Degen hatte er über die Knie gelegt und starrte in den Spiegel, aus dem ihm sein jugendlich rot geschminktes Gesicht mit dem falschen Schnurrbart entgegensah. So saß er beinahe regungslos schon seit Beginn des Stückes da. Jetzt hörte er durch die geschlossene Tür die Schritte und Stimmen der Choristen, die an ihm vorüber von der Bühne in den Ankleideraum eilten; dann wurde es wieder still. Roland war froh, daß er allein war; die neue Operette war ihm beinahe lieb, weil von den zwei Kollegen, mit denen er sonst die Garderobe zu teilen hatte, keiner beschäftigt war. Das waren nämlich Menschen, mit denen er sich nicht verstand; zufriedene Leute, die ihre geringe Kunst seit jeher als brave Handwerker betrieben hatten und nichts von ihr verlangten als ein bescheidenes Auslangen, das sie ihnen auch gewährte. Roland wußte wohl, daß er heute als ihresgleichen gelten mußte, aber er fühlte zugleich, daß er in Wahrheit durchaus nicht zu ihnen gehörte. Er hätte was ganz anderes werden können, wenn er Glück gehabt hätte. Daran dachte er jetzt, als er geschminkt vor dem Spiegel saß; wie er Stunde für Stunde daran dachte. Noch heute, nach zehnjährigem Engagement an diesem Theater, konnte er es nicht ohne ein dumpfes Gefühl des Grolles und der Scham betreten, und niemals hatte er das zu verbergen gewußt. So hatten seine Kollegen bald mit dem feinen Spürsinn niederer Menschen herausgefunden, wo er am empfindlichsten zu treffen war, und jede Äußerung seines Wesens: die Art, wie er leise und müde zu reden, wie er langsam und scheinbar stolz einherzuschreiten pflegte, ja selbst eine gewisse Gewohnheit, den Kopf nach der Seite zu wenden und dabei die Augen halb zu schließen, wurden als komische Zeichen seiner Unzufriedenheit gedeutet. Ob er einmal Talent gehabt, das wußte man nicht, auch war nie die Rede davon gewesen: die Rollen, in denen er seit Jahren auftrat, waren die von Pagen, Dienern, Knechten, Verschworenen, die ohne nähere Bezeichnung auf dem Zettel standen; ja meistens war er zweiter Knecht oder dritter Verschworener. Es war kein Grund anzunehmen, daß er mehr Anlaß hatte, sich zu beklagen, als einer von den anderen, die zu gleichen Rollen auserlesen waren wie er; sie sahen auf eine ähnliche Vergangenheit zurück wie Roland und hatten auf kleinen Bühnen vor Jahren erste Helden, Liebhaber oder Intriganten gespielt. Vielleicht auch war mancher unter ihnen, der sich mit schmerzlichen Empfindungen jener Zeit erinnerte; vielleicht wäre diese schmerzliche Erinnerung auch manchem anzumerken gewesen; aber alle Scherze, alle Bosheiten kamen an ihn herangeflogen, weil man sah, daß er am meisten darunter litt. Anfangs hatte er sich zu wehren gesucht; er versuchte Neckereien zu erwidern, aber er war zu ungeschickt gewesen; er wollte grob werden, aber er hatte nicht den rechten Mut dazu gefunden. So begann er, sich alles ruhig gefallen zu lassen, wurde verschlossen, und man hörte oft tagelang kein Wort aus seinem Munde. Auch das paßte so gut wie alles andere zu dem Bild, das nun einmal von ihm feststand; auch das war der komische Stolz des ›verkannten Genies‹. Sein Ruf war allmählich über den engen Kreis hinausgedrungen, in dem er wirkte; alle Welt, die in der Stadt sich für das Bühnenleben interessierte, kannte seinen Namen, um den so viele Scherze schwirrten; die Reporter in geistsprühenden Notizen, das Publikum in launigen Gesprächen bediente sich des Namens Roland, um den Typus des unbedeutenden, aber eingebildeten Mimen kurz zu bezeichnen. So war dieser Name in seiner Art populär geworden, und in einem anderen Sinne, als Roland früher einmal gehofft, schien seine Sehnsucht nach Ruhm in Erfüllung zu gehen. Nun war er so weit, daß er die Unbekannten beneidete. Alle die durften noch hoffen, daß ihr Schicksal eine erfreuliche Wendung nähme; sie konnten irgend einmal aus ihrem Dunkel in eine würdige Beleuchtung heraustreten. Ihm war das für alle Zeit versagt. Vor zwei Jahren hatte er das letztemal gewagt, den Direktor um eine anständige Rolle zu bitten. Der hatte ihn lachend abgewiesen, und Roland hatte ihn verstanden. Dann dachte er noch einmal, ein letztes, daran, die Stadt zu verlassen, um wieder in die Provinz hinauszuwandern, wo er in den ersten zehn Jahren seiner Laufbahn umhergezogen; aber die Agenten erklärten alle, es sei zu spät, und die Erfahrungen, die er seinerzeit als Heldenspieler in kleinen böhmischen und mährischen Städtchen gesammelt, waren auch nicht ermutigend genug, um ihm die nötige Energie zu verleihen, es auf eigene Faust zu versuchen. So war es das beste, sich zu bescheiden, und wie andere stille Arbeiter sein Tagewerk zu verrichten, um doch zu leben. Er war sehr einsam geworden; weder mit den Großen noch mit den Kleinen mochte er zu tun haben. Früher war er regelmäßig nach dem Theater in ein Wirtshaus gekommen, wo eine harmlose Gesellschaft von Theaterbediensteten und kleinen Bürgern sich zusammenfand, die stolz waren, mit Leuten von der Bühne zu verkehren. Aber auch hier hatte es an Späßen nicht gefehlt, wenn Roland erschien; manches herzliche Wort, mit dem er begrüßt wurde, faßte er in wachsendem Mißtrauen als spöttisch gemeint auf, und so konnte es ihm auch dort schon lange nicht mehr behagen. Er ging jetzt nur mehr hin, wenn er vorher anderswo allein ein paar Glas Wein getrunken hatte; da wurde es ihm leichter, an die Freundlichkeit der Menschen zu glauben, und selbst kleine Bosheiten nahm er dann mit Gleichmut hin. Ja, er erlebte dann sogar Augenblicke, in denen seltsame Hoffnungen einer großartigen Wandlung in ihm emportauchten; er hielt Zufälle für möglich, die ihn mit einemmal an einen würdigeren Platz stellen konnten, und durfte allen Spott verachten, der ihn laut und leise umklang ... Da ihm aber auch der Wein diese Stimmungen nur selten gab, ging er meist als ein tief Verletzter herum, dem nie Genugtuung werden konnte. Früher hatten kleine Abenteuer mit Frauen die letzten Jugendschimmer in sein Leben gebracht; aber seit ein paar Jahren war auch das vorbei, und zärtlichen und fragenden Blicken, die noch zuweilen auf ihm ruhten blieben, glaubte er nicht mehr. Seit ein paar Wochen geschah es manchmal, daß er auf dem kleinen Tisch in seiner Garderobe Veilchen fand; er forschte gar nicht, woher sie kamen; gewiß war es ein Scherz, wie man sie schon manchmal an ihm verübt hatte; ein Scherz, wie die süßen Briefchen, mit denen man ihn zu Stelldicheins gelockt, wo entweder niemand erschienen war oder der Souffleur oder gar ein paar Damen vom Chor, die sich köstlich über sein verdutztes Gesicht amüsiert hatten.

Die Veilchen waren auch heute wieder da; er hatte sie gar nicht angerührt. Und wenn sie selbst ernst gemeint waren, was lag ihm daran? – Er war so schwer bedrückt, daß ihm keine Freude mehr werden konnte. Er spürte nichts mehr als seine Einsamkeit und seine Lächerlichkeit. Manchmal fuhr ihm durch den Sinn: wie soll das enden? Und da kamen ihm sonderbare Einfälle, die er immer wieder von sich wies. Nur einmal hatte er eine Idee gehabt, die ihn längere Zeit festhielt: Er wollte es nämlich in die Zeitung geben, wie ihn die Leute quälten, und einen Appell an das Publikum erlassen, der mit den Worten anfangen sollte: Ihr edlen Menschen! Er hatte ihn einmal zu schreiben angefangen, hier in der Garderobe, denn sein Tisch zu Hause wackelte immer – aber er wollte ihm nicht gelingen. Es kam ihm vor wie ein Bettelbrief. Und dann hätten sie doch gelacht. Etwas anderes war ihm später eingefallen. Er wollte einmal mit der Blandini, der Primadonna des Theaters, die zuweilen auf der Probe ein paar gute Worte mit ihm sprach, ernstlich reden; er wollte ihr vorstellen, daß er doch eigentlich gar nicht so komisch war, wie die Leute sich immer einbildeten, aber ... er wagte es nicht. Und dann war ihm einmal, als er vom Wirtshaus ein wenig betrunken in der Nacht nach Hause ging, etwas ganz Tolles in den Sinn gekommen: er wollte bei nächster Gelegenheit mitten auf der Szene auf die Knie fallen und geradezu zu beten anfangen: O edle Menschen – und ihnen sein ganzes Leid klagen und sein Elend; und er wußte, daß er da wunderbare Töne finden würde, denen niemand widerstehen könnte; man müßte bei dieser Gelegenheit sogar erkennen, daß er ein großer Schauspieler war, und viele würden weinen und er selbst vielleicht mit ihnen. – Dieser Einfall kam ihm öfter wieder, aber nicht wie etwas, woran man ernsthaft denken dürfte, sondern wie die Erinnerung an einen lebhaften und schönen Traum.

Die Klingel, die ihn auf die Bühne rief, schrillte. Er stand auf, trat auf den Gang und schritt gemächlich die zehn Holzstufen hinab. Nun stand er hinter den Kulissen. Einige Choristen sagten ihm guten Abend. Roland ging ein paar Schritte weiter und stellte sich knapp hinter die Tür, aus der er auf die Szene hinaustreten sollte. Er hörte die Blandini singen; er erwartete sein Stichwort ... So ... jetzt war es da; der Inspizient, der neben ihm stand, gab ein Zeichen; zwei Arbeiter zu beiden Seiten öffneten die Tür, und Roland trat auf die Bühne. Aber es war etwas zu früh. Der Inspizient hatte voreilig das Zeichen gegeben, die Tür zu öffnen. Denn eben hatte sich ein starker Applaus erhoben, der offenbar der Blandini galt. Ihre Beliebtheit wächst noch immer, dachte er, selbst nach den paar Takten ein solcher Beifall! ... Das wollte ja gar nicht aufhören. – Und Roland sah unwillkürlich die Blandini an, die anfangs ins Publikum hinausgeschaut hatte und sich jetzt zu ihm wandte. Er hörte sie flüstern: »Verstehen Sie das?« ... Und der Applaus wurde immer stärker. Roland blickte auf die Galerie ... Plötzlich glaubte er ganz deutlich unter den Bravorufen auch seinen Namen zu hören ... Ah – er hatte sich gewiß getäuscht. Die Blandini sagte: »Hören Sie?« Roland antwortete: »Ja.« »*Ihr* Name,« sagte die Blandini ... Der Applaus dauerte in gleicher Stärke fort. Und die Rufe ›Roland‹ wurden immer lauter. »Was ist das?« dachte Roland, »bin ich wahnsinnig geworden? Träum' ich?« »Reden Sie,« flüsterte die Blandini. – »Was?« fragte Roland verwirrt. – »Nun, Ihr Worte ... vom Geschmeide.« – Und Roland begann zu sprechen: »Schöne Dame, dieses Geschmeide ...« Aber er drang nicht durch. Der Applaus dauerte fort; einige Zischlaute mischten sich drein, worauf er noch lärmender wurde. »Kränze,« sagte die Blandini. Und Roland, in der Überzeugung, sie seien für die Blandini bestimmt, eilte zur

Rampe vor, bückte sich und nahm einen riesigen Lorbeerkranz, den er sofort der Sängerin überreichen wollte. Aber sie flüsterte: »Für Sie.« – Er verstand es nicht; da fiel sein Auge auf die Schleifen, und er erblickte seinen Namen. Eine Sekunde lang ging jetzt etwas ihm selbst Unbegreifliches in ihm vor; er dachte: »Ich bin ein großer Schauspieler. Das merken alle Menschen, trotzdem ich die nichtigste Rolle spiele;« er nahm mechanisch die eine Schleife in die linke Hand – er las: »Dem genialen Mimen Roland die dankbare Mitwelt . . .« Und plötzlich hörte er im Saale ein stürmisches Gelächter schallen; er ließ die Schleife aus der Hand fallen, – er sah ins Publikum, sah tausend hocherhobene klatschende Hände, und die Gesichter der Leute leuchteten vor Vergnügen... Er verstand es nicht. Man lachte lauter, immer lauter. Plötzlich verstand er es. Und es war ihm, als wenn er niedersinken müßte und sein Gesicht verstecken, denn man lachte ja über ihn . . . man höhnte ihn aus . . . Das ganze Publikum war in diese rasende Fröhlichkeit geraten über den Einfall – *ihn*, Herrn Friedrich Roland, zu feiern. Er fühlte es: nun war für ihn der Gipfel des Ruhmes erreicht . . . er fühlte es so tief, daß er nichts mehr sah und hörte und in die lärmende Menge wie ins Stille und Leere starrte. Und – mit einem Male, als hätte er es damit erzwungen –war es wirklich still. Und er wußte, daß er seine Worte noch nicht gesprochen; vielleicht auch hatte ihm die Blandini zugeflüstert, daß er sprechen sollte. Und er sagte, ohne mit der Stimme zu zittern, indem er der Sängerin ruhig ins Gesicht sah: »Schöne Dame, dieses Geschmeide sendet Euch mein Herr.« – Die Blandini nahm das Geschmeide und sah ihn mit einem sehr langen Blicke an, er mußte denken: »Diese Nuance hat sie in den früheren Vorstellungen nicht gebracht« und fragte sich: »Warum?« . . . Da hörte er sie zu ihm sagen: »Machen Sie sich nichts daraus.« Jetzt merkte er, daß das Orchester bereits wieder spielte; die Einleitungstakte der Arie waren vorbei; die Blandini mußte einsetzen, sie sang. Es war eine unendlich lange Arie. Roland stand an der Tür und hörte die wohlbekannten Töne, und die Blandini sang immer weiter, es war, als wenn sie stundenlang sänge. Roland empfand nichts; nur ging die Bühne auf und nieder, gleichmäßig, und ein Summen von tausend kleinen Stimmen ohne Sinn war in seiner Nähe; aber die Arie der Blandini klang hell, als wenn sie durch die Wände dringen müßte, hinaus ins Freie, und Roland war es, als ob man das Lied jetzt überall in der Welt zugleich hören könnte, wenn man nur recht aufpaßte. Es war gut von ihr, daß sie so lange sang, denn er hatte Angst vor dem Ende der Arie; er erinnerte sich, wie damals, bevor sie begonnen, das Klatschen und Gelächter getönt hatte; das würde sicher wieder kommen ... und er fühlte, er müßte stark sein, um das noch einmal ertragen zu können – es war entsetzlich gewesen. – Die Arie war aus. Die Blandini reichte ihm den Schmuck. Und Roland fragte: »Was meld' ich meinem Herrn?« – Und die Blandini sagte: »Nichts.« – Sie sagte es mit einem Zittern der Stimme wie niemals früher. Dabei sah sie ihn mit flehenden Augen an, als wollte sie ihn dabehalten auf der Szene, und er mußte doch abgehen. Er verbeugte sich, die Tür wurde geöffnet, er tat einen Schritt hinaus – da fing es so an wie vorher: »Bravo! Roland! Roland! Bravo!« Er stand bereits hinter der Szene, neben ihm der Inspizient, ein paar Choristen, die sich herzugedrängt hatten. Auch der jugendliche Komiker war da. »Meisterleistung,« sagte er zu Roland. Der Direktor trat hinzu. »Ja, was heißt das? Sind die Leute toll? Wissen *Sie*, Roland, was das zu bedeuten hat?« – Roland schüttelte den Kopf. »Ja, was machen wir denn?« rief der Direktor. »Die klatschen draußen weiter. Es bleibt nichts übrig, Sie müssen hinaus, sich verbeugen,« sagte der Direktor. »Ja,« sagte Roland. Jetzt merkte er, daß er den Kranz noch immer in der Hand hielt; er wollte ihn fallen lassen. »Der bleibt,« sagte der Direktor; »das wirkt ganz gut. Auf!« rief er. Die Tür flog auf, und Roland trat auf die Szene. Die Bravorufe verstärkten sich; helles Lachen tönte mit. Der Komiker sagte zum Direktor: »Meiner Ansicht nach handelt es sich um eine Wette.« – »Möglich,« antwortete der Direktor, »so kommt jeder einmal zu seinem Ehrentag.« –

Roland trat wieder zurück, die Tür wurde geschlossen. Er ließ den Kranz fallen; er wollte langsam in die Garderobe gehen. Ein paar Mädel vom Chor wollten ihm scherzend die Hand drücken, aber er merkte es nicht und ließ seine Arme schlaff herunterhängen. Da fühlte er sich von rückwärts gehalten. »Sie müssen noch einmal heraus, die Leute geben keine Ruh!« Roland wandte sich um, trat wieder auf die Szene, verbeugte sich tief. Er schien sich mit so viel Humor in seine Rolle zu finden, die man ihm nun einmal zugedacht, daß das Lachen im Publikum immer heiterer und herzlicher klang; viele hatten ihn in diesem Augenblick lieb. Ihm fuhr plötzlich wieder jener Traum durch den Sinn, und er fragte sich, ob nicht jetzt der richtige Moment wäre, auf die Knie zu fallen und zu rufen: Ihr edlen Menschen, Gnade! Gnade! ...

Aber er wußte, da unten war keine Gnade. Und mitten in dem Jubel, dem Lachen, das ihn umtoste, kam es wie eine furchtbare Verlassenheit über ihn, daß ihm das Herz stillestand. Als er abging, warf er einen Seitenblick auf die Blandini. Sie hatte Tränen im Auge und schaute an ihm vorbei. Jetzt war der Lärm draußen vorüber; der Direktor klopfte Roland auf die Schulter und sagte lachend: »Ehrentag.« Viele standen hinter den Kulissen bereit, Schauspieler, Choristen, Arbeiter, und hatten Lust, den Spaß aus dem Zuschauerraum hier fortzusetzen; aber Roland ging mit gesenktem Kopf vorbei und sah und hörte sie nicht. Er ging langsam die sieben Stufen hinauf, schlich durch den Gang, öffnete die Tür seiner Garderobe, trat ein; dann sperrte er die Tür ab. Das Schloß knarrte hinter ihm, und unten das Spiel ging weiter.

III

Seit einer Stunde saßen die drei jungen Leute in dem *Cabinet particulier* und warteten. Die Blandini war noch nicht da.

»Sie wird gar nicht kommen,« sagte Fred.

»Das ist unmöglich,« antwortete August. »Wir haben es gestern miteinander ausgemacht, und außerdem hab' ich ihr heut nachmittags geschrieben.«

»Weißt du, was ich finde?« bemerkte Emerich.

»Nun?« fragte August.

»Wir müßten dem Roland . . .«

»Fang' mir nicht wieder davon an, der Spaß ist vorbei, die Leute haben sich amüsiert, es war was Neues – und jetzt . . . Schluß.«

»Ja, schon gut,« sagte Emerich. »Aber ich mein', wir sollten ihm, dem Roland, morgen was schicken.«

»Geld?« fragte Fred.

»Freilich, Geld, es gehört sich eigentlich, findst nicht, Gustl?«

»Das können wir ja tun«, antwortete August kurz.

Fred sah vor sich hin. Alle schwiegen. Plötzlich stand August auf. »Ich fahre hin.«

»Ins Theater?« fragte Emerich.

»Nein. Zu ihr. Im Theater kann sie ja nicht mehr sein, das ist ausgeschlossen.«

»So hältst du es doch für möglich, daß sie deine Einladung vergessen hat?«

»Was willst denn immer,« sagte August ärgerlich, indem er den Winterrock anzog.

»Kommst du bestimmt zurück?« fragte Emerich.

»Ja, bestimmt; *mit* ihr. Auf Wiedersehen.«

Er entfernte sich rasch. Er mußte an der Tür der anderen kleinen Zimmer vorbei; aus einem klang ihm ein Walzer nach, den irgendein unmusikalischer Mensch auf einem harten Klavier schlecht spielte. August trat ins Freie. Die Straße war still, aber nicht dunkel. Der Schnee, der auf der Straße lag, verbreitete eine matte, gleichmäßige Helligkeit. Noch immer schneite es in großen, langsamen Flocken. August Witte entschloß sich, zu Fuß zu gehen, er fühlte, daß er erregt war, und hoffte, daß ihn die milde, weiße Nacht beruhigen würde. Er hatte einen Moment Lust, für seine üble Stimmung Fred verantwortlich zu machen, der mit seiner ablehnenden, beinahe höhnischen Art den ganzen Abend von Anfang an verdorben hatte.

Freilich, daß die Blandini ausgeblieben war, das konnte er Fred nicht zum Vorwurf machen, so gern er es auch getan hätte – dafür mußte ein anderer Grund da sein. Wahrscheinlich war sie bös auf ihn; schön. – Im übrigen, hatte er denn was anderes wollen? Es wäre ihm gar nicht eingefallen, den Streich von heute Abend auszusinnen und auszuführen, wenn ihn nicht die Blandini selbst dazu gereizt hätte, die seit einiger Zeit von diesem armseligen Statisten zu behaupten pflegte, er hätte den interessantesten Kopf, den sie je gesehen, und hätte sicher viel mehr Talent als alle anderen. Anfangs war es wohl nur ein Scherz gewesen, wenn sie das sagte; aber als August unvorsichtigerweise zu widersprechen anfing, beharrte sie eigensinnig auf ihrer Meinung, bis sie endlich erklärte, aus August spräche die Eifersucht. – Das machte ihn ganz wütend. Auf Herrn Roland eifersüchtig! – Ah, er wußte schon ganz gut, auf wen er eifersüchtig zu sein hatte. Der Komiker mußte von allem Anfang an als Rivale hingenommen werden; daran war nichts zu ändern . . . aber über diesen Herrn Roland wollte er sich wahrhaftig nicht weiter ärgern. Jedesmal nahm er sich vor, nicht mehr von ihm mit der Blandini zu reden – und kaum war er fünf Minuten mit ihr zusammen, so fing der Zank wieder an. – Er fühlte, daß es nicht klug war; er trieb die Blandini geradezu in irgend etwas hinein, das er längst fürchtete. – Jetzt, wie er so durch die Straßen eilte, wußte er, was er fürchtete. Jetzt wußte er, daß der Anlaß zu dem Streich von heute Abend nicht die Lust am Spaß gewesen war: auch nicht die

Absicht, dem Herrn Roland eine besondere Freude zu machen, obwohl er fest davon überzeugt war, daß Herr Roland erfreut sein werde; nein – er hatte die stille Hoffnung gehegt, daß er den kleinen Schauspieler für die Blandini lächerlich und unmöglich machen, daß sie über den lustigen Einfall Augusts lachen und sie nachher bessere Freunde sein würden als je; mit diesem Scherz dachte er Herrn Roland für die Blandini endgültig dahin zu verweisen, wo sein Platz war. Er hatte sich vor Beginn des Theaters vorgestellt, daß sie ihm vor seinen Freunden um den Hals fallen und ihm wie in früheren, glücklichen Zeiten sagen würde: »Du bist doch mein süßes und gescheites Afferl!« Aber schon im Theater hatte er gemerkt, daß die Sache anders auszufallen schien, als er gewünscht. Während des Applaussturmes nach dem Eintreten des Roland hatte die Blandini einen bösen Blick in die Loge geworfen, wo er mit seinen zwei Freunden saß, und als Roland zum letztenmal abging, hatte sie die Augen so verloren nach jener Tür gerichtet, daß August einen mächtig anwachsenden Zorn im Herzen fühlte. Und jetzt, je näher er dem Hause kam, in dem die Blandini wohnte, um so weniger verhehlte er sich, wovor er in Wahrheit zitterte: . . . sie beide zusammen zu finden. Er beschleunigte die Schritte – noch um diese Ecke – und er stand vor dem Haustor. Es war eine der breiten Straßen hinter dem Ring; ringsum war kein Mensch zu sehen. Er lauschte und hörte über das beschneite Pflaster das gedämpfte Geräusch eines heranrollenden Wagens; seine Hand, die eben die Klingel drücken wollte, hielt inne, und er wartete.

Der Wagen fuhr um die Ecke, hielt vor dem Haustor. Er kannte ihn gut, er hatte ihn ja selbst für die Blandini gemietet. Rasch trat er beiseite; es war ihm, als wäre seine ganze Erregung geschwunden. Denn er war fest überzeugt, daß sie im nächsten Moment mit Roland aus dem Wagen steigen würde – und dann war eben alles entschieden und alles aus. – Der Schlag öffnete sich, eine Dame stieg aus dem Wagen und schlug die Tür hinter sich zu. Es war die Blandini. August eilte herbei und schaute rasch durch das Fenster in den Wagen hinein. Er war leer. August atmete auf. Dann rief er: »Albine!« – Sie wandte sich rasch um, im Moment, da sie ihn erkannte, machte sie einen Schritt auf ihn zu. »Traust du dich her?«

»Ah, das ist gut,« rief August, der sich plötzlich seiner Rechte neu bewußt wurde, »ob ich mich trau? Wo steckst du denn? Was machst denn du? Ich wart' zwei Stunden auf dich! Was heißt denn das?«

»Mein Lieber, du kannst lang warten,« sagte die Blandini, »wir zwei sind fertig miteinander.«

»Warum?«

»Fragst noch?«

»Erstens schrei nicht; der Kutscher braucht das nicht zu wissen – und zweitens –«

In diesem Augenblick öffnete sich die Haustür; die Blandini eilte in den Flur und schlug die Tür hinter sich zu. August bebte vor Zorn. Aber er wollte sich vor dem Kutscher und dem Portier nicht blamieren und blieb ganz ruhig stehen. Er überlegte. Was sollte er tun? Warten? – Ihr nacheilen? ! Sich der Gefahr aussetzen, von ihr nicht empfangen zu werden? Bis zum Morgen da auf- und abgehen? Ihr in der Früh auf der Straße einen Skandal machen? Er war so zornig, daß er sein eigenes lautes, beinahe schnaubendes Atmen hörte. – Nach zwei Minuten öffnete sich das Haustor von neuem, und Albine erschien.

Sie eilte zum Wagenschlag und rief dem Kutscher etwas zu. August eilte ihr nach und packte sie beim Arm. »Wohin?«

»Was gehts dich an?« Sie machte sich los von ihm und sprang in den Wagen; er ihr nach.

»In *meinem* Wagen werd' ich doch wohl mitfahren dürfen,« stieß er zwischen den Zähnen hervor.

»Bitte.«

Der Wagen rollte fort.

»Darf ich um Aufklärung bitten?« fragte August.

Sie antwortete nicht.

»Woher bist du gekommen?«

Sie schwieg.

»Warst du mit ihm?«

»Nein,« sagte sie; »aber ich such' ihn.«

»Was?«

»Ja.«

»Bist du seine Geliebte?«

»Nein; aber verlaß dich drauf, heute werd' ich's noch.«

August fuhr mit der Hand nach der Signalpfeife für den Kutscher.

Sie zog ihm heftig den Arm herunter.

August schaute durchs Fenster hinaus: sie fuhren über den Ring.

Albertine sah ihn von der Seite an.

»Interessiert's dich, wohin wir fahren?«

August bebte und erwiderte nichts. Sie sprach weiter; grausam und mit Behagen.

»Ich habe nach dem Theater auf ihn gewartet; aber er war schon fort . . . dann bin ich in seine Wohnung, aber er war nicht zu Haus. Dann bin ich in das Wirtshaus, wo er manchmal hinzugehen pflegt; – da war er auch nicht. Und weißt du, warum ich jetzt bei mir zu Haus war? Weil ich überall, bei ihm und auch im Wirtshaus den Auftrag gegeben habe, man soll ihn sofort zu mir schicken. Und jetzt fahren wir wieder ins Theater, weil ich keine Ruh' hab', bevor ich ihn find', – verstehst du?«

August sprach kein Wort; aber er hätte sie gern erwürgt.

Der Wagen rollte über die Donaubrücke, noch ein paar Minuten und er hielt in einer schmalen Gasse, an der kleinen Hintertür des Theatergebäudes, die zur Bühne führt. Die Blandini sprang aus dem Wagen; August ihr nach. Die Tür war längst geschlossen. Ein Gewölbewächter, der eben vorbeiging, sah neugierig die junge Dame an, die um Mitternacht hier an der Glocke zog. Nach ein paar Sekunden wurde die kleine Tür geöffnet, und der Portier erschien mit einer Laterne in der Hand . . . »Jessas, Fräulein Blandini, was ist denn? Was ist denn gescheh'n? Haben S' was da vergessen?«

»Leuchten Sie mir nur.«

August stand hinter ihr.

»Der Herr hat nichts da zu tun,« sagte die Blandini; »sperren Sie zu.«

Sie stieß August zurück, schloß selbst die Tür, und der Portier versperrte sie. Während sie mit dem Portier durch den schmalen, niederen Gang eilte, der zur Bühne führte, fragte sie ihn: »Haben Sie den Roland weggehen sehen?«

Der Portier dachte nach. »Ja, Fräulein, jetzt ist sicher niemand mehr in der Garderobe. Vor zwei Stunden hab' ich schon zugesperrt.«

»Haben Sie ihn weggehen gesehen?« wiederholte sie beinahe flehend.

Sie standen nun auf der großen, dunklen Bühne. Von der Laterne, die der Portier in der Hand hielt, fiel ein Lichtkegel auf den weißen Souffleurkasten. Die Kulissen, zu beiden Seiten im Dunkel, schienen ins Unermeßliche hinaufzuwachsen. Der eiserne Vorhang stand da wie eine Riesenwand.

»Ja . . . . gesehen . . . . .« sagte der Portier. ». . . ich weiß mich wirklich nicht zu erinnern, ich bitt' schön, Fräulein, es gehen da so viel Leut' an einem vorbei, man schaut doch nicht einen jeden an; nicht wahr?«

Die Blandini blieb noch einen Moment nachsinnend stehen, dann eilte sie rasch über die Bühne bis hinter die Kulissen, zu der kleinen Stiege. Sie setzte den Fuß auf die ersten Stufen.

»Aber Fräulein,« rief der Portier, der ihr mit der Laterne nacheilte, »da ist ja die Herrengarderobe.«

Sie antwortete nicht; sie eilte so rasch hinauf, daß sie oben plötzlich im Dunkel stand und auf den nachstolpernden Mann mit der Laterne warten mußte. Sie holte tief Atem. Als der Portier wieder bei ihr war, und ein schwacher Lichtschimmer den Gang erhellte, fragte sie: »Wo ist die Garderob' vom Roland?«

»Ja Fräulein, das weiß ich selber nicht, ich komme ja nie da herauf. Aber da oben sind die Namen angeschrieben.«

Sie nahm ihm die Laterne aus der Hand und versuchte aufs Geratewohl, die erste Tür zu öffnen.

»Fräulein, das geht nicht, s' ist ja zugesperrt. Die Herren sperren meistens zu beim Fortgehen. Und das ist ja gar nicht die von Herrn Roland.«

Fräulein Blandini eilte weiter; bei einer Tür nach der andern hob sie die Laterne höher, um die Namen zu lesen. Endlich war sie bei der rechten. Ein weißer Bogen klebte dort; drei Namen standen darauf: Engelbert Brunn, Oswald Friedemann, Friedrich Roland. Sie griff nach der Türschnalle, aber auch diese Tür war verschlossen.

Der Portier schüttelte den Kopf. »Schau'n S', Fräulein, wenn Sie da drin was vergessen haben, da kommt ja nichts weg, morgen ist's auch noch da.«

»Sie . . . Sie . . .« wandte sich die Blandini an ihn, »der Roland ist ja nach dem zweiten Akte fertig, er muß doch früher fortgegangen sein als die anderen, da hätten Sie ihn doch sehen müssen?«

»Ja, Fräulein, es ist möglich, daß ich ihn geseh'n hab', wie man halt einen sieht, aber ich weiß mich nicht zu erinnern.«

Die Blandini blieb ein paar Augenblicke ratlos stehen. Plötzlich fiel ihr etwas ein. Sie suchte in ihrer Tasche und atmete erleichtert auf. Vielleicht paßt er, flüsterte sie und hielt ihren eigenen Garderobeschlüssel in der Hand. Sie gab dem Portier die Laterne wieder zu halten, und hastig versuchte sie den Schlüssel. Er paßte. Sie drehte ihn ein-, zweimal im Schlosse um; sie drückte auf die Schnalle, die Tür ging auf. – Ihr gegenüber gerade am Fenster schien eine ungeheuer lange Gestalt zu lehnen. Es ist ein Kostüm, dachte sie im ersten Augenblick. Sie riß dem Portier die Laterne aus der Hand, hielt sie hoch, – schrie auf. »Um Gotteswillen,« rief der Portier und stürzte zum Fenster hin. Es war, als stände Herr Friedrich Roland lebendig dort, seine Arme hingen schlaff herab, der Kopf fiel tief auf die Brust herab. Er war im Kostüme, das er abends getragen; sogar den falschen Schnurrbart hatte er noch; nur die Perücke war fort, und seine dünnen, straffen, grauen Haare starrten zerzaust.

»Aufgehängt hat er sich,« stieß der Portier hervor ... »aufgehängt.« Er stellte die Laterne auf das Tischchen zu den Schminktöpfen und der Perücke. Dann griff er nach den Händen des Toten und fuhr längs der Arme bis zum Hals hinauf ... »Mit dem Schnupftüchel,« sagte er. »Ja, was sollen wir denn tun, Fräulein?«

Die Blandini stand regungslos und starrte den Leichnam an.

»Wissen Sie, Fräulein,« sagte der Mann, »ich werd' vielleicht den Herrn von unten heraufholen, und ich geh' unterdessen zur Polizei, die Anzeige machen.«

Jetzt zuckte die Blandini leicht zusammen, dann antwortete sie leise: »Ja, geh'n Sie zur Polizei, ich bleib da ... aber dem Herrn unten sagen Sie, er soll fortgehen, schnell fortgehen soll er, daß ich ihn nimmer seh', sagen Sie ihm das, und wenn ich ihn noch unten treff', sagen S' ihm, spuck' ich ihm ins Gesicht.«

Die letzten Worte schrie sie so laut, daß der Portier zusammenfuhr und daß sie ihm noch in den Ohren gellten, als er im Dunkel über die leere Bühne lief.

DIE TOTEN SCHWEIGEN

Er ertrug es nicht länger, ruhig im Wagen zu sitzen; er stieg aus und ging auf und ab. Es war schon dunkel; die wenigen Laternenlichter in dieser stillen, abseits liegenden Straße flackerten, vom Winde bewegt, hin und her. Es hatte aufgehört zu regnen; die Trottoirs waren beinahe trocken; aber die ungepflasterten Fahrstraßen waren noch feucht, und an einzelnen Stellen hatten sich kleine Tümpel gebildet.

Es ist sonderbar, dachte Franz, wie man sich hier, hundert Schritt von der Praterstraße, in irgend eine ungarische Kleinstadt versetzt glauben kann. Immerhin – sicher dürfte man hier wenigstens sein; hier wird sie keinen ihrer gefürchteten Bekannten treffen.

Er sah auf die Uhr ... Sieben – und schon völlige Nacht. Der Herbst ist diesmal früh da. Und der verdammte Sturm.

Er stellte den Kragen in die Höhe und ging rascher auf und ab. Die Laternenfenster klirrten. »Noch eine halbe Stunde,« sagte er zu sich, »dann kann ich gehen. Ah – ich wollte beinahe, es wäre so weit.« Er blieb an der Ecke stehen; hier hatte er einen Ausblick auf beide Straßen, von denen aus sie kommen könnte.

Ja, heute wird sie kommen, dachte er, während er seinen Hut festhielt, der wegzufliegen drohte. – Freitag – Sitzung des Professorenkollegiums – da wagt sie sich fort und kann sogar länger ausbleiben ... Er hörte das Geklingel der Pferdebahn; jetzt begann auch die Glocke von der nahen Nepomukkirche zu läuten. Die Straße wurde belebter. Es kamen mehr Menschen an ihm vorüber: meist, wie ihm schien, Bedienstete aus den Geschäften, die um sieben geschlossen wurden. Alle gingen rasch und waren mit dem Sturm, der das Gehen erschwerte, in einer Art von Kampf begriffen. Niemand beachtete ihn; nur ein paar Ladenmädel blickten mit leichter Neugier zu ihm auf. – Plötzlich sah er eine bekannte Gestalt rasch herankommen. Er eilte ihr entgegen. Ohne Wagen? dachte er. Ist sie's?

Sie war es; als sie seiner gewahr wurde, beschleunigte sie ihre Schritte.

»Du kommst zu Fuß?« sagte er.

»Ich hab' den Wagen schon beim Karltheater fortgeschickt. Ich glaube, ich bin schon einmal mit demselben Kutscher gefahren.«

Ein Herr ging an ihnen vorüber und betrachtete die Dame flüchtig. Der junge Mann fixierte ihn scharf, beinahe drohend; der Herr ging rasch weiter. Die Dame sah ihm nach. »Wer war's?« fragte sie ängstlich.

»Ich kenne ihn nicht. Hier gibt es keine Bekannten, sei ganz ruhig. – Aber jetzt komm rasch; wir wollen einsteigen.«

»Ist das dein Wagen?«

»Ja.«

»Ein offener?«

»Vor einer Stunde war es noch so schön.«

Sie eilten hin; die junge Frau stieg ein.

»Kutscher,« rief der junge Mann.

»Wo ist er denn?« fragte die junge Frau.

Franz schaute rings umher. »Das ist unglaublich,« rief er, »der Kerl ist nicht zu sehen.«

»Um Gotteswillen!« rief sie leise.

»Wart' einen Augenblick, Kind; er ist sicher da.«

Der junge Mann öffnete die Tür zu dem kleinen Wirtshause; an einem Tisch mit ein paar anderen Leuten saß der Kutscher; jetzt stand er rasch auf.

»Gleich, gnä' Herr,« sagte er und trank stehend sein Glas Wein aus.

»Was fällt Ihnen denn ein?«

»Bitt schön, Euer Gnaden; i bin schon wieder da.«

Er eilte ein wenig schwankend zu den Pferden. »Wohin fahr'n mer denn, Euer Gnaden?«

»Prater – Lusthaus.«

Der junge Mann stieg ein. Die junge Frau lehnte ganz versteckt, beinahe zusammengekauert, in der Ecke unter dem aufgestellten Dach.

Franz faßte ihre beiden Hände. Sie blieb regungslos. – »Willst du mir nicht wenigstens guten Abend sagen?«

»Ich bitt dich; laß mich nur einen Moment, ich bin noch ganz atemlos.«

Der junge Mann lehnte sich in seine Ecke. Beide schwiegen eine Weile. Der Wagen war in die Praterstraße eingebogen, fuhr an dem Tegetthoff-Monument vorüber, und nach wenigen Sekunden flog er die breite, dunkle Praterallee hin. Jetzt umschlang

Emma plötzlich mit beiden Armen den Geliebten. Er schob leise den Schleier zurück, der ihn noch von ihren Lippen trennte, und küßte sie.

»Bin ich endlich bei dir!« sagte sie.

»Weißt du denn, wie lang wir uns nicht gesehen haben?« rief er aus.

»Seit Sonntag.«

»Ja, und da auch nur von weitem.«

»Wieso? Du warst ja bei uns.«

»Nun ja . . . bei euch. Ah, das geht so nicht fort. Zu euch komm' ich überhaupt nie wieder. Aber was hast du denn?«

»Es ist ein Wagen an uns vorbeigefahren.«

»Liebes Kind, die Leute, die heute im Prater spazieren fahren, kümmern sich wahrhaftig nicht um uns.«

»Das glaub' ich schon. Aber zufällig kann einer hereinschaun.«

»Es ist unmöglich, jemanden zu erkennen.«

»Ich bitt dich, fahren wir wo anders hin.«

»Wie du willst.«

Er rief dem Kutscher, der aber nicht zu hören schien. Da beugte er sich vor und berührte ihn mit der Hand. Der Kutscher wandte sich um.

»Sie sollen umkehren. Und warum hauen Sie denn so auf die Pferde ein? Wir haben ja gar keine Eile, hören Sie! Wir fahren in die . . . wissen Sie, die Allee, die zur Reichsbrücke führt.«

»Auf die Reichsstraßen?«

»Ja, aber rasen Sie nicht so, das hat ja gar keinen Sinn.«

»Bitt schön, gnä' Herr, der Sturm, der macht die Rösser so wild.«

»Ah freilich, der Sturm.« Franz setzte sich wieder.

Der Kutscher wandte die Pferde. Sie fuhren zurück.

»Warum habe ich dich gestern nicht gesehen?« fragte sie.

»Wie hätt' ich denn können?«

»Ich dachte, du warst auch bei meiner Schwester geladen.«

»Ach so.«

»Warum warst du nicht dort?«

»Weil ich es nicht vertragen kann, mit dir unter anderen Leuten zusammen zu sein. Nein, nie wieder.«

Sie zuckte die Achseln.

»Wo sind wir denn?« fragte sie dann.

Sie fuhren unter der Eisenbahnbrücke in die Reichsstraße ein.

»Da geht's zur großen Donau,« sagte Franz, »wir sind auf dem

Weg zur Reichsbrücke. Hier gibt es keine Bekannten!« setzte er spöttisch hinzu.

»Der Wagen schüttelt entsetzlich.«

»Ja, jetzt sind wir wieder auf Pflaster.«

»Warum fährt er so im Zickzack?«

»Es scheint dir so.«

Aber er fand selbst, daß der Wagen sie heftiger als nötig hin und her warf. Er wollte nichts davon sagen, um sie nicht noch ängstlicher zu machen.

»Ich habe heute viel und ernst mit dir zu reden, Emma.«

»Da mußt du bald anfangen, denn um neun muß ich zu Hause sein.«

»In zwei Worten kann alles entschieden sein.«

»Gott, was ist denn das?« . . . schrie sie auf. Der Wagen war in ein Pferdebahngeleise geraten und machte jetzt, als der Kutscher herauswenden wollte, eine so scharfe Biegung, daß er fast zu stürzen drohte. Franz packte den Kutscher beim Mantel. »Halten Sie,« rief er ihm zu. »Sie sind ja betrunken.«

Der Kutscher brachte die Pferde mühsam zum Stehen. »Aber gnä' Herr . . .«

»Komm, Emma, steigen wir hier aus.«

»Wo sind wir?«

»Schon an der Brücke. Es ist auch jetzt nicht mehr gar so stürmisch. Gehen wir ein Stückchen. Man kann während des Fahrens nicht ordentlich reden.«

Emma zog den Schleier herunter und folgte.

»Nicht stürmisch nennst du das?« rief sie aus, als ihr gleich beim Aussteigen ein Windstoß entgegenfuhr.

Er nahm ihren Arm. »Nachfahren«, rief er dem Kutscher zu.

Sie spazierten vorwärts. So lang die Brücke allmählich anstieg, sprachen sie nichts; und als sie beide das Wasser unter sich rauschen hörten, blieben sie eine Weile stehen. Tiefes Dunkel war um sie. Der breite Strom dehnte sich grau und in unbestimmten Grenzen hin, in der Ferne sahen sie rote Lichter, die über dem Wasser zu schweben schienen und sich darin spiegelten. Von dem Ufer her, das die beiden eben verlassen hatten, senkten sich zitternde Lichtstreifen ins Wasser; jenseits war es, als verlöre sich der Strom in die schwarzen Auen. Jetzt schien ein ferneres Donnern zu ertönen, das immer näher kam; unwillkürlich sahen sie beide nach der Stelle, wo die roten Lichter schimmerten; Bahnzüge mit hellen Fenstern rollten zwischen eisernen Bogen hin, die plötzlich aus der Nacht hervorzuwachsen und gleich wieder zu versinken schienen. Der Donner verlor sich allmählich, es wurde still; nur der Wind kam in plötzlichen Stößen.

Nach langem Schweigen sagte Franz: »Wir sollten fort.«

»Freilich«, erwiderte Emma leise.

»Wir sollten fort,« sagte Franz lebhaft, »ganz fort, mein' ich . . .«

»Es geht ja nicht.«

»Weil wir feig sind, Emma; darum geht es nicht.«

»Und mein Kind?«

»Er würde es dir lassen, ich bin fest überzeugt.«

»Und wie?« fragte sie leise . . . »Davonlaufen bei Nacht und Nebel?«

»Nein, durchaus nicht. Du hast nichts zu tun, als ihm einfach zu sagen, daß du nicht länger bei ihm leben kannst, weil du einem andern gehörst.«

»Bist du bei Sinnen, Franz?«

»Wenn du willst, erspar' ich dir auch das, – ich sag' es ihm selber.«

»Das wirst du nicht tun, Franz.«

Er versuchte, sie anzusehen; aber in der Dunkelheit konnte er nicht mehr bemerken, als daß sie den Kopf erhoben und zu ihm gewandt hatte.

Er schwieg eine Weile. Dann sagte er ruhig: »Hab' keine Angst, ich werde es nicht tun.«

Sie näherten sich dem anderen Ufer.

»Hörst du nichts?« sagte sie. »Was ist das?«

»Es kommt von drüben«, sagte er.

Langsam rasselte es aus dem Dunkel hervor; ein kleines rotes Licht schwebte ihnen entgegen; bald sahen sie, daß es von einer kleinen Laterne kam, die an der vorderen Deichsel eines Landwagens befestigt war; aber sie konnten nicht sehen, ob der Wagen beladen war und ob Menschen mitfuhren. Gleich dahinter kamen noch zwei gleiche Wagen. Auf dem letzten konnten sie einen Mann in Bauerntracht gewahren, der eben seine Pfeife anzündete. Die Wagen fuhren vorbei. Dann hörten sie wieder nichts als das dumpfe Geräusch des Fiakers, der zwanzig Schritte hinter ihnen langsam weiter rollte. Jetzt senkte sich die Brücke leicht gegen das andere Ufer. Sie sahen, wie die Straße vor ihnen zwischen Bäumen ins Finstere weiter lief. Rechts und links von ihnen lagen in der Tiefe die Auen; sie sahen wie in Abgründe hinein.

Nach langem Schweigen sagte Franz plötzlich: »Also das letztemal . . .«

»Was?« fragte Emma in besorgtem Ton.

»– Daß wir zusammen sind. Bleib' bei ihm. Ich sag' dir Adieu.«

»Sprichst du im Ernst?«

»Vollkommen.«

»Siehst du, daß du es bist, der uns immer die paar Stunden verdirbt, die wir haben; nicht ich!«

»Ja, ja, du hast Recht«, sagte Franz. »Komm, fahren wir zurück.«

Sie nahm seinen Arm fester. »Nein,« sagte sie zärtlich, »jetzt will ich nicht. Ich laß' mich nicht so fortschicken.«

Sie zog ihn zu sich herab und küßte ihn lang. »Wohin kämen wir,« fragte sie dann, »wenn wir hier immer weiter führen?«

»Da geht's direkt nach Prag, mein Kind.«

»So weit nicht,« sagte sie lächelnd, »aber noch ein bißchen weiter da hinaus, wenn du willst.« Sie wies ins Dunkle.

»He, Kutscher!« rief Franz. Der hörte nichts.

Franz schrie: »Halten Sie doch!«

Der Wagen fuhr immer weiter. Franz lief ihm nach. Jetzt sah er, daß der Kutscher schlief. Durch heftiges Anschreien weckte ihn Franz auf. »Wir fahren noch ein kleines Stück weiter – die gerade Straße – verstehen Sie mich?«

»Is' schon gut, gnä' Herr . . .«

Emma stieg ein; nach ihr Franz. Der Kutscher hieb mit der Peitsche drein; wie rasend flogen die Pferde über die aufgeweichte Straße hin. Aber die beiden im Wagen hielten einander fest umarmt, während der Wagen sie hin- und herwarf.

»Ist das nicht auch ganz schön«, flüsterte Emma ganz nahe an seinem Munde.

In diesem Augenblick war ihr, als flöge der Wagen plötzlich in die Höhe – sie fühlte sich fortgeschleudert, wollte sich an etwas klammern, griff ins Leere; es schien ihr, als drehe sie sich mit rasender Geschwindigkeit im Kreise herum, so daß sie die Augen schließen mußte – und plötzlich fühlte sie sich auf dem Boden liegen, und eine ungeheure schwere Stille brach herein, als wenn sie fern von aller Welt und völlig einsam wäre. Dann hörte sie verschiedenes durcheinander: Geräusch von Pferdehufen, die ganz in ihrer Nähe auf dem Boden schlugen, ein leises Wimmern; aber sehen konnte sie nichts. Jetzt faßte sie eine tolle Angst; sie schrie; ihre Angst ward noch größer, denn sie hörte ihr Schreien nicht.

Sie wußte plötzlich ganz genau, was geschehen war: der Wagen war an irgend etwas gestoßen, wohl an einen der Meilensteine, hatte umgeworfen, und sie waren herausgestürzt. Wo ist *er*? war ihr nächster Gedanke. Sie rief seinen Namen. Und sie hörte sich rufen, ganz leise zwar, aber sie hörte sich. Es kam keine Antwort. Sie versuchte, sich zu erheben. Es gelang ihr soweit, daß sie auf den Boden zu sitzen kam, und als sie mit den Händen ausgriff, fühlte sie einen menschlichen Körper neben sich. Und nun konnte sie auch die Dunkelheit mit ihrem Auge durchdringen. Franz lag neben ihr, völlig regungslos. Sie berührte mit der ausgestreckten Hand sein Gesicht; sie fühlte etwas Feuchtes und Warmes darüber fließen. Ihr Atem stockte. Blut . . .? Was war da geschehen? Franz war verwundet und bewußtlos. Und der Kutscher – wo war er denn? Sie rief nach ihm. Keine Antwort. Noch immer saß sie auf dem Boden. Mir ist nichts geschehen, dachte sie, obwohl sie Schmerzen in allen Gliedern fühlte. Was tu' ich nur, was tu' ich nur . . . es ist doch nicht möglich, daß mir gar nichts geschehen ist. »Franz!« rief sie. Eine Stimme antwortete ganz in der Nähe: »Wo sind S' denn, gnä' Fräul'n, wo ist der gnä' Herr? Es ist doch nix g'schehn? Warten S', Fräulein, – i zünd' nur die Latern' an, daß wir was sehn; i weiß net, was die Krampen heut hab'n. Ich bin net Schuld, meiner Seel' . . . in ein' Schoderhaufen sein s' hinein, die verflixten Rösser.«

Emma hatte sich, trotzdem ihr alle Glieder weh taten, vollkommen aufgerichtet, und daß dem Kutscher nichts geschehen war, machte sie ein wenig ruhiger. Sie hörte, wie der Mann die Laternenklappe öffnete und Streichhölzchen anrieb. Angstvoll wartete sie auf das Licht. Sie wagte es nicht, Franz noch einmal zu berühren, der vor ihr auf dem Boden lag; sie dachte: wenn man nichts sieht, scheint alles furchtbarer; er hat gewiß die Augen offen . . . . es wird nichts sein.

Ein Lichtschimmer kam von der Seite. Sie sah plötzlich den Wagen, der aber zu ihrer Verwunderung nicht auf dem Boden lag, sondern nur schief gegen den Straßengraben zu gestellt war, als wäre ein Rad gebrochen. Die Pferde standen vollkommen still. Das Licht näherte sich; sie sah den Schein allmählich über einen Meilenstein, über den Schotterhaufen in den Graben gleiten; dann kroch er auf die Füße Franzens, glitt über seinen Körper, beleuchtete sein Gesicht und blieb darauf ruhen. Der Kutscher hatte die Laterne auf den Boden gestellt; gerade neben den Kopf des Liegenden. Emma ließ sich auf die Knie nieder, und es war ihr, als hörte ihr Herz zu schlagen auf, wie sie das Gesicht erblickte. Es war blaß; die Augen halb offen, so daß sie nur das Weiße von ihnen sah. Von der rechten Schläfe rieselte langsam ein Streifen Blut über die Wange und verlor sich unter dem Kragen am Halse. In die Unterlippe waren die Zähne gebissen. »Es ist ja nicht möglich!« sagte Emma vor sich hin.

Auch der Kutscher war niedergekniet und starrte das Gesicht an. Dann packte er mit beiden Händen den Kopf und hob ihn in die Höhe. »Was machen Sie?« schrie Emma mit erstickter Stimme, und erschrak vor diesem Kopf, der sich selbständig aufzurichten schien.

»Gnä' Fräul'n, mir scheint, da ist ein großes Malheur gescheh'n.«

»Es ist nicht wahr«, sagte Emma. »Es kann nicht sein. Ist denn Ihnen was geschehen? Und mir ...«

Der Kutscher ließ den Kopf des Regungslosen wieder langsam sinken; – in den Schoß Emmas, die zitterte. »Wenn nur wer käm' ... wenn nur die Bauersleut' eine Viertelstund' später daher'kommen wären ...«

»Was sollen wir denn machen?« sagte Emma mit bebenden Lippen.

»Ja, Fräul'n wenn der Wagen net brochen wär' ... aber so, wie er jetzt zug'richt ist ... Wir müssen halt warten, bis wer kommt.« Er redete noch weiter, ohne daß Emma seine Worte auffaßte; aber während dem war es ihr, als käme sie zur Besinnung, und sie wußte, was zu tun war.

»Wie weit ist's bis zu den nächsten Häusern?« fragte sie.

»Das ist nimmer weit, Fräul'n, da ist ja gleich das Franz Josefsland ... Wir müßten die Häuser sehen, wenn's licht wär', in fünf Minuten müßte man dort sein.«

»Gehen Sie hin. Ich bleibe da, holen Sie Leute.«

»Ja, Fräul'n, ich glaub' schier, es ist g'scheiter, ich bleib mit Ihnen da – es kann ja nicht so lang dauern, bis wer kommt, es ist ja schließlich die Reichsstraße, und –«

»Da wird's zu spät, da kann's zu spät werden. Wir brauchen einen Doktor.«

Der Kutscher sah auf das Gesicht des Regungslosen, dann schaute er kopfschüttelnd Emma an.

»Das können Sie nicht wissen«, – rief Emma, »und ich auch nicht.«

»Ja, Fräul'n ... aber wo find' i denn ein' Doktor im Franz Josefsland?«

»So soll von dort jemand in die Stadt und –«

»Fräul'n, wissen's was! I denk mir, die werden dort vielleicht ein Telephon haben. Da könnten wir um die Rettungsgesellschaft telephonieren.«

»Ja, das ist das Beste! Gehen Sie nur, laufen Sie, um Himmelswillen! Und Leute bringen Sie mit ... Und ... bitt' Sie, gehen Sie nur, was tun Sie denn noch da?«

Der Kutscher schaute in das blasse Gesicht, das nun auf Emmas Schoß ruhte. »Rettungsgesellschaft, Doktor, wird nimmer viel nützen.«

»Gehen Sie! Um Gotteswillen! Gehen Sie!«

»I geh' schon – daß S' nur nicht Angst kriegen, Fräul'n, da in der Finstern.« Und er eilte rasch über die Straße fort. »I kann nix dafür, meiner Seel«, murmelte er vor sich hin. »Ist auch eine Idee, mitten in der Nacht auf die Reichsstraßen ...«

Emma war mit dem Regungslosen allein auf der dunklen Straße. »Was jetzt?« dachte sie. Es ist doch nicht möglich ... das ging ihr immer wieder durch den Kopf ... es ist ja nicht möglich. – Es war ihr plötzlich, als hörte sie neben sich atmen. Sie beugte sich herab zu den blassen Lippen. Nein, von da kam kein Hauch. Das Blut an Schläfe und Wangen schien getrocknet zu sein. Sie starrte die Augen an; die gebrochenen Augen, und bebte zusammen. Ja warum glaube ich es denn nicht – es ist ja gewiß ... das ist der Tod! Und es durchschauerte sie. Sie fühlte nur mehr: ein Toter. Ich und ein Toter, der Tote auf meinem Schoß. Und mit zitternden Händen rückte sie den Kopf weg, so daß er wieder auf den Boden zu liegen kam. Und jetzt erst kam ein Gefühl entsetzlicher Verlassenheit über sie. Warum hatte sie den Kutscher weggeschickt? Was für ein Unsinn! Was soll sie denn da auf der Landstraße mit dem toten Manne allein anfangen? Wenn Leute kommen ... Ja, was soll sie denn tun, wenn Leute kommen? Wie lang wird sie hier warten müssen? Und sie sah wieder den Toten an. Ich bin nicht allein mit ihm, fiel ihr ein. Das Licht ist ja da. Und es kam ihr vor, als wäre dieses Licht etwas Liebes und Freundliches, dem sie danken müßte. Es war mehr Leben in dieser kleinen Flamme, als in der ganzen weiten Nacht um sie; ja, es war ihr fast, als sei ihr dieses Licht ein Schutz gegen den blassen fürchterlichen Mann, der neben ihr auf dem Boden lag ... Und sie sah in das Licht so lang, bis ihr die Augen flimmerten, bis es zu tanzen begann. Und plötzlich hatte sie das Gefühl, als wenn sie erwachte. Sie sprang auf! Das geht ja nicht, das ist ja unmöglich, man darf mich doch nicht hier mit ihm finden ... Es war ihr, als sähe sie sich jetzt selbst auf der Straße stehen, zu ihren Füßen den Toten und das Licht; und sie sah sich, als ragte sie in sonderbarer Größe in die Dunkelheit hinein. Worauf wart' ich, dachte sie, und ihre Gedanken jagten ... Worauf wart' ich? Auf die Leute? – Was brauchen mich denn die? Die Leute werden kommen und fragen ... und ich ... was tu' ich denn hier? Alle werden fragen, wer ich bin. Was soll ich ihnen antworten? Nichts. Kein Wort werd' ich reden, wenn sie kommen, schweigen werd' ich. Kein Wort ... sie können mich ja nicht zwingen.

Stimmen kamen von weitem.

Schon? dachte sie. Sie lauschte angstvoll. Die Stimmen kamen von der Brücke her. Das konnten also nicht die Leute sein, die der Kutscher geholt hatte. Aber wer immer sie waren – jedenfalls werden sie das Licht bemerken – und das durfte nicht sein, dann war sie entdeckt.

Und sie stieß mit dem Fuß die Laterne um. Die verlöschte. Nun stand sie in tiefer Finsternis. Nichts sah sie. Auch ihn sah sie nicht mehr. Nur der weiße Schotterhaufen glänzte ein wenig. Die Stimmen kamen näher. Sie begann am ganzen Körper zu zittern. Nur hier nicht entdeckt werden. Um Himmelswillen, das ist ja das einzige Wichtige, nur auf das und auf gar nichts anderes kommt es an – sie ist ja verloren, wenn ein Mensch erfährt, daß sie die Geliebte von ... Sie faltet die Hände krampfhaft. Sie betet, daß die Leute auf der anderen Seite der Straße vorüber gehen mögen, ohne sie zu bemerken. Sie lauscht. Ja von drüben ... Was reden Sie doch? ... Es sind zwei Frauen oder drei. Sie haben den Wagen bemerkt, denn sie reden etwas davon, sie kann Worte unterscheiden. Ein Wagen ... umgefallen ... was sagen sie sonst? Sie kann es nicht verstehen. Sie gehen weiter ... sie sind vorüber ... Gott sei Dank! Und jetzt, was jetzt? Oh, warum ist sie nicht tot wie er? Er ist zu beneiden, für ihn ist alles vorüber ... für ihn gibt es keine Gefahr mehr und keine Furcht. Sie aber zittert vor vielem. Sie fürchtet, daß man sie hier finden, daß man sie fragen wird: wer sind Sie? ... Daß sie mit auf die Polizei muß, daß alle Menschen es erfahren werden, daß ihr Mann – daß ihr Kind –

Und sie begreift nicht, daß sie so lange schon dagestanden ist wie angewurzelt ... Sie kann ja fort, sie nützt ja keinem hier, und sich selbst bringt sie ins Unglück. Und sie macht einen Schritt ... Vorsichtig ... sie muß durch den Straßengraben ... hinüber ...

einen Schritt hinauf – oh, er ist so seicht! – und noch zwei Schritte, bis sie in der Mitte der Straße ist ... und dann steht sie einen Augenblick still, sieht vor sich hin und kann den grauen Weg ins Dunkle hinein verfolgen. Dort – dort ist die Stadt. Sie kann nichts von ihr sehen ... aber die Richtung ist ihr klar. Noch einmal wendet sie sich um. Es ist ja gar nicht so dunkel. Sie kann den Wagen ganz gut sehn; auch die Pferde ... und wenn sie sich sehr anstrengt, merkt sie auch etwas wie die Umrisse eines menschlichen Körpers, der auf dem Boden liegt. Sie reißt die Augen weit auf, es ist ihr, als hielte sie etwas hier zurück ... der Tote ist es, der sie hier behalten will, und es graut sie vor seiner Macht ... Aber gewaltsam macht sie sich frei, und jetzt merkt sie: der Boden ist zu feucht; sie steht auf der glitschigen Straße, und der nasse Staub hat sie nicht fortgelassen. Nun aber geht sie ... geht rascher ... läuft ... und fort von da ... zurück ... in das Licht, in den Lärm, zu den Menschen! Die Straße läuft sie entlang, hält das Kleid hoch, um nicht zu fallen. Der Wind ist ihr im Rücken, es ist, als wenn er sie vorwärts triebe. Sie weiß nicht mehr recht, wovor sie flieht. Es ist ihr, als ob sie vor dem bleichen Manne fliehen müßte, der dort, weit hinter ihr, neben dem Straßengraben liegt ... dann fällt ihr ein, daß sie ja den Lebendigen entkommen will, die gleich dort sein und sie suchen werden. Was werden die denken? Wird man ihr nicht nach? Aber man kann sie nicht mehr einholen, sie ist ja gleich bei der Brücke, sie hat einen großen Vorsprung, und dann ist die Gefahr vorbei. Man kann ja nicht ahnen, wer sie ist, keine Seele kann ahnen, wer die Frau war, die mit jenem Mann über die Reichsstraße gefahren ist. Der Kutscher kennt sie nicht, er wird sie auch nicht erkennen, wenn er sie später einmal sieht. Man wird sich auch nicht darum kümmern, wer sie war. Wen geht es an? – Es ist sehr klug, daß sie nicht dort geblieben ist, es ist auch nicht gemein. Franz selbst hätte ihr recht gegeben. Sie muß ja nach Haus, sie hat ein Kind, sie hat einen Mann, sie wäre ja verloren, wenn man sie dort bei ihrem toten Geliebten gefunden hätte. Da ist die Brücke, die Straße scheint heller ... ja schon hört sie das Wasser rauschen wie früher; sie ist da, wo sie mit ihm Arm in Arm gegangen – wann – wann? Vor wieviel Stunden? Es kann noch nicht lange sein. Nicht lang? Vielleicht doch! Vielleicht war sie lange bewußtlos, vielleicht ist es längst Mitternacht, vielleicht ist der Morgen schon nahe, und sie wird daheim schon vermißt. Nein, nein, das ist ja nicht möglich, sie weiß, daß sie gar nicht bewußtlos war; sie erinnert sich jetzt genauer als im ersten Augenblick, wie sie aus dem Wagen gestürzt und gleich über alles im Klaren gewesen ist. Sie läuft über die Brücke und hört ihre Schritte hallen. Sie sieht nicht nach rechts und links. Jetzt bemerkt sie, wie eine Gestalt ihr entgegenkommt. Sie mäßigt ihre Schritte. Wer kann das sein, der ihr entgegenkommt? Es ist jemand in Uniform. Sie geht ganz langsam. Sie darf nicht auffallen. Sie glaubt zu merken, daß der Mann den Blick fest auf sie gerichtet hält. Wenn er sie fragt? Sie ist neben ihm, erkennt die Uniform; es ist ein Sicherheitswachmann; sie geht an ihm vorüber. Sie hört, daß er hinter ihr stehen geblieben ist. Mit Mühe hält sie sich davon zurück, wieder zu laufen; es wäre verdächtig. Sie geht noch immer so langsam wie früher. Sie hört das Geklingel der Pferdeeisenbahn. Es kann noch lang nicht Mitternacht sein. Jetzt geht sie wieder schneller; sie eilt der Stadt entgegen, deren Lichter sie schon unter dem Eisenbahnviadukt am Ausgang der Straße entgegenschimmern sieht, deren gedämpften Lärm sie schon zu vernehmen glaubt. Noch diese einsame Straße, und dann ist die Erlösung da. Jetzt hört sie von weitem schrille Pfiffe, immer schriller, immer näher; ein Wagen saust an ihr vorüber. Unwillkürlich bleibt sie stehen und sieht ihm nach. Es ist der Wagen der Rettungsgesellschaft. Sie weiß, wohin er fährt. Wie schnell! denkt sie . . . Es ist wie Zauberei. Einen Moment lang ist ihr, als müßte sie den Leuten nachrufen, als müßte sie mit, als müßte sie wieder dahin zurück, woher sie gekommen – einen Moment lang packt sie eine ungeheure Scham, wie sie sie nie empfunden; und sie weiß, daß sie feig und schlecht gewesen ist. Aber wie sie das Rollen und Pfeifen immer ferner verklingen hört, kommt eine wilde Freude über sie, und wie eine Gerettete eilt sie vorwärts. Leute kommen ihr entgegen; sie hat keine Angst mehr vor ihnen – das Schwerste ist überstanden. Der Lärm der Stadt wird deutlich, immer lichter wird es vor ihr; schon sieht sie die Häuserzeile der Praterstraße, und es ist ihr, als werde sie dort von einer Flut von Menschen erwartet, in der sie spurlos verschwinden darf. Wie sie jetzt zu einer Straßenlaterne kommt, hat sie schon die Ruhe, auf ihre Uhr zu sehen. Es ist zehn Minuten vor Neun. Sie hält die Uhr ans Ohr – sie ist nicht stehen geblieben. Und sie denkt: ich bin lebendig, gesund . . . sogar meine Uhr geht . . . und er . . . er . . . tot . . . Schicksal . . . Es ist ihr, als wäre ihr alles verziehen . . . als wäre nie irgendeine Schuld auf ihrer Seite gewesen. Es hat sich erwiesen, ja es hat sich erwiesen. Sie hört, wie sie diese Worte laut spricht. Und wenn es das Schicksal anders bestimmt hätte? – Und wenn sie jetzt dort im Graben läge und er am Leben geblieben wäre? Er wäre nicht geflohen, nein ... er nicht. Nun ja, er ist ein Mann. Sie ist ein Weib – und sie hat ein Kind und einen Gatten. – Sie hat Recht gehabt, – es ist ihre Pflicht – ja ihre Pflicht. Sie weiß ganz gut, daß sie nicht aus Pflichtgefühl so gehandelt ... Aber sie hat doch das Rechte getan. Unwillkürlich ... wie ... gute Menschen immer. Jetzt wäre sie schon entdeckt. Jetzt würden die Ärzte sie fragen. Und Ihr Mann, gnädige Frau? O Gott! ... Und die Zeitungen morgen – und die Familie – sie wäre für alle Zeit vernichtet gewesen und hätte ihn doch nicht zum Leben erwecken können. Ja, das war die Hauptsache; für nichts hätte sie sich zu Grunde gerichtet. – Sie ist unter der Eisenbahnbrücke. – Weiter ... weiter ... Hier ist die Tegetthoffsäule, wo die vielen Straßen ineinander laufen. Es sind heute, an dem regnerischen, windigen Herbstabend wenig Leute mehr im Freien, aber ihr ist es, als brause das Leben der Stadt mächtig um sie; denn woher sie kommt, dort war die fürchterlichste Stille. Sie hat Zeit. Sie weiß, daß ihr Mann heute erst gegen zehn nach Hause kommen wird – sie kann sich sogar noch umkleiden. Jetzt fällt es ihr ein, ihr Kleid zu betrachten. Mit Schrecken merkt sie, daß es über und über beschmutzt ist. Was wird sie dem Stubenmädchen sagen? Es fährt ihr durch den Kopf, daß morgen die Geschichte von dem Unglücksfall in allen Zeitungen zu lesen sein wird. Auch von einer Frau, die mit im Wagen war, und die dann nicht mehr zu finden war, wird überall zu lesen stehen, und bei diesem Gedanken bebt sie von neuem – *eine* Unvorsichtigkeit, und all ihre Feigheit war umsonst. Aber sie hat den Wohnungsschlüssel bei sich; sie kann ja selbst aufsperren; – sie wird sich nicht hören lassen. Sie steigt rasch in einen Fiaker. Schon will sie ihm ihre Adresse angeben, da fällt ihr ein, daß das vielleicht unklug wäre, und sie ruft ihm irgend einen Straßennamen zu, der ihr eben einfällt. Wie sie durch die Praterstraße fährt, möchte sie gern irgend etwas empfinden, aber sie kann es nicht; sie fühlt, daß sie nur einen Wunsch hat: zu Hause, in Sicherheit sein. Alles andere ist ihr gleichgültig. Im Augenblick, da sie sich entschlossen hat, den Toten allein auf der Straße liegen zu lassen, hat alles in ihr verstummen müssen, was um ihn klagen und jammern wollte. Sie kann jetzt nichts mehr empfinden als Sorge um sich. Sie ist ja nicht herzlos ... o nein! ... sie weiß ganz gewiß, es werden Tage kommen, wo sie verzweifeln wird; vielleicht wird sie daran zu

Grunde gehen; aber jetzt ist nichts in ihr, als die Sehnsucht, mit trockenen Augen und ruhig zu Hause am selben Tisch mit ihrem Gatten und ihrem Kinde zu sitzen. Sie sieht durchs Fenster hinaus. Der Wagen fährt durch die innere Stadt; hier ist es hell erleuchtet, und ziemlich viele Menschen eilen vorbei. Da ist ihr plötzlich, als könne alles, was sie in den letzten Stunden durchlebt, gar nicht wahr sein. Wie ein böser Traum erscheint es ihr... unfaßbar als Wirkliches, Unabänderliches. In einer Seitengasse nach dem Ring läßt sie den Wagen halten, steigt aus, biegt rasch um die Ecke und nimmt dort einen andern Wagen, dem sie ihre richtige Adresse angibt. Es kommt ihr vor, als wäre sie jetzt überhaupt nicht mehr fähig, einen Gedanken zu fassen. Wo ist er jetzt, fährt es ihr durch den Sinn. Sie schließt die Augen, und sie sieht ihn vor sich auf einer Bahre liegen, im Krankenwagen – und plötzlich ist ihr, als sitze sie neben ihm und fahre mit ihm. Und der Wagen beginnt zu schwanken, und sie hat Angst, daß sie herausgeschleudert werde, wie damals – und sie schreit auf. Da hält der Wagen. Sie fährt zusammen; sie ist vor ihrem Haustor. – Rasch steigt sie aus, eilt durch den Flur, mit leisen Schritten, so daß der Portier hinter seinem Fenster gar nicht aufschaut, die Treppen hinauf, sperrt leise die Tür auf, um nicht gehört zu werden ... durchs Vorzimmer in ihr Zimmer – es ist gelungen! Sie macht Licht, wirft eilig ihre Kleider ab und verbirgt sie wohl im Schrank. Über Nacht sollen sie trocknen – morgen will sie sie selber bürsten und reinigen. Dann wäscht sie sich Gesicht und Hände und nimmt einen Schlafrock um.

Jetzt klingelt es draußen. Sie hört das Stubenmädchen an die Wohnungstür kommen und öffnen. Sie hört die Stimme ihres Mannes; sie hört, wie er den Stock hinstellt. Sie fühlt, daß sie jetzt stark sein müsse, sonst kann noch immer alles vergeblich gewesen sein. Sie eilt ins Speisezimmer, so daß sie im selben Augenblick eintritt wie ihr Gatte.

»Ah, du bist schon zu Haus?« sagte er.

»Gewiß,« antwortet sie, »schon lang.«

»Man hat dich offenbar nicht kommen gesehn.« Sie lächelt, ohne sich dazu zwingen zu müssen. Es macht sie nur sehr müde, daß sie auch lächeln muß. Er küßt sie auf die Stirn.

Der Kleine sitzt schon bei Tisch; er hat lang warten müssen, ist eingeschlafen. Auf dem Teller hat er sein Buch liegen, auf dem offenen Buch ruht sein Gesicht. Sie setzt sich neben ihn, der Gatte ihr gegenüber, nimmt eine Zeitung und wirft einen flüchtigen Blick hinein. Dann legt er sie weg und sagt: »Die anderen sitzen noch zusammen und beraten weiter.«

»Worüber?« fragt sie.

Und er beginnt zu erzählen, von der heutigen Sitzung, sehr lang, sehr viel. Emma tut, als höre sie zu, nickt zuweilen.

Aber sie hört nichts, sie weiß nicht, was er spricht, es ist ihr zu Mute, wie einem, der furchtbaren Gefahren auf wunderbare Weise entronnen ... sie fühlt nichts als: Ich bin gerettet, ich bin daheim. Und während ihr Mann immer weiter erzählt, rückt sie ihren Sessel näher zu ihrem Jungen, nimmt seinen Kopf und drückt ihn an ihre Brust. Eine unsägliche Müdigkeit überkommt sie – sie kann sich nicht beherrschen, sie fühlt, daß der Schlummer über sie kommt; sie schließt die Augen.

Plötzlich fährt ihr eine Möglichkeit durch den Sinn, an die sie seit dem Augenblick, da sie sich aus dem Graben erhoben hat, nicht mehr gedacht. Wenn er nicht tot wäre! Wenn er ... Ach nein, es war kein Zweifel möglich ... Diese Augen ... dieser Mund – und dann ... kein Hauch von seinen Lippen. – Aber es gibt ja den Scheintod. Es gibt Fälle, wo sich geübte Blicke irren. Und sie hat gewiß keinen geübten Blick. Wenn er lebt, wenn er schon wieder zu Bewußtsein gekommen ist, wenn er sich plötzlich mitten in der Nacht auf der Landstraße allein gefunden ... wenn er nach ihr ruft ... ihren Namen ... wenn er am Ende fürchtet, sie sei verletzt ... wenn er den Ärzten sagt, hier war eine Frau, sie muß weiter weggeschleudert worden sein. Und ... und ... ja, was dann? Man wird sie suchen. Der Kutscher wird zurückkommen vom Franz Josefsland mit Leuten ... er wird erzählen ... die Frau war ja da, wie ich fortgegangen bin – und Franz wird ahnen. Franz wird wissen ... er kennt sie ja so gut ... er wird wissen, daß sie davongelaufen ist, und ein gräßlicher Zorn wird ihn erfassen, und er wird ihren Namen nennen, um sich zu rächen. Denn er ist ja verloren ... und es wird ihn so tief erschüttern, daß sie ihn in seiner letzten Stunde allein gelassen, daß er rücksichtslos sagen wird: Es war Frau Emma, meine Geliebte ... feig und dumm zugleich, denn nicht wahr, meine Herren Ärzte, Sie hätten sie gewiß nicht um ihren Namen gefragt, wenn man Sie um Diskretion ersucht hätte. Sie hätten sie ruhig gehen lassen, und ich auch, o ja – nur hätte sie dableiben müssen, bis Sie gekommen sind. Aber da sie so schlecht gewesen ist, sag' ich Ihnen, wer sie ist ... es ist ... Ah!

»Was hast du?« sagt der Professor sehr ernst, indem er aufsteht.

»Was ... wie? ... Was ist?«

»Ja, was ist dir denn?«

»Nichts.« Sie drückte den Jungen fester an sich.

Der Professor sieht sie lang an. »Weißt du, daß du begonnen hast, einzuschlummern und –«

»Und?«

»Dann hast du plötzlich aufgeschrien.«

»... So?«

»Wie man im Traum schreit, wenn man Alpdrücken hat. Hast du geträumt?«

»Ich weiß nicht. Ich weiß gar nichts.«

Und sich selbst gegenüber im Wandspiegel sieht sie ein Gesicht, das lächelt, grausam, und mit verzerrten Zügen. Sie weiß, daß es ihr eigenes ist, und doch schaudert ihr davor ... Und sie merkt, daß es starr wird, sie kann den Mund nicht bewegen, sie weiß es: dieses Lächeln wird, so lange sie lebt, um ihre Lippen spielen. Und sie versucht zu schreien. Da fühlt sie, wie sich zwei Hände auf ihre Schultern legen, und sie sieht, wie sich zwischen ihr eigenes Gesicht und das im Spiegel das Antlitz ihres Gatten drängt; seine Augen, fragend und drohend, senken sich in die ihren. Sie weiß: übersteht sie diese letzte Prüfung nicht, so ist alles verloren. Und sie fühlt, wie sie wieder stark wird, sie hat ihre Züge, ihre Glieder in der Gewalt; sie kann in diesem Augenblick mit ihnen anfangen, was sie will; aber sie muß ihn benützen, sonst ist es vorbei, und sie greift mit ihren beiden Händen nach denen ihres Gatten, die noch auf ihren Schultern liegen, zieht ihn zu sich; sieht ihn heiter und zärtlich an.

Und während sie die Lippen ihres Mannes auf ihrer Stirn fühlt, denkt sie: freilich ... ein böser Traum. Er wird es niemandem sagen, wird sich nie rächen, nie ... er ist tot ... er ist ganz gewiß tot ... und die Toten schweigen.

»Warum sagst du das?« hörte sie plötzlich die Stimme ihres Mannes. Sie erschrickt tief. »Was hab' ich denn gesagt?« Und es ist ihr, als habe sie plötzlich alles ganz laut erzählt ... als habe sie die ganze Geschichte dieses Abends hier bei Tisch mitgeteilt ... und noch einmal fragt sie, während sie vor seinem entsetzten Blick zusammenbricht: »Was hab' ich denn gesagt?«

»Die Toten schweigen«, wiederholt ihr Mann sehr langsam.

»Ja ...« sagt sie, »ja ...«

Und in seinen Augen liest sie, daß sie ihm nichts mehr verbergen kann, und lange seh'n die beiden einander an. »Bring' den

Buben zu Bett,« sagte er dann zu ihr; »ich glaube, du hast mir noch etwas zu erzählen . . .«

»Ja«, sagte sie.

Und sie weiß, daß sie diesem Manne, den sie durch Jahre betrogen hat, im nächsten Augenblick die ganze Wahrheit sagen wird.

Und während sie mit ihrem Jungen langsam durch die Tür schreitet, immer die Augen ihres Gatten auf sich gerichtet fühlend, kommt eine große Ruhe über sie, als würde vieles wieder gut . . .

UM EINE STUNDE

Er hielt ihre Hand in der seinen und betrachtete ihr blasses Gesicht, aus dem jede Spur des Lebens geschwunden schien. Da öffnete sie noch einmal die Augen. Er wußte, wenn sich diesmal die Lider senkten, so war es für immer. Ihre Brust hob sich schwer, und er wußte: dies ist der letzte Atemzug. Da ergriff ihn eine ungeheure Angst um sie, und er betete, ohne daß seine Lippen sich bewegten: »Laß sie mir, Unerbittlicher, laß sie mir! Laß sie mir noch einen Tag, noch eine Stunde, aber nimm sie mir nicht jetzt, nicht gleich!«

Da sah er mit einem Male den Engel des Todes im Fenster stehen, der hatte sein Flehen gehört und sprach zu ihm: »Was willst du von mir? Drei Jahre war sie dein Weib. Was kann diese letzte Stunde dir, dem Lebenden, und ihr, der Sterbenden, geben?«

»Alles!« rief der Jüngling aus. »Denn diese drei Jahre waren nichts. Niemals hab' ich ihr gesagt, wie ich sie liebe, und ich hab' ihr's nicht sagen können, weil ich selbst es nicht gewußt habe. Und nun soll sie dahingehen, ohne es jemals gehört zu haben. Darum fleh' ich zu dir: Eine Stunde gib mir noch, daß ich's ihr sagen kann, und ich will dir nicht fluchen, so grausam du bist!«

Da antwortete der Engel des Todes: »Ich selbst kann dir diese Stunde nicht schenken. Denn eine so große Fülle von Leben über die Erde verstreut ist, so abgemessen ist sie, und im Unendlichen gibt es kein Zuviel und kein Zuwenig. Was du von mir verlangst, kann ich nur von einem anderen Menschen für dich erbitten, dem eben noch eine Stunde des Lebens und nicht mehr beschieden ist.«

Da leuchteten die Augen des Jünglings in neuer Hoffnung, und er sprach: »Wenn das in deiner Macht steht, so mach dich schnell auf den Weg, die Zeit geht hin.«

Der Engel schüttelte das Haupt. »Fürchte nichts. Solange ich mit dir rede, rauscht die Zeit an dir vorbei, ohne Macht über dich zu haben. Komm, ich will dich unter meine Flügel nehmen, denn du mußt bei mir sein, wenn meinen Bitten Kraft innewohnen soll; aber du wirst unsichtbar sein.«

Kaum hatte der Engel des Todes diese Worte ausgesprochen, so fühlte sich der Jüngling vom Boden emporgehoben und durch die dämmernde Morgenluft davongetragen. Und noch im selben Augenblick fand er sich in einem Wald und wandelte an der Seite des Engels durch eine hohe, dunkle Allee. Da begegnete ihnen ein Mann, noch nicht alt und nicht mehr jung, der in tiefes Sinnen versunken war und erst aufsah, als ihm der Engel mit seinen schwarzen Flügeln den Weg versperrte. Der Mann erschrak zuerst, faßte sich aber bald und fragte mit viel Würde: »Ich glaube, dich zu kennen, und sehe mit Befriedigung, daß du dem Bilde sehr ähnlich bist, das ich mir von dir gemacht habe. Aber warum suchst du mich schon so früh auf?«

»Ich weiß«, antwortete der Engel, »daß du dein ganzes Leben damit verbracht hast, über mich nachzudenken, dich auf mich vorzubereiten und mich mit Anstand zu empfangen. Ich weiß auch, daß du das Nichtsein für den einzig wünschenswerten Zustand hältst, welcher den Menschen gegönnt ist. Freue dich! In einer Stunde wirst du dein Ziel erreicht haben.«

Der Mann atmete auf.

»Aber es kostet dich nur ein Wort«, fuhr der Engel fort, »um sogleich in das, was du das Reich des Nichtseins nennst, eingehen zu können. Schenke mir diese Stunde, die dir nichts anderes sein kann als ein unwillkommener Aufschub, für ein anderes menschliches Wesen, dem sie ein ungeheures Glück bedeutet.«

»Das werde ich keineswegs tun«, erwiderte der Philosoph mit viel Freundlichkeit. »Gerade in dieser letzten Stunde meines Lebens kann es mir eher gelingen als in jeder anderen, das Rätsel der Welt endgültig zu lösen – eine Möglichkeit, auf die ich keineswegs verzichten möchte; und überdies finde ich, daß die Ewigkeit selbst für den erfreulichsten Zustand, der den Menschen gegönnt ist, eben lang genug sein mag. Ich wünsche also, daß du mich ruhig meinen Spaziergang fortsetzen läßt und gütigst nicht früher erscheinst, als das Schicksal oder Gott oder der Weltgeist – darüber werde ich ja bald Näheres erfahren – dir aufgetragen hat.« Damit wendete er sich ab, und der Todesengel flog mit dem Jüngling wieder von dannen.

Sogleich befanden sie sich in einem dumpfen, schwach erhellten Zimmer, am Fußende eines Bettes, darin ein elender und verfallener Mensch lag, der sich ächzend und stöhnend hin und her wälzte. Er hatte wohl auch das Rauschen der Flügel gehört, denn plötzlich schlug er die Augen auf und starrte den Engel mit Entsetzen an.

»Da bin ich endlich«, sprach dieser mit milder Stimme. »Da bin ich, den du in so vielen schmerzensreichen Tagen und Nächten herbeigerufen hast. Ich kann dich gleich mit mir nehmen, wenn du mir die eine Stunde schenkst, die dir nach Gottes Ratschluß noch bevorstünde und die furchtbarer wäre als alle, die du bisher erduldet. Du wirst nach Atem ringen, kalter Schweiß wird aus allen deinen Poren brechen, du wirst reden und dich bewegen wollen; aber du wirst dich nicht mehr rühren und deinen jammernden Kindern und deiner verzweifelnden Frau kein Wort des Abschieds sagen können. Du weißt noch nicht, was Hoffnungslosigkeit ist, in dieser Stunde wirst du es wissen und wirst fühlen, daß sie die grauenhafteste von allen Qualen ist, die über dich verhängt worden.«

Der Kranke hatte sich im Bette aufgerichtet, schlug mit den Händen um sich, als wollte er die Erscheinung vertreiben, und schrie: »Geh, geh! Du kommst noch immer zur rechten Zeit! Wärst du vor einem Jahre gekommen, so hätte ich dir gedankt; jetzt hab' ich mich an meine Qualen längst gewöhnt und weiß doch, daß ich lebe. Ja, ich lebe, ich lebe! Auch hab' ich eben nach dem berühmtesten Arzt der Stadt geschickt, er wird gleich da sein, und wenn mich auch die hundert anderen nicht retten konnten, vielleicht wird der es tun. So geh doch, geh!«

Die Wärterin, die neben dem Kranken eingeschlafen war, fiel ihm in die Arme, zugleich stürzten seine Kinder aus dem Nebenzimmer herbei, und der Todesengel flog mit dem Jüngling von dannen.

Nun standen sie inmitten eines weiten Tales, darin die Morgennebel lagen, vor einer ärmlichen Hütte. Auf einer Bank davor saß ein blindes, uraltes Weib ganz allein. – »Wer ist denn da?« flüsterte sie mit ihren welken Lippen.

»Ich bin es, der Engel des Todes.«

Da zitterte die Greisin und fragte: »Muß ich denn schon sterben?«

Der Engel erwiderte: »Wie oft hast du geklagt, daß ich ganz an dich vergessen habe, in Armut und Elend bist du hundert Jahre alt geworden, deine Kinder hat man vor dir ins Grab gelegt, deine Enkel sind in alle Welt verstreut und kümmern sich nicht um dich, du bist einsam und blind. Nun bin ich endlich da – begrüßest du mich nicht mit Freude?«

Und die Alte flüsterte wieder: »Muß ich wirklich schon fort? Muß ich wirklich schon fort?«

Der Engel antwortete: »Wohl wäre dir noch eine Stunde des Daseins bestimmt, aber was kann sie dir sein? Ich bitte dich, mir sie für Jemanden zu schenken, dem sie hunderttausendmal mehr wert ist als dir. Denn zu dir wird auch in dieser Stunde kein menschliches Wesen kommen, niemand wird deine Hand in der seinen halten, niemand dir die Augen zudrücken, und das Aufgehen der Sonne kannst du nicht sehen. Worauf willst du noch warten?«

Da kniete das Weib nieder und flehte: »Laß mir diese Stunde, wenn sie doch einmal mir gehört. So dunkel und einsam sie sein wird, dort, wohin sie mich morgen tragen werden, ist es noch einsamer und dunkler. Verlasse mich, Engel des Todes, komme nicht früher, als es sein muß.«

Und wieder nahm der Engel des Todes den Jüngling unter seine Flügel und flog mit ihm davon. Plötzlich befanden sie sich in einer kleinen Zelle. An einem hölzernen Tischchen, auf dem zwei Kerzen brannten, saß mit Fesseln an den Händen und Füßen ein bleicher Mann und starrte durch das vergitterte Fenster ins Leere. Er fuhr zusammen, als plötzlich der Engel zwischen ihm und dem Fenster stand. Er fuhr sich über die Stirn, suchte aufzustehen, und seine Ketten rasselten.

»Was willst du denn jetzt schon?« schrie er heiser.

»Ich will dich befreien«, sagte der Engel des Todes.

»Schon jetzt, schon jetzt? Ich habe das Glöcklein noch nicht läuten gehört; du kommst zu früh!«

»Du hast recht«, sagte der Engel, »denn es ist wahr, daß du in einer Stunde erst gerichtet werden sollst, weil du deine Mutter umgebracht hast. Aber wenn du mir diese letzte grauenvolle Stunde schenkst für einen anderen, der Besseres damit anfangen kann als du, so bin ich bereit, dich schon jetzt mit mir zu nehmen. Gleich wirst du hören, wie man im Hof den Galgen aufrichtet, bald wird das Gefängnistor knarren, um den Leuten Einlaß zu gewähren, die deiner Hinrichtung bewohnen wollen. Endlich wird sich die Tür deiner Zelle zum letztenmal öffnen, und draußen werden der Scharfrichter und seine Gesellen stehen, die dich die enge Treppe hinunterschleppen werden, bis zu dem Gerüst, auf dem du dein Leben in schimpflicher und martervoller Weise enden sollst.«

»Fort! Fort!« schrie der Verurteilte. »Wenn ich auch nur auf das kleinste Stück von meinem Leben verzichten wollte, hätt' ich mir ja längst den Kopf hier an die Wand rennen können, und alles wär' vorbei gewesen. Aber ich will nicht! Ich will nicht! Nein! Ich will das Hämmern und Schlagen im Hofe hören und das Knarren des Tores, und ich will mit diesen Füßen über die schmale Treppe hinuntergehen zu dem Gerüst, will die Menschen sehen, die gekommen sind, will hören, wie sie flüstern, und den Himmel will ich noch einmal schauen, bevor ich dorthin muß, wo ich nicht mehr sehen und hören werde. Und ich weiß eine Geschichte von einem, der hat Vater und Mutter umgebracht, und noch unter dem Galgen, mit dem Strick um den Hals, haben sie ihn begnadigt. Und wenn sie mich in den tiefsten Kerker werfen auf Lebenszeit, bei Wasser und trockenem Brot, zu Ratten und Mäusen, und ich soll nie wieder die Sonne sehen, so würd' es mir recht sein, bin dann noch immer besser dran als ein toter Graf! Hebe dich weg, verruchtes Gespenst, hebe dich weg!«

Noch klang dem Jüngling das Fluchen des Verurteilten im Ohr, da fand er sich schon in einem schönen, stillen Gemach, das matt erhellt war von einer roten Ampel, die von der Decke herabhing und ihren Schein über ein Himmelbett verbreitete, in dem ein junges Paar sich innig umschlungen hielt. Aber nur das junge Weib sah die Erscheinung und lächelte.

»Bist du der Engel der Liebe?« fragte sie.

»Nein, ich bin der Engel des Todes und komme, dir deinen sehnlichsten Wunsch zu erfüllen. Denn ich will dich von hinnen nehmen, während du in den Armen des Geliebten ruhst.«

»Mit ihm?«

»Nein – allein.«

»Das will ich nicht«, flüsterte das junge Weib.

»Und willst du's auch nicht, wenn ich dir sage, daß du doch in einer Stunde sterben müßtest?«

»In einer Stunde?«

»Ja, so ist es dir bestimmt. Aber dann wirst du allein sein und wirst deine Arme vergeblich nach dem Geliebten ausstrecken. Glaube nicht, daß du träumst; was ich dir sage, ist wahr, so jung du bist.«

Da schmiegte sie sich an den Geliebten und sagte: »Ich will nicht sterben, ich will nicht sterben!«

Der Geliebte lächelte und sagte: »Was hast du denn, mein armes Kind?«

Da sprach der Engel des Todes: »Du wirst mir diese Stunde gern schenken, wenn ich dir sage, daß ich sie für eine deiner

Schwestern auf Erden brauche, die ebenso innig geliebt wird als du und die dahingehen soll, ohne es zu wissen!«

»Nein, ich gebe dir diese Stunde nicht«, erwiderte das junge Weib; »denn ich habe mich wohl gesehnt, in den Armen des Geliebten zu sterben, solang du mir fern warst, aber da ich dich vor mir sehe, will ich auch diese Stunde noch leben, und wär' es auch allein – und ohne Liebe!«

Da trug der Engel den Jüngling in die Lüfte und sprach zu ihm: »Nun bring' ich dich wieder heim.«

Den Jüngling aber faßte eine namenlose Verzweiflung, er klammerte sich mit beiden Armen an den Engel und rief: »Verlaß mich nicht! So kann ich nicht zurück! Die Fülle des Lebens ist ungeheuer, und irgendwo in der Welt muß diese einzige Stunde zu finden sein, die ich haben will und um die ich dich nochmals anflehe.«

Da erwiderte der Engel: »Es ist so, wie du sagst. Aber nun gibt es nur noch einen einzigen auf der Welt, der sie dir geben kann, und wenn der es nicht tut, so wird dich das elender machen als alle Enttäuschungen, die du bisher erfahren. Denn der eine bist du selbst, und die eine Stunde mußt du mit deinem ganzen Leben bezahlen.«

»So nimm es hin!« rief der Jüngling freudig aus.

»Höre mich an«, sprach der Engel. »Denn ich sage dir noch mehr. Das Leben, das dir bevorsteht, wird Not, Krankheit und Einsamkeit sein. Bist du bereit, es hinzugeben, so gehst du nach Ablauf einer Stunde mit der, die du liebst, dahin.«

»Ich danke dir, du gütiger Engel!« rief der Jüngling aus. »Nun ist mein Flehen erhört.«

In demselben Augenblick saß er wieder an dem Bette der geliebten Frau, hielt ihre Hand in der seinen und wollte ihr sagen, wie unendlich er sie liebte. Da sah er, wie sich ihre Lider schlossen, ihre Brust sich senkte. Er wartete eines neuen Blickes, eines neuen Hauches – doch es war vergeblich. Sie atmete nicht mehr, sie schaute nicht mehr – es war zu Ende. Da stürzte er in Verzweiflung an ihrem Bette zusammen und schrie auf: »Engel des Todes, warum hast du mich betrogen?«

Und der Engel, der nun zu Häupten des Bettes stand, sprach: »Armes Menschenkind! Glaubst du denn, daß es dir vergönnt ist, durch alle deine Liebe und durch allen deinen Schmerz hindurch in die Tiefen deiner Seele zu schauen, wo deine wahren Wünsche wohnen? Noch einmal wirst du mich sehen, da werde ich dich fragen, ob ich dich heute betrogen habe oder du dich selbst.«

DIE NÄCHSTE

Der fürchterliche Winter war vorbei. Als er das erste Mal wieder in seinem Zimmer das Fenster offen lassen konnte, die ersten Lüfte des Frühlings hereindrangen, der dumpfe Lärm der Straße herauftönte, begann er zu fühlen, daß das Leben für ihn noch nicht zu Ende war. Von jetzt an verbrachte er nachmittags, wenn er aus dem Büro nach Hause kam, ganze Stunden am offenen Fenster. Er rückte sich einen Sessel hin, nahm ein Buch zur Hand und versuchte zu lesen. Aber immer ließ er das Buch bald auf den Schoß sinken und sah ins Freie. Seine Wohnung lag im höchsten Stockwerk; wenn er so saß, war nur der blasse Himmel ihm gegenüber. In diesen letzten Märztagen wehte oft ein leiser Wind, der ihm vom Stadtpark den kühlen Duft der ersten Blüten herauftrug.

Am letzten Oktobertag des vergangenen Jahrs war seine Frau gestorben. Seitdem hatte er hingelebt wie ein Betäubter. Daß seine Frau jung dahingehen, daß sie ihn als noch jungen Mann allein auf der Erde zurücklassen könnte, war ihm nie in den Sinn gekommen. In den ersten Wochen nach ihrem Tod war ihr Vater noch manchmal aus der Vorstadt, wo er ein kleines Geschäft besaß, zu ihm hereingefahren, aber die Beziehungen zwischen ihm und dem alten Mann, die immer ganz lose gewesen, hörten bald ganz auf. Seine eigenen Eltern waren früh gestorben. Sie hatten in einem kleinen Ort fern der Hauptstadt gewohnt, den er noch als Knabe verlassen, um das Gymnasium in Wien zu besuchen. So kam es, daß er beinah seine ganze Jugend unter fremden Leuten verbringen mußte. Nach dem Tode seines Vaters, der Notar gewesen war, gab Gustav seine Gymnasialstudien auf, die er mit Fleiß, aber ohne Begabung bis zu seinem siebzehnten Jahre betrieben hatte. Er trat in ein Eisenbahnamt ein, das ihm von Anbeginn ein bescheideneres Einkommen und die Hoffnung auf ein langsames, aber sicheres Fortschreiten bot. Seine Jünglingszeit ging still dahin. Im Büro tat er seine Pflicht, und seine Vergnügungen waren spärlich. Er ging in jedem Monat einmal ins

Theater, und jeden Samstag wohnte er einem geselligen Abend im Kreise der Bürokollegen bei. In seinem dreiundzwanzigsten Jahre verwirrte sich die Ruhe seines Lebens auf kurze Zeit. Eine junge Frau, die er auf einem Vergnügungsabend des Gesangvereins kennengelernt, wurde seine Geliebte. Er durchlebte manche Leiden der Eifersucht und einen heftigen Schmerz, als sie mit ihrem Gatten Wien verließ. Bald aber war er froh, daß jene Zeit der Aufregung vorüber war, und aufatmend kehrte er zu seiner früheren Lebensweise zurück.

Nach vier weiteren Jahren lernte er ein Mädchen kennen, das zuweilen die Familie besuchte, bei der er damals wohnte. Er wußte bald, daß er nie einem Wesen begegnen würde, das besser zu seiner Gattin taugte als dieses. Von seinen Hausleuten erfuhr er so viel über sie, als er wissen wollte. Sie war durch ein ganzes Jahr verlobt gewesen, ihr Bräutigam war gestorben, und seither schien eine stille Trauer über ihr ganzes Wesen gebreitet. Sie hatte die schlichte Bildung junger Mädchen aus den mittleren Bürgerkreisen und überdies ein ausgesprochenes musikalisches Talent. Man erzählte ihm, daß sie schöner singe als manche berühmte Sängerin. Es wurde ein Ehrgeiz für Gustav, die Lippen dieses jungen Mädchens wieder lächeln zu machen, und er dachte jetzt gern an jenes Abenteuer aus seiner ersten Jugend, um in dieser Erinnerung zu fühlen, daß er doch auch die Fähigkeit besäße, edlen Frauen etwas zu bedeuten. Er war sehr glücklich, als Therese das erstemal lächelte, während sie zu ihm sprach; an jenem Abend empfand er eine Art von Rausch, der ihn stolz machte, ohne daß er wußte, warum. Wenige Monate darauf wurde sie seine Frau, und ihm war, als begänne erst jetzt das Dasein für ihn. Das Bewußtsein, ein junges Wesen in den Armen zu halten, das noch keinem vor ihm gehört, erfüllte ihn mit Wonne. Anfangs fürchtete er, dieses reine Geschöpf durch die Glut seiner Zärtlichkeiten zu entweihen, aber als sie sich ihm bald mit der gleichen Rückhaltlosigkeit entgegenbrachte, gab er sich seinem Glücke völlig hin. Da ihre Ehe kinderlos blieb, änderten sich die Beziehungen zwischen ihnen durch viele Jahre gar nicht. Sein Haus war für ihn zugleich die Stätte des Friedens und der Freude. Von seinen früheren Bekannten zog er sich zurück. Nur wenige Leute besuchten das junge Paar, und diese nur selten: Theresens Vater und eine ihrer Freundinnen, ein verblühendes Mädchen, das für Gustav nur dadurch eine gewisse Bedeutung hatte, daß sie Therese zuweilen zum Singen begleitete.

Häufig aber sang Therese ganz allein, und das war ihm das liebste. In ihrer Stimme erklang ihm ihre ganze aus Reinheit und Leidenschaftlichkeit wunderbar gemischte Seele. Manchmal bat er sie des Nachts, ganz leise ein Schubertsches Lied zu singen. Das tat sie dann, indem sie ihn an sich heranzog, ihre Lippen ganz nah an sein Ohr brachte, und nun war die Dunkelheit des Zimmers von Schauern des Entzückens und der Bewunderung ganz erfüllt.

Therese hatte ein kleines Vermögen in die Ehe gebracht, das eben dazu ausreichte, eine einfache Wohnung behaglich auszustatten; leben mußten sie von dem Gehalt des Mannes. Aber die Wirtschaftlichkeit der jungen Frau ließ nirgends das Gefühl einer Entbehrung aufkommen, ja im Sommer durften sie sich sogar während der Urlaubszeit von drei Wochen einen Aufenthalt in irgendeinem kleinen Walddorf Niederösterreichs gönnen. Die Zukunft stellte sich ihnen beiden als ein ungestörtes Miteinanderleben dar, die Schwermut des Alters lag noch in weiter Ferne, und an ein Ende dachte keines von ihnen. Sie waren nach siebenjähriger Ehe ein Paar von Liebenden.

Im September, kurz nachdem sie von dem Landaufenthalt heimgekehrt, wurde Therese krank. Der Arzt gab von Anfang an keine Hoffnung, aber Gustav glaubte ihm nicht. Es schien ihm vollkommen unmöglich, daß Therese sterben könnte. Sie klagte wenig, sie schwand dahin. Er begriff es gar nicht recht. Erst in den letzten Tagen begann er es zu verstehen, was ihm bevorstand; da blieb er zu Hause und rührte sich von ihrem Bett nicht mehr weg. Eine ungeheure Angst kam über ihn. Er ließ zwei berühmte Professoren rufen; sie konnten nichts tun, als ihn vorbereiten, daß es bald zu Ende sein werde. Erst in der letzten Nacht fühlte Therese selbst, daß sie verloren sei, und nahm Abschied von ihm. Diese Nacht verging, dann kam noch ein endloser Tag, an dem es regnete. Gustav saß an Theresens Bett und sah sie sterben. Es war um die Stunde, da die Nacht hereinbrach.

Dann war der fürchterliche Winter gekommen, der ihm jetzt beim Wehen der ersten Frühlingswinde erschien wie eine lange schwere, dumpfe Nacht. Auch seine Berufspflichten hatte er wie in einem Halbschlaf erfüllt, aus dem er nun allmählich erwachte. Aber mit jedem dieser Frühlingstage schien er sich selbst mehr zur Besinnung zu kommen. Sein Schmerz, der ihn wie ein grimmiger Feind umfangen gehalten, ließ ihn allmählich los. Gustav atmete auf; er fühlte, daß er wieder am Leben war. Abends ging er spazieren. Er machte lange Wege, wie er sie vor Jahren gern zurückzulegen pflegte, anfangs nur in den Straßen der Stadt, dann, als die Tage länger wurden, weiter hinaus ins Freie, zu den Wiesen, Wäldern und Hügeln. Er liebte es, sich müde zu gehen. Vor dem Nachhausekommen hatte er eine gewisse Angst: nachts umgaben ihn die Wände seiner Wohnung mit quälender Enge, und wenn er aufwachte, weinte er nicht nur aus Schmerz, sondern auch aus Furcht. Er nahm den Verkehr mit seinen alten Bekannten wieder auf und kam abends zuweilen in das Gasthaus, wo einige Bürokollegen zu nachtmahlen pflegten. Als er einmal erzählte, daß er schlecht schliefe, riet man ihm, etwas mehr Wein als gewöhnlich zu trinken. Wie er diesem Rate folgte, bemerkte er verwundert, daß er an den Gesprächen lebhaft Anteil nahm und sich beinah froh erregt fühlte. Nachher, als er allein nach Hause ging, kam ihm vor, als hätten ihn seine Freunde in einer sonderbaren, gewissermaßen mißbilligenden Art betrachtet, und er schämte sich ein wenig.

Die Tage wurden wärmer, und die Abende waren sehr lind. Seine Sehnsucht nach der Toten wurde wieder heftiger, und es gab Stunden, da jenes entsetzliche Bewußtsein des unwiderruflich Verlorenen mit der ganzen Kraft eines neuen Unglücks über ihn hereinbrach. Als er einmal an einem Sonntagnachmittag allein im Dornbacher Park spazierenging – der Frühling war in seiner ganzen Pracht über ihm, die Bäume waren gründicht belaubt, die Wiesen glänzten in hellen Farben, alle Wege waren von Spaziergängern belebt, Kinder spielten und liefen, junge Leute lagerten am Waldesrand –, da verstand er das erste Mal ganz, wie einsam er war, und wußte nicht, wie er sein Leid weiter tragen sollte. Er hatte das Bedürfnis, laut aufzuschreien, fühlte selbst, wie er mit weitaufgerissenen Augen und einem absonderlich raschen Gang unter allen den Menschen seinen Weg fortsetzte, und merkte auch, daß ihn manche mit Verwunderung betrachteten. Er wollte den Leuten entfliehen, suchte stillere Wege auf, stieg zwischen den hohen Birken und Tannen die Sofienalpe hinan und kam oben an, als die Sonne unterging. Er sah die Täler und Hügel in rötlich-weißem Glanze liegen, und als er sich umwandte, sah er die Stadt wie in blaß-silbernen Dunst versinken. Er stand lange da und wurde ruhiger. Über der Landstraße, die er bis tief ins Tal hinunter verfolgen konnte, flogen leichte, niedere Staubwölkchen hin, dumpf hörte er das Rollen von Wagen, und laute Menschenstimmen, helles Lachen klang herauf. Langsam schlug er den Rückweg ein, nicht durch den Wald, wie er gekommen, sondern auf der breiten Fahrstraße. Er blieb manchmal stehen und atmete auf, als wäre ihm von irgendwoher ein Trost gekommen. Die Dämmerung brach rasch herein. An hübschen Landhäusern vorbei, vom Strom der Leute mitgerissen, kam er bald zu einem großen Wirtsgarten, der sehr besucht war. Die Gartenlaternen waren angezündet, an einem Tisch in der Tiefe des Gartens saßen Musikanten, die auf Ziehharmonika, Geige und Flöte Wiener Lieder spielten, während einer mit einer hohen und süßlichen Stimme dazu sang. Ziemlich weit von diesen, gleich neben dem Eingang, nahm Gustav Platz. Er betrachtete die Leute in seiner Nähe; am Tisch neben ihm saßen zwei junge Mädchen, die ihm sehr hübsch erschienen, die er sehr lange ansah. Er erinnerte sich seiner Junggesellenzeit, denn seitdem hatte er Frauen nie wieder mit solchem Blick betrachtet. Frauengestalten kamen ihm ins Gedächtnis, die er im Laufe der letzten Zeit auf seinen regelmäßigen Wegen vom Hause ins Büro begegnet, die ihm aber nichts bedeutet hatten. Heute, diesen blonden jungen Mädeln gegenüber, fühlte er zum ersten Male wieder, daß er noch ein junger Mann war. Jetzt fiel ihm auch ein, wie ihn manchmal die Frauen zuweilen auf der Straße anschauten, und mit Schrecken und Freude zugleich wurde ihm bewußt, daß das Leben doch noch nicht für ihn vorbei sein konnte und daß es schöne Frauen oder Mädchen gab, die er vielleicht umarmen würde. Wie ein Schauer ging es ihm über Hals und Lippen, wenn er an die Küsse dachte, die ihm noch bestimmt waren. Ein eigentümlicher Drang ergriff ihn, sich eines der Mädchen gegenüber am Tische in seinen Armen vorzustellen, und er schloß die Augen. Aber kaum waren ihm die Lider gesunken, so hatte er das Antlitz seiner toten Frau vor sich und sah ihren Mund langsam, mit einer leisen zuckenden Bewegung, die ihr eigen gewesen, sich dem seinen nähern. Entsetzt riß er die Augen wieder auf. Dieses Mädchen war nichts mehr für ihn. Er fühlte, daß keine Frau der Welt je mehr etwas für ihn bedeuten könnte. Mit der gleichen Gewalt wie heute während des Spazierganges brach sein Schmerz wieder hervor, und er wußte, daß er für die Welt und ihre Freuden verloren war. Er schämte sich der vorausgegangenen Augenblicke, und der Gedanke, je wieder ein Weib in seinem Arm zu halten, erfüllte ihn mit Ekel und Scham. Ganz vernichtet machte er sich auf den Heimweg. Es war ihm, als müßte er sich kasteien; er ging den langen Weg bis in seine Wohnung zu Fuß und kam in einer so tiefen Müdigkeit an, wie er sie nie verspürt zu haben glaubte, Leib und Seele schienen ihm wie zerschlagen; ein unruhiger, schwerer Schlaf kam über ihn, und er wachte mit der dunklen Ahnung auf, als stünde ihm etwas Gräßliches bevor.

In den nächsten Tagen quälte er sich damit, eine neue Ordnung und einen neuen Inhalt für seine Existenz zu finden. Er sah ein, daß er sich dem wütenden Schmerz nicht weiter hingeben durfte, wenn er nicht zum Weiterleben unfähig werden wollte. Er wunderte sich jetzt im Zurückdenken, wie er eigentlich sein Dasein verbracht, bevor er seine Frau kennengelernt hatte; es schien ihm, als wäre es eine Art von Traumleben gewesen. Abgesehen von Büroarbeiten, die er stets mit einer gewissen Freude an seiner eigenen Verläßlichkeit besorgt hatte, waren seine geistigen Bedürfnisse gering gewesen. Er hatte gern Musik gehört und zuweilen Reisebeschreibungen gelesen, die ihn aber weniger durch einen abenteuerlichen Inhalt als durch Naturschilderungen zu fesseln pflegten. Und wenn er sich jetzt fragte, was er am liebsten anfangen möchte, so mußte er sich sagen: reisen. Es war ihm aber unmöglich, seinen Beruf aufzugeben, und ein kurzer Urlaub, den er hätte erlangen können, wäre wertlos für ihn gewesen; ja bei näherer Überlegung überfiel ihn sogar eine gewisse Angst davor, in fremden Gegenden allein und ganz seinen Erinnerungen verfallen umherzuirren. So schwand die leichte Beruhigung, die der Anfang des Frühlings gebracht, wieder dahin. Auch die Gesellschaft seiner Kollegen im Wirtshaus wurde ihm unangenehm, er kam seltener und ging früher fort. Einmal geschah es ihm, daß ihm nachts beim Nachhausegehen auf der Stiege sein Licht verlöschte, da überfiel ihn eine solche Furcht, daß er sich auf den Stufen hinsetzte, zusammenkauerte und wimmerte. Er suchte zitternd nach seinen Streichhölzern. Als er eines fand und Licht machte und eine flackernde Helle um ihn sich verbreitete, versuchte er über sich zu lächeln. Absichtlich behielt er das Lächeln auf den Lippen, bis er in seinem Zimmer war. Da erblickte er sich im Spiegel und erkannte sich nicht. Er trat näher hin – so nah, daß sein Hauch den Spiegel trübte. In der einen Hand hielt er den Leuchter mit der Kerze, er stellte ihn auf die Kommode, über der der Spiegel hin, dann wich er zurück, setzte sich aufs Bett und entkleidete sich rasch mit dem Gefühl, daß er sich ins Bett flüchten müßte. Als er ausgestreckt dalag, zog er die Decke übers Gesicht. Da fiel ihm ein, daß das Licht noch brannte, aber er wagte es nicht aufzustehen. Er nahm sich vor, so lang wach zu bleiben, bis die Kerze gänzlich heruntergebrannt war. Langsam entfernte er die Decke von den Augen, da stand das Licht, und im Spiegel sah er es noch einmal. Er starrte hin und war nach wenigen Sekunden eingeschlafen.

Am nächsten Morgen beim Aufwachen fiel ihm aber nicht vor allem seine Angst von gestern Abend ein, sondern jener Spaziergang auf die Sofienalpe vor wenigen Tagen. In der Erinnerung erschien ihm der als ein angenehmes Abenteuer, und wie etwas Erlösendes tauchte der Gedanke in ihm auf, daß er ja jeden Nachmittag aufs Land gehen, sich abends immer in einen Wirtshausgarten setzen und junge Mädchen und Frauen betrachten konnte. Selbst im Büro während der Arbeit konnte er heute an nichts anderes denken als an Wälder und Wiesen, wo junge Weiber, Frauen und Mädchen, in leichten Sommerkleidern und mit hellen Sonnenschirmen herumgingen. Aber als er nachmittags ernstlich daran dachte, aufs Land zu fahren, war er so müde, daß ihm die Ausführung einfach unmöglich vorkam. Er legte sich angekleidet auf sein Bett und hatte das Gefühl eines Menschen, der langsam von schwerer Krankheit genest. Abends ging er sehr langsam über den Ring spazieren und hatte eine Art von stiller Freude, wenn die Blicke vorübergehender Mädchen dem seinen begegneten. Manche sah ihn auch länger an, wandte selbst leicht den Kopf nach ihm um, und ihm schien in allen diesen Blicken eine Wärme, die er lange nicht gefühlt und nach der er eine große Sehnsucht gehabt hatte. Weiter gingen seine Wünsche nicht. Er dachte nicht daran, eine Bekanntschaft anzuknüpfen oder eines dieser Wesen in die Arme zu schließen; er freute sich nur ihres Daseins und ihrer Blicke.

Noch mehrere Tage vergingen in dieser beinah traumhaften Weise, daß er vormittags im Büro von Wäldern und Wiesen und hübschen Frauen träumte, nachmittags halb schlummernd auf seinem Bett lag, abends spazierenging und ziemlich früh in einem Wirtshaus, meist im Freien, an einem Tisch hinter dem Staket zu Abend aß.

Als er wieder einmal von seinem Nachmittagsschlummer erwachte und mitten im Zimmer stand, erschien mit einem Mal das ganze Leben dieser letzten Tage unverständlich. Am seltsamsten von allem erschien ihm, daß er nun ganze Tage seiner Frau nicht mehr gedacht, gewiß nicht mit wahrem Schmerz sich ihrer erinnert, und er bekam plötzlich eine große Sehnsucht zu weinen, als könnte er damit sein Unrecht wieder gutmachen.

Aber er hatte keine Tränen. Dann auf der Straße, als der Zug der Frauen an ihm vorüberschwebte, flossen ihm langsam, als schämten sie sich ihrer Spärlichkeit und ihrer Verspätung, die Tränen über die Wangen. Gleich nachher war es ihm, als hätte er eine Schuld getilgt; er ging rascher und spürte etwas von Fröhlichkeit, da er so dahinschritt. Mit einer plötzlichen Klarheit wußte er heute, daß er wieder glücklich sein wollte und daß er es sein durfte. Ja, es überfloß ihn mit einer leisen Wonne, daß ihm so viel zur Verfügung stehe; er dachte an die Hunderte von schönen Weibern, die sich ihm nicht verweigern würden, wenn er wollte; jedes Lächeln, das ihm zu gelten schien, jede zufällige Berührung trieb ihm fliegende Schauer durch den ganzen Leib. Er freute sich auf irgend etwas, das ihm in der nächsten Zeit bevorstand, das er haben konnte, wenn er wollte – in einer Woche, oder morgen, oder heut, in einer Viertelstunde, wenn es ihm beliebte, und das Ungewisse innerhalb dieser Gewißheit war ein Reiz mehr. Er setzte sich auf eine Bank in der Nähe des Volksgartens. Aus dem Garten tönte Musik, und in ihrem Klang schienen die Leute, die an Gustav vorübergingen, sich zu wiegen. Er nahm den Hut ab, legte ihn auf die Knie, und ihm war, als wenn er damit einen schweren Eisenring von seiner Stirn entfernt hätte. Jetzt schien ihm, als dürfte er darangehen, Pläne zu fassen. Er hatte die Empfindung, als wäre heut nachmittag um sechs Uhr seine Trauerzeit zu Ende gewesen, und er hatte nun auch andere Pflichten, andere Rechte als ein paar Stunden vorher. Dabei war er ganz ruhig, er hatte kaum einen Wunsch, nur das Gefühl der Beruhigung, daß sein Wunsch kein Verbrechen mehr und die Erfüllung leicht sei.

Er saß schon lange Zeit auf der Bank, als er ein junges Paar neben sich erblickte, das eben erst gekommen sein mußte. Die beiden sprachen leise, aber er konnte doch mancherlei verstehen; es schien sich um ein Wiedersehen für den nächsten Tag zu handeln.

Jetzt besann er sich, daß es auch notwendig sein werde, an das Wesen, dem er sich nähern wollte, Worte zu richten, und das schien ihm in diesem Augenblick so schwer, daß ihm eine Röte der Angst ins Gesicht stieg. Er überlegte, wie er mit irgendeiner Frau ein Gespräch beginnen sollte, und dachte sich aus, was er zu jeder einzelnen sagen würde. Es kam ein junges Mädchen vorbei mit einem kleinen Jungen. Da würde er sagen: »Guten Abend, Fräulein. Das ist aber ein reizender Bub! Gewiß der Herr Bruder?« Dabei mußte er selbst lachen, denn das war zweifellos ein guter Witz, einen kleinen Buben den »Herrn Bruder« zu nennen, und das junge Mädchen hätte sicher auch gelacht. Da war sie ja noch – zehn Schritt weit; aber er wagte es doch nicht. Jetzt kam eine ziemlich dicke Frau, die Noten in der Hand hielt. Die hätte er fragen können, ob er die Noten tragen dürfte. Dann kamen zwei ganz jungen Dinger, die eine hatte eine Schachtel in der Hand, die andere mit einem Sonnenschirm redete sehr geschwind und wichtig. Der hätte er sagen können: »Erzählen Sie mir doch auch etwas, Fräulein!« Aber das war doch zu frech. Nun kam eine junge Person, die sehr langsam ging und den Kopf hin und her wiegte, ganz für sich, als interessiere sie die übrige Welt nicht im geringsten. Wie sie an Gustav vorüberging, schaute sie ihn an und lächelte, als käme er ihr bekannt vor. Er stand auf, aber nicht, weil sie gelächelt – sondern weil sie in der Gestalt und insbesondere jetzt, wie er sie von rückwärts sah, eine so außerordentliche Ähnlichkeit mit seiner verstorbenen Frau hatte, daß er beinahe erschrocken war. Ja, selbst die Frisur war die gleiche – auch solch einen Hut mußte seine Frau irgendeinmal getragen haben. Und je weiter sie sich von ihm entfernte, um so eher hätte er sich einbilden können, daß es die Gestorbene war. Er fürchtete sich davor, daß sie sich wieder umwenden könnte, denn die Züge selbst hatten keine Spur von Ähnlichkeit; nur der Gang, die Gestalt, die Haartracht, der Hut.

Er folgte ihr nach. Was konnte sie sein? Er hatte nicht genug Erfahrung, um das genau abzuschätzen. In ihrem Lächeln war nichts Gemeines gelegen, kaum daß es sehr ermutigend gewesen wäre. Sie war etwa zehn Schritte vor ihm; er hielt sich immer in der gleichen Entfernung. Immer wenn sie an einer Laterne vorüberging, konnte er die Umrisse ihrer Gestalt am deutlichsten wahrnehmen, immer wieder von neuem glaubte er den Gang seiner verstorbenen Frau vor sich hinschweben zu sehen, und wie mit einer Lust am Wahnsinn versuchte er sich zu überreden, daß sie es wirklich wäre. Er sagte sich: Jetzt, in dieser Entfernung, wenn ich diese Gestalt ... diesen Gang ... diese Haartracht sehe – ist sie es. Wenn es Wunder gäbe und ich bekäme irgend etwas von ihr wieder, nur ihre Gestalt, nur ihren Gang – wäre ich da nicht glücklich? ... Sie schien nicht zu ahnen, daß ihr irgendwer folgte, schritt unbekümmert weiter. Der Weg führte sie am Stadtpark vorbei, sie hielt sich ganz nah am Gitter und glitt mit ihren Fingern über die Stäbe hin. Gustav zuckte zusammen. Er erinnerte sich, daß es eine Gewohnheit seiner Frau gewesen war, im Vorübergehen mit den Fingern über Wände, Mauern, Gitter zu gleiten. Es war ihm, als täte das Weib, das zehn Schritte vor ihm ging, mit Absicht dasselbe, und er wußte doch zugleich, daß diese Empfindung vollkommen sinnlos war. Und doch schien ihm von diesem Augenblicke an in jeder Bewegung dieses Weibes etwas Gewolltes, etwas in Beziehung auf ihn Gewolltes zu liegen – ja, ihm war, als dächte diese Person, die da vor ihm einherging: Alles das tu' ich, wie es seine Frau getan. Ein Unwille wachte in seiner Seele auf; er hatte einen Augenblick Lust, umzuwenden und seines Wegs zu gehen, als könnte er diesen Spott sich nicht gefallen lassen. Aber es war, als zöge sie ihn nach sich, und er folgte ihr immer weiter. Sie bog in die Wollzeile ein, dann in eine Seitengasse, deren Namen er nicht wußte; hier verschwand sie in einem der ersten Häuser, ohne sich noch einmal umgewandt zu haben. Er blieb eine Weile vor dem Tor stehen; vielleicht käme sie wieder herunter. Er betrachtete die Fenster. Bald wurde im dritten Stock eines geöffnet. Es war die Frau, der er gefolgt war; er konnte ihr Gesicht in der Dunkelheit nicht sehen, auch nicht die Richtung ihres Blicks, doch die Bewegung ihres Kopfes verriet ihm, daß sie nach oben schaute; dann stützte sie die Ellbogen auf das Fensterbrett und wandte den Kopf nach unten. Er eilte davon, er wollte nicht von ihr bemerkt sein. Aber wie er sich, durch die Straßen eilend, ihrer erinnerte, war es nicht irgendeine Fremde, die er heut zum ersten Male gesehen – nein, es war seine Frau, seine tote Frau, die in jener Straße, die Ellbogen auf das Fensterbrett gestützt, herunterschaute. Er vermochte es gar nicht, sich dort eine andere zu denken, und wieder war ihm, als wüßte diese Fremde selbst davon, was in ihm vorginge. Er verwandte große Mühe darauf, das alles aus seinen Sinnen zu jagen, aber es war ganz vergeblich. Endlich setzte er sich in ein Wirtshaus, aß und trank. Die Schwüle war außerordentlich. Nachdem Gustav mehr getrunken hatte, verloren jene Vorstellungen ihr Quälendes, ja sie traten beinahe tröstend hervor. Es war plötzlich ein Wesen da, ein ganz bestimmtes Wesen, das für ihn irgend etwas bedeutete – es war eine Frau, es war beinah seine Frau, und sie dachte an ihn, oder ihm war, als dächte sie an ihn.

Er träumte diese Nacht von der Toten. Er sah sich mit ihr in der Waldgegend, wo sie den letzten Sommer verbracht hatten; sie lagen zusammen auf einer sehr weiten, lichtgrünen Wiese, nur ihre Wangen lehnten und glühten aneinander; aber diese leichte Berührung erfüllte ihn mit einem so hohen Glück, wie er es nie in der leidenschaftlichsten Umarmung empfunden. Plötzlich war sie fort, und er sah sie am Ende der Wiese längs des Waldrandes hinlaufen, die Arme in die Luft gestreckt, so wie er in einer illustrierten Zeitung tags vorher ein Ballettmädchen gesehen, das sich vor den Flammen retten wollte. In diesem Augenblick empfand er mit einer Deutlichkeit, wie nur der Traum sie gibt, daß es vollkommen unmöglich für ihn wäre, den Verlust zu überleben, und doch blieb er im Grase liegen und tat nichts, als daß er fürchterlich schrie. Darüber wachte er auf und hörte sich selbst jammern. Durch das offene Fenster klangen die ersten unentwirrbaren Laute der Frühe, deutlich hörte er nur das Gezwitscher der erwachenden Vögel aus dem Stadtpark. Niemals früher hatte ihn seine Einsamkeit mit einem solchen Grauen erfüllt wie heute. Was er für die Frau empfand, die eben im Gras neben ihm geruht und deren lebenswarme Wange er an der seinen ruhen gefühlt, erfüllte ihn mit einer Sehnsucht nach ihr, die so ungeheuer und schmerzensvoll war, daß er lieber daran sterben wollte, als sie weiter erdulden. Er liebte diese Tote, wie man nur Lebendige lieben darf, mit einer verzehrenden Sehnsucht nach ihrem Besitz, er fühlte sich wieder von dem Duft ihres Leibes umhüllt, er bewegte leise seine Lippen, als wäre sie wieder bei ihm und könnte seinen Kuß empfangen. Dann rief er ihren Namen, rief ihn immer lauter, breitete seine Arme aus, erhob sich, stand auf, ließ die Arme sinken, fühlte eine Beschämung in sich aufsteigen, als hätte er sich an einer vergangen, die wie seine Freuden, so auch seine Sehnsucht und seine Träume nicht mehr teilen konnte und die er nur beweinen, aber nicht verlangen durfte.

Er stand sehr früh auf, ging eine Stunde im Park spazieren und arbeitete im Büro so fleißig, als gälte es, durch redliches Betragen eine Sünde wieder gutzumachen. Ein Gedanke kam ihm auch, und es wunderte ihn nur, daß er nicht früher gekommen war: Wenn er sich ganz von der Welt zurückzöge, die ihm wohl noch Versuchungen, aber keine Lust mehr bringen durfte? Er dachte an einen entfernten Verwandten seiner Mutter, der als reifer Mann in ein Kloster gegangen war. Der Gedanke dieser Möglichkeit beruhigte ihn.

Nachmittags lag er wieder auf dem Bette, abends ging er fort. Er kannte seinen Weg. Er ging an dieselbe Stelle, zu der gleichen

Bank, auf der er gestern gesessen. Er wartete, und als er seine Gedanken freiließ und in der Schwüle des Abends in eine Art von Halbschlummer verfallen war, erwachte er mit der Empfindung, daß er seine Frau erwarte. Diese Vorstellung trat so entschieden auf, daß er sie mit Aufgebot seines Willens verscheuchen mußte. Er wartete und hoffte zugleich, daß die Erwartete nicht kommen würde. Er war verwirrt und müde und hatte das Gefühl, irgendwie wehrlos preisgegeben zu sein und einem Schicksal entgegenzugehen, das ihm bestimmt war. Viele Leute kamen vorüber, auch Frauen und Mädchen; sie hatten nicht mehr Bedeutung für ihn als Bilder, die er zufällig im Durchblättern eines Buchs gefunden hätte, während er ein ganz bestimmtes suchte. Plötzlich fiel ihm ein: Wenn sie nicht vorüberkommt? Nun, wenn auch nicht, er wußte ja, wo sie wohnte, könnte vor dem Tore warten, in das Haus treten, die Stiege hinaufgehen ... nein, das würde er keineswegs; wer weiß, ob sie allein wohnte ... Aber keinesfalls kann sie ihm entgehen.

Es wurde spät; die Dunkelheit schritt vor. Plötzlich erblickte er die Erwartete. Aber sie war an ihm vorbeigeschritten, ohne daß er sie erkannt hatte. Wieder war es erst der Gang, durch den sie ihm auffiel. Sein Herz klopfte heftig. Er erhob sich rasch und folgte ihr. Es war ihm, als müßte er sie mit dem Namen seiner toten Gattin anrufen; doch fühlte er gleich, daß er das nicht durfte. Er ging so rasch, daß er ganz unversehens nahe neben sie gekommen war. Sie wandte den Kopf nach ihm und lächelte, als könnte sie sich seiner erinnern; dann aber schritt sie nur schneller vorwärts. Er folgte ihr wie in einem Rausch. Nun gab er sich vollkommen dem Wahn gefangen, daß es die Tote wäre; er kämpfte nicht mehr dagegen an. Seine Augen hafteten gebannt an ihrem Nacken. Er flüsterte den Namen der Toten, flüsterte ihn noch einmal lauter, er sprach ihn aus ... »Therese« ...

Sie blieb stehen. Er war neben ihr, ganz erschrocken. Sie schaute ihm ins Gesicht, schüttelte den Kopf, erstaunt, und schickte sich an weiterzugehen. Mit halberstickter Stimme sagte er: »Ich bitte Sie ... ich bitte Sie ...« Sie antwortete ganz sanft: »Was wollen Sie denn?« Es war eine ganz fremde Stimme. Wenn er sich später dieses Moments erinnerte, sah er sich selbst immer um viele Jahre jünger, bartlos, fast wie ein Kind, denn sie schaute ihn an, wie man Kinder ansieht, die einem gefallen.

Sie sprach weiter: »Woher kennen Sie mich denn? Woher wissen Sie denn, wie ich heiße?«

Es kam ihm gar nicht sonderbar vor, daß sie wirklich so hieß wie die Verstorbene. Er sagte: »Ich habe Sie schon gestern ... gesehen.«

»Ach so.« Sie glaubte offenbar, daß er sich im Hause nach ihrem Namen erkundigt. Er fühlte seinen Mut wachsen.

»Ich hab's aber gespürt«, sagte sie, »gestern abend, daß wer hinter mir geht. Ich dreh' mich ja nie auf der Straßen um, aber man spürt's gleich. Is' 's nicht wahr?«

Sie gingen nebeneinander her, und Gustav fühlte eine plötzliche Aufgeräumtheit, als hätte er ein paar Glas Wein getrunken.

»Aber daß mich einer anred't, das is' mir schon lang net passiert. Freilich, es is' auch eine Seltenheit, daß ich so allein auf der Straße geh', am Abend. Bei Tag freilich, da is' 's was anderes – no, nicht wahr? – bei Tag hat man doch immer was in der Stadt zu tun?«

Er hörte ihr zu. Ein Gefühl des Behagens kam über ihn. Der Klang dieser Frauenstimme tat ihm wohl. Als sie jetzt schwieg und ihn von der Seite lächelnd ansah, als erwartete sie ein Wort von ihm, sagte er: »Jetzt is' 's aber bei Tag so heiß; wenn man nicht muß, sollte man immer erst abends ins Freie. So kühl wie im Zimmer is' es bei Tag doch nirgends.« Er freute sich, daß er so leicht und gewandt reden konnte. Er hatte es gar nicht gehofft.

»Da hab'n Sie schon recht. Und besonders dort, wo ich wohne ... na, Sie wissen ja ...«, sie lächelte dabei freundlich ..., »da kommt nie eine Sonne hin. Wirklich, ich muß schon sag'n: Wenn ich so zu Mittag auf'n Ring hinausgeh', das is' grad, wie wenn man in einen Glutofen käm'.«

Dies gab ihm Anlaß, von der Hitze zu sprechen, die in seinem Büro herrschte, und von seinen Kollegen, die manchmal über der Arbeit einschliefen. Sie lachte darüber, das ermutigte ihn, und mit einer wahren Freude an seinen eigenen Worten und an ihrem Zuhören kam er immer mehr ins Erzählen: wie er seine Tage verbringe, daß er seit einiger Zeit verwitwet sei ... er sprach das Wort aus, als sei es etwas ganz Gewöhnliches, und doch wußte er, daß er es bis heute, auf sich bezüglich, noch nie ausgesprochen. Es tat ihm wohl, daß seine Begleiterin ihn darauf mit einem bedauernden Blicke ansah.

Dann berichtete sie von sich. Er erfuhr, daß sie die Geliebte eines sehr jungen Mannes sei, der jetzt eben mit seinen Eltern für einige Wochen auf dem Lande lebe und erst in drei Wochen zurückkommen sollte.

»Sonst is' er immer um sieben Uhr abends bei mir, und das bin ich schon so gewohnt, daß ich gar nicht weiß, was ich mit der Zeit anfangen soll, wenn er nicht da is'. Sonst is' natürlich er mit mir spazierengegangen, jetzt muß ich allein herumlaufen; er weiß gar nix davon ... oh, er dürft' gar nix davon wissen, er is' ja so eifersüchtig! Aber ich bitt' Sie, kann man denn verlangen, daß ich an den schönen Abenden im Zimmer sitz' – no, nicht wahr? Da red' ich alleweil mit Ihnen ... das sollt' ich doch schon gewiß nicht. Aber schaun S', wenn man so acht Tag' lang mit niemandem ein vernünftiges Wort gesprochen hat, so is' es eine rechte Erholung.«

Sie waren in der Nähe ihrer Wohnung.

»Wollen Sie schon nach Haus gehen, Fräulein?« sagte er. »Setzen wir uns doch noch ein bißl in den Stadtpark und plauschen weiter.«

Sie kehrten um, gingen die paar Schritte zum Stadtpark, und in einer recht dunklen Allee setzten sie sich auf eine Bank. Sie saß ganz nahe bei ihm, er schloß halb die Augen, und da sie schwieg, hatte er wieder ganz die Empfindung, als säße seine Frau neben ihm. Doch als sie wieder zu reden anfing, zuckte er zusammen. Es war ihm, als hätte diese Frau neben ihm, gerade während sie schwieg und ihn ihre Nähe und Wärme fühlen ließ, wie mit Absicht die Tote nachzuäffen versucht. Und wieder fuhr ihm die Idee durch den Kopf, sie wüßte, was in ihm vorging. Ein leichter Ärger regte sich in ihm. Er fühlte, daß hier eine gewisse Macht über ihn ausgeübt wurde, zu der es kein Recht gab und von der er sich befreien muß. Wer war denn diese Person? Eine Frau wie viele andere, die ihn gar nichts anging; die Geliebte eines jungen Mannes, der jetzt mit seinen Eltern auf dem Land war, und vorher wohl die Geliebte von zehn oder hundert andern. Und doch – es half nichts, durch ihr Kleid strömte dieselbe Wärme zu ihm herüber wie von seiner gestorbenen Frau. Sie hatte den gleichen Gang, den gleichen Nacken und ein sonderbares Zucken um die Lippen, ganz wie sie. Er drängte sich näher an sie. Von ihren Haaren kam ein Duft, den er begierig einatmete. Es verlangte ihn, ihren Hals zu küssen, er tat es, sie ließ es geschehen. Jetzt sagte sie irgend etwas, so leise, daß er es nicht verstand. Er fragte, die Lippen noch an ihrem Hals: »Was, Therese?«

»Ich muß nach Hause gehen, es wird spät.«

»Was haben Sie denn zu tun?«

»Ah, nicht deswegen«, antwortete sie und stand plötzlich auf. Jetzt war sie wieder vollkommen eine andere. Er bekam eine wahre Lust, ihr zu drohen wie jemandem, der sich etwas anmaßt, das ihm nicht zukommt. Es war ihm, als hätte er eine zu verteidigen, die selbst nicht mehr dazu imstande wäre. Er stand auf, griff nach ihrer Hand, drückte ihr Handgelenk, wollte ihr weh tun. Aber da schwand sein Zorn wieder, sein Druck wurde leiser, zärtlicher, und nah, beinah aneinandergeschmiegt, verließen sie den Garten.

Sie sprachen auf dem Heimweg nichts. Beim Haustor blieb sie stehen. »Ich danke schön für die Begleitung«, sagte sie.

»Darf ich nicht mit Ihnen . . .?«

»Oh!« sagte sie, »was fallt Ihnen ein! Wenn der Hausmeister was merkt – gleich wüßt's das ganze Haus. Na, und dann . . .«

Gustavs Augen glühten. Sie sah ihn beinah mitleidig, aber sehr angenehm berührt an.

»Wissen Sie was«, sagte sie dann ganz leise, »morgen Nachmittag um vier – da is' 's nicht auffallend. Da kommen Sie noch bei Tag aus 'm Haus.«

Er nickte wie befreit.

»Also adieu, jetzt müssen S' gehen.« Sie entzog ihm ihre Hand, die er noch in der seinen hatte, und eilte die Treppen hinauf.

Gustav tat in dieser Nacht kein Auge zu. Im dumpfen Halbschlummer dachte er an die Tote, und es war ihm, als müßte er sie an der Lebenden rächen, die ebenso duftete, die gleiche Wärme von sich strömte und dieselben Begierden entfesselte wie jene, die nun im Grabe ruhte. Er dachte auch daran, daß es noch hundert, noch tausend Weiber gäbe wie die, mit der er heut nacht im Stadtpark gesessen und die nichts viel Besseres war als eine Dirne. Er fühlte mit einer Deutlichkeit wie nie zuvor die ungeheure Ungerechtigkeit, die an der Toten geschehen war, und ahnte einen lächerlichen Betrug, der an ihm verübt werden sollte. Und wenn er an den kommenden Nachmittag dachte, war es ihm unmöglich, sich eine andere in seinen Armen vorzustellen als seine Frau. Er fühlte sich wehrlos, und das erfüllte ihn mit Zorn.

Vormittags im Büro kam für eine kurze Zeit Ruhe über ihn. Einen Moment dachte er daran, jene Person gar nicht zu besuchen. Dieser Einfall machte ihn geradezu leichter atmen. Dann tauchte ein anderer Gedanke auf: wohl zu ihr zu gehen, sich aber nach einer letzten Wonnestunde von ihr und zugleich von allen

Freuden der Welt zu verabschieden und so, wie er sich neulich vorgenommen, in ein Kloster zu treten.

Er saß lang bei Tisch, trank einen besseren Wein als gewöhnlich und ging dann zu ihr. Es war ein sehr heißer Nachmittag, und das Pflaster war ganz weiß von Sonne. Als er in die Wollzeile kam, wehte ihm eine kühlere Luft entgegen. Die Straße, in der ihr Haus stand, lag im tiefsten Schatten und war menschenleer. Das Fenster, aus dem er sie vor zwei Tagen hatte blicken sehen, war geöffnet, doch waren die Vorhänge heruntergelassen und bewegten sich leicht im Luftzug.

Er trat durch das Haustor, schritt die Stiege hinauf. Währenddem erinnerte er sich jenes Abenteuers aus der Jugendzeit. Auch damals pflegte er um diese Stunde zu seiner Geliebten zu gehen. Die Türe oben war angelehnt, er öffnete sie, Therese stand vor ihm, doch nahm er ihre Züge in dem dunklen Vorzimmer nicht deutlich wahr. Sie schloß die Türe rasch und öffnete die Türe zum nächsten Zimmer so schnell, daß der Fenstervorhang durch den Luftzug in die Höhe flog und Gustav einen Augenblick den Dachfirst des Hauses gegenüber sehen konnte. Die Türe zum anstoßenden Zimmer stand offen. Gustav legte den Hut auf den Tisch, setzte sich, sie neben ihn.

»Haben Sie einen weiten Weg her gehabt?« fragte sie.

Er blickte durch die offene Tür. Er sah ein schlechtes Ölbild, die Madonna mit dem Jesukinde vorstellend, das über dem Bette hing.

»Nein, ganz nah«, sagte er.

Sie hatte einen dunkelroten Schlafrock an, mit sehr weiten Ärmeln, der den Hals frei ließ. Ihr Blick schien ihm frech, ihre Züge minder jung als gestern abend. Er glaubte jetzt, daß er weggehen werde, ohne auch nur ihre Fingerspitzen berührt zu haben.

»Hier wohn' ich«, sagte sie, »aber noch nicht gar lang.« Sie fing wieder zu plaudern an, erzählte von ihrer früheren Wohnung, die »ihm« nicht gefallen hätte, weshalb er ihr diese hier gemietet; dann redete sie von einer Schwester, die in Prag verheiratet sei, dann von ihrem »Ersten«, einem Hausbesitzersohn, der sie hatte sitzen lassen, dann von einer Reise nach Venedig, die sie mit einem »Ausländer« unternommen. Gustav saß regungslos da und ließ sie reden ... Wo war er da hingeraten! Er, der noch vor wenigen Monaten der Gatte einer tugendhaften Frau gewesen war, die ihm allein gehört und keinem vor ihm ... Was wollte er da? Was hatte er mit der zu tun? . . . Wo war sein Verlangen, wo seine Wünsche? . . . Er stand auf, als wollte er sich entfernen. Da erhob auch sie sich, breitete die Arme um seinen Hals und zog ihn an sich. Er war ihr so nah, daß er nur das Leuchten ihrer Augen sehen konnte. Wieder stieg der Duft von ihrem Hals empor zu ihm, zugleich fühlte er ihre Lippen heiß auf den seinen . . . Wahrhaftig, es war kein anderer Kuß, als er ihn noch im vorigen Herbst empfangen. Es lag in ihm dieselbe Weichheit, dieselbe Wärme, dieselbe Nähe, dieselbe Lust . . .

Er wachte jäh auf. Er hatte die Arme unter seinem Kopf gekreuzt wie oft des Nachts, aber er sah eine andere Decke über sich. Und hier, über ihm, die Madonna mit dem Jesukind, und neben ihm lag eine fremde Frau mit schwergeschlossenen Augen und einem Lächeln um den Mund, und vor wenigen Minuten hatte er Therese in den Armen gehalten, seine verstorbene Frau. Er hatte jetzt nur einen Wunsch: Die da möge ruhig liegenbleiben, die Augen nicht öffnen, die Lippen nicht bewegen, bis er aufgestanden war und sich entfernt hätte. Er wußte, wenn sie von neuem begänne, so zu blicken, so zu lächeln, so zu seufzen und insbesondere so mit den Lippen zu zucken wie die, welche jetzt tot war – er konnte es nicht ertragen, er durfte es nicht dulden. Es war zu infam, was dieses Weib gewagt hatte. Er betrachtete sie mit einem wütenden Blick. War es nur möglich, daß dieses erbärmliche Weib, das hundert Liebhaber gehabt, mit jeder Miene, mit jeder Bewegung, während sie ihm die höchste Wonne gab, die arme Tote, die jetzt verweste, geradezu nachgeäfft? Und er lag da neben ihr . . . Er schüttelte sich. Er erhob sich rasch, aber geräuschlos. Sie regte sich nicht. Er kleidete sich eilig an. Dann stand er vor ihr, neben dem Bett. Sein Blick verfolgte die Linien ihres Halses. Es war ihm jetzt, als hätte dieses Weib einen fürchterlichen Diebstahl verübt und als wäre seine tote Therese eine Beraubte und Betrogene . . . Nein, das dürfte nicht sein, daß sie tot im Sarge läge und das Fleisch von ihren Knochen fiele, während die andern weiterleben und lachen und ihm sein dürfen, was ihm Jene war, ihm gewähren, was Jene ihm früher gewährt! Er schämte sich, daß nicht alles Glück der Erde zugleich mit ihr begraben war.

Jetzt regte sie sich wieder, geradeso wie Therese sich im Schlummer gestreckt und gedehnt. Sie öffnete die Augen . . . ja, wie sie. Es zuckte um ihre Lippen – ja, ganz so . . . Ah, und jetzt auch noch das? . . . Sie öffnete die Arme, als wollte sie ihn an sich ziehen ... »Sprich!« rief er. Er wollte die Stimme hören. Das hätte ihm die entweichende Besinnung wiedergegeben. Aber sie sprach nicht. »Sprich!« rief er noch einmal mit halberstickter Stimme. Aber sie sah ihn an, ohne zu verstehen, und streckte wieder die Arme aus. Er sah um sich, suchte irgend etwas, das ihn befreien konnte. Hier auf der Kommode, dem Bett gegenüber, lag der Hut, noch steckte die Nadel drin; er zog sie heraus, und indem er sie in die linke Faust nahm, stach er sie dem Weibe durchs Hemd in die Brust ... Er hatte gut getroffen. Sie hob sich krampfhaft in die Höhe, stieß einen Schrei aus, fuhr mit den Armen hin und her, packte die Nadel, hatte die Kraft nicht, sie aus der Wunde zu ziehen, und sank zurück.

Gustav stand neben ihr, sah sie zucken, die Augen verdrehen, nochmals den Kopf heben, wieder zurücksinken ... sterben ... Dann erst zog er die Nadel aus der Wunde ... es war gar kein Blut daran. Er verstand eigentlich gar nicht, was geschehen war. Plötzlich aber wußte er es. Er lief zum Fenster ins Nebenzimmer, hielt den Vorhang hoch, steckte den Kopf hinaus und schrie hinunter, so laut er konnte: »Mörder! Mörder!« Er sah noch, wie die Leute zusammenliefen, sah, wie man heraufdeutete, dann entfernte er sich vom Fenster, setzte sich ruhig auf den Sessel und wartete. Ihm war, als wäre das sehr gut, was er getan. Er dachte an seine Frau, die schon lang im Sarge lag und der die Würmer in die Augenhöhlen kröchen, und zum ersten Mal seit ihrem Tod fühlte er irgend etwas wie Frieden in seiner Seele.

Jetzt wurde heftig geklingelt, Gustav stand rasch auf und öffnete. – – –

Keineswegs kann ich weiterleben. Denn solange ich lebe, würden die Leute höhnen, und niemand sähe die Wahrheit ein. Die Wahrheit aber ist, daß mir meine Frau treu war – ich schwöre es bei allem, was mir heilig ist, und ich besiegle es durch meinen Tod. Auch habe ich in vielen Büchern nachgelesen, die diese schwierige und rätselhafte Materie behandeln, und wenn es auch Leute gibt, welche die Tatsache an sich bezweifeln, so sind doch anderseits Gelehrte von Bedeutung aufgestanden, die völlig überzeugt sind, und ich gedenke hierselbst Beispiele anzuführen, die jedem Unparteiischen als unwidersprechlich erscheinen müssen. So erzählt Malebranche, daß eine Frau anläßlich der Kanonisationsfeier des heiligen Pius dessen Bildnis so scharf betrachtete, daß der Knabe, den sie bald darauf zur Welt brachte, diesem Heiligen vollkommen glich; – ja sein Antlitz zeigte die müden Züge des Alters, seine Arme waren über die Brust gekreuzt, seine Augen gen Himmel gerichtet, und zum Überfluß zeigte sich noch auf einer Schulter in Gestalt eines Muttermales die herabhängende Mütze. Wem aber diese Erzählung trotz der Autorität des Zeugen, der ein Nachfolger des berühmten Philosophen Cartesius war, nicht genügend beglaubigt erscheint, dem wird vielleicht Martin Luther als Gewährsmann genügen. Luther nämlich – so ist in seinen Tischreden nachzulesen – hat in Wittenberg einen Bürger mit einem Totenkopf gekannt, und es war erwiesen, daß die Mutter dieses bedauernswerten Mannes während ihrer Schwangerschaft durch den Anblick eines Leichnams aufs heftigste erschreckt worden war. Die Geschichte aber, die mir am wichtigsten erscheint und an der zu zweifeln kein vernünftiger Anlaß vorliegt, wird von Heliodor in den »*Libri aethiopicorum*« berichtet. Diesem geschätzten Autor nach hat die Königin Persina nach zehnjähriger kinderloser Ehe ihrem Gatten, dem Äthioperkönig Hydaspes, eine weiße Tochter geboren, die sie aus Angst vor dem voraussichtlichen Zorn ihres Gemahls gleich nach der Geburt aussetzen ließ. Doch gab sie ihr einen Gürtel mit, auf dem der wahre Grund des verhängnisvollen Zufalls angegeben war: im Garten des königlichen Palastes, wo die Königin die Umarmungen ihres schwarzen Ehegemahls empfing, waren herrliche Marmorstatuen griechischer Götter und Göttinnen aufgestellt gewesen, auf die Persina ihre entzückten Blicke gerichtet hatte. Aber noch weiter geht die Macht des Geistes, und nicht nur Abergläubische oder Ungebildete huldigen dieser Anschauung, wie die folgende Geschichte beweist, die sich im Jahre 1637 in Frankreich zutrug. Dortselbst gebar ein Weib nach vierjähriger Abwesenheit ihres Gatten einen Knaben und schwor, daß sie in der entsprechenden Zeit vorher mit der vollkommensten Lebhaftigkeit von der inbrünstigen Umarmung ihres Gatten geträumt hatte. Die Ärzte und Wehefrauen von Montpellier erklärten eidlich die Tatsache für möglich, und der Gerichtshof von Havre sprach dem Kinde alle Rechte der legitimen Geburt zu. Des ferneren finde ich in Hambergs »Rätselhaften Vorgängen der Natur«, Seite 74, die Geschichte von einer Frau, die ein Kind mit einem Löwenkopf zur Welt brachte, nachdem sie im siebenten Monate ihrer Schwangerschaft mit ihrem Gatten und ihrer Mutter der Produktion eines Löwenbändigers beigewohnt hatte. Ich habe ferner eine Geschichte gelesen – sie ist zu finden in Limböcks »Über das Versehen der Frauen«, Basel 1846, Seite 19 – daß ein Kind mit einem großen Brandmal auf der Wange geboren wurde, weil die Mutter einige Wochen vor der Geburt das Haus gegenüber in Flammen hatte aufgehen sehen. In diesem Buch stehen noch andere, höchst verwunderliche Dinge. Während ich dieses schreibe, liegt es vor mir auf dem Tisch, eben habe ich wieder darin geblättert, und es sind beglaubigte, wissenschaftlich feststehende Tatsachen, die darin erzählt werden, und ebenso beglaubigt ist die Tatsache, die ich selbst erlebt habe, oder vielmehr mein gutes Weib, das mir treu gewesen ist, so wahr ich in diesem Augenblick noch lebe! Wirst du mir verzeihen, liebe Gattin, daß ich nun sterben gehe? Siehe, du mußt es tun. Es ist ja nur aus Liebe zu dir, daß ich sterbe, denn ich kann es nicht ertragen, daß die Leute höhnen, daß sie dich verlachen und mich! Nun werden sie wohl aufhören zu lachen, nun werden sie es verstehen, wie ich es verstehe. Ihr, die ihr mich, die ihr diesen Brief finden werdet, wisset, daß sie, während ich dieses schreibe, in dem Zimmer nebenan schläft, ruhig schläft, wie man nur mit einem guten Gewissen schlafen kann; und ihr Kind – unser Kind, das nun vierzehn Tage alt ist, liegt in der Wiege neben dem Bett und schläft gleichfalls. Und bevor ich das Haus verlasse, werde ich hingehen und werde meine Frau und mein Kind auf die Stirne küssen, ohne sie aufzuwecken. Ich schreibe das alles so genau, damit man nicht etwa meint, ich sei wahnsinnig ... nein, es ist wohlüberlegt, und ich bin vollkommen ruhig. Sobald ich diesen Brief beendet habe, gehe ich fort, in tiefer Nacht, durch die leeren Straßen, immer weiter, den Weg, den ich so oft mit meiner Frau gegangen bin im ersten Jahre unserer Ehe, nach Dornbach – und immer weiter, bis in den Wald. Ja, es ist alles wohl überlegt, und ich bin im Vollbesitze meiner Sinne. Und so verhält sich die Sache. Ich heiße Andreas Thameyer, bin Beamter in der österreichischen Sparkassa, vierunddreißig Jahre alt, wohnhaft Hernalser Hauptstraße Nr. 64, verheiratet seit vier Jahren. Ich habe meine Frau sieben Jahre gekannt, ehe sie meine Gattin wurde, und sie hat zwei Bewerber ausgeschlagen, weil sie mich liebte und auf mich wartete: einen Kommissär mit 1800 Gulden Gehalt, und einen sehr schönen jungen Kandidaten der Medizin aus Triest, der als Zimmerherr bei ihren Eltern wohnte, man merke auf! – ausgeschlagen um meinetwillen, obzwar ich weder schön, noch reich war, und obwohl sich unsere Heirat von Jahr zu Jahr verzögerte. Und nun wollen die Leute behaupten, daß diese Frau mich betrogen hat, die sieben Jahre auf mich geduldig wartete! Die Menschen sind dumm und armselig, sie können, wie ich mich ausdrücken möchte, in unser Inneres nicht hineinblicken, sie sind schadenfroh und höchst gemein! Aber nun werden sie alle verstummen ... ja nun werden sie alle sagen: wir haben unrecht getan, wir sehen es ein, deine Frau ist dir treu gewesen, und es war gar nicht notwendig, daß du dich umbringst... Aber ich sage euch: es ist notwendig! Denn solange ich am Leben bliebe, würdet ihr weiter höhnen, ihr alle. Nur einer ist edel und gut: das ist der alte Doktor Walter Brauner ... Ja, er hat es mir gleich gesagt; bevor er mich hineinführte, sagte er mir: »Mein lieber Thameyer, erschrecken Sie nicht und regen Sie sich und Ihre Frau nicht auf. Solche Dinge sind schon öfters dagewesen. Ich werde Ihnen morgen das Buch von Limböck bringen und andere über das Versehen der Schwangeren.« – Diese Bücher liegen vor mir – jawohl! und ich richte die höfliche Bitte an meine Angehörigen, daß diesem vortrefflichen Mann, dem Doktor Brauner, seine Bücher mit ergebenstem Danke zurückgestellt werden. Weiter habe ich keine Verfügungen zu treffen. Mein Testament ist längst gemacht, ich habe keinen Grund, es abzuändern, denn meine Frau ist mir treu gewesen, und das Kind, das sie mir geboren hat, ist mein Kind. Und daß es eine so eigentümliche Hautfarbe hat, werde ich nunmehr auf die einfachste Weise erklären. Nur Böswilligkeit und Unbildung kann sich dieser Erklärung verschließen, und ich wage zu behaupten, wenn wir unter Menschen lebten, die nicht boshaft und albern wären, könnte ich am Leben bleiben, denn jeder sähe es ein. So aber will es niemand einsehen, und sie lächeln und lachen. Sogar Herr Gustav Rengelhofer, der Onkel meiner Frau, dem ich stets die größte Achtung erwiesen, hat in einer mich sehr verletzenden Weise mit den Augen gezwinkert, als er mein Kind zum erstenmal sah, und meine eigene Mutter – sie hat mir die Hand gedrückt, in einer höchst sonderbaren Art, als bedürfe ich ihrer Teilnahme. Und meine Kollegen im Bureau haben miteinander geflüstert, als ich gestern eintrat, und der Hausmeister, dessen Kindern ich zu Weihnachten meine alte verdorbene Uhr geschenkt habe im merhin, als Spielzeug tut solch ein Uhrgehäuse seine Dienste... der Hausmeister hat sich das Lachen verbissen, als ich gestern an ihm vorbeiging, und unsere Köchin macht ein Gesicht, so lustig, als wenn sie betrunken wäre, und der Spezereihändler an der Ecke hat mir nachgeschaut, schon drei- oder viermal... neulich ist er an der Türe stehen geblieben und sagte zu einer alten Dame: das ist er. Und ein Beweis für die schleunige Verbreitung der unsinnigsten Gerüchte: – es gibt Leute, die ich gar nicht kenne, und die es wissen, ich weiß nicht, woher. Als ich vorgestern im Stellwagen nach Hause fuhr, hörte ich drei alte Weiber drin über mich sprechen, ich hörte meinen Vornamen ganz genau; ist stand auf der Plattform. Daher frage ich laut: (ich gebrauche diesen Ausdruck absichtlich, obwohl dies schriftliche Aufzeichnungen sind) – ich frage mit vernehmlicher Stimme: Was soll ich tun? Was bleibt mir übrig? Ich kann es nicht jedem sagen: Leset Hambergs »Wunder der Natur« und Limböcks vorzügliches Werk »Über das Versehen der Schwangeren«. Ich kann nicht vor ihnen niederknien und sie anflehen: »Seid nicht so grausam ... seht es doch ein ... meine Frau ist mir immer treu gewesen!« Sie hat sich versehen, als sie im August mit ihrer Schwester unten im Tiergarten war, wo diese fremden Leute ihr Lager hatten, diese unheimlichen Schwarzen. Ich kann es beschwören, daß sie sich versehen hat, denn die Geschichte trug sich folgendermaßen zu: Ich war an jenem Tag – und schon ein paar Tage vorher – bei meinen Eltern auf dem Lande gewesen – mein Vater war nämlich krank, sehr krank . . . . Man ermesse es daraus, daß er tatsächlich wenige Wochen darauf verstorben ist. – Aber dies gehört nicht her. – Nun, Anna war allein. Und als ich zurückkam, fand ich meine Frau zu Bett liegen – jawohl, vor Aufregung, vor Sehnsucht . . . was weiß ich! lag sie danieder. – Und ich war doch nur drei Tage fort gewesen. So sehr liebte mich meine Frau. Und ich mußte mich gleich an ihr Bett setzen und mir erzählen lassen, wie sie die drei Tage verbracht hatte. Und ohne daß ich sie erst fragte, erzählte sie alles. Ich notiere es hier mit der in diesem Falle erforderlichen Genauigkeit. Montag war sie den ganzen Vormittag zu Hause gewesen. Nachmittag aber ging sie mit Fritzi – so nennen wir ihre ledige Schwester, ihr Taufname ist Friederike – mit Fritzi in die innere Stadt, Einkäufe besorgen. Fritzi ist verlobt mit einem sehr braven jungen Mann, der nun eine Stellung in Deutschland hat, und zwar in Bremen in einem großen Handlungshaus, und Fritzi soll ihm bald nachkommen, um seine Frau zu werden . . . Doch auch dies ist nebensächlich. Ich weiß es sehr wohl. Dienstag verbrachte meine Frau den ganzen Tag zu Hause, denn es regnete. – Auch auf dem Lande, bei meinen Eltern, regnete es an diesem Tage, wie ich mich genau erinnern kann. Dann kam der Mittwoch. An diesem Tag gingen meine Frau und Fritzi gegen Abend in den Tiergarten, wo Neger ihr Lager aufgeschlagen hatten. Hier füge ich bei, daß ich selbst diese Leute später gesehen habe, im September nämlich, und zwar ging ich mit Rudolf Bittner hinunter, mit ihm und seiner Frau, an einem Sonntagsabend; Anna wollte durchaus nicht mit, ein solches Grauen war ihr zurückgeblieben seit jenem Mittwoch. Sie sagte mir, niemals in ihrem Leben habe sie ein solches Grauen empfunden als an jenem Abend, da sie allein bei den Negern war . . . Allein, denn Fritzi hatte sich plötzlich verloren . . . Es ist mir nicht möglich, diese Tatsache zu verschweigen. Nun, ich will gegen Fritzi nichts sagen, da dieses mein letzter Brief ist. Aber hier scheint es mir am Platze, an Fritzi die ernste Mahnung zu richten, ihren Bräutigam nicht zu kränken, da dieser als anständiger Mensch darüber sehr unglücklich wäre. Leider aber bleibt es eine Tatsache, daß an jenem Abend Herr . . . doch wozu soll ich hier einen Namen niederschreiben . . . kurz und gut, mit diesem Herrn, den ich sehr wohl kenne und der sich nicht des besten Rufes erfreut, obzwar er verheiratet ist, verlor sich Fritzi an jenem Abend, und meine arme Frau war plötzlich allein. Es war ein nebeliger Abend, wie sie im

Spätsommer zuweilen vorkommen; ich für meinen Teil gehe niemals abends ohne Überrock in den Prater ... ich erinnere mich, daß da auf den Wiesen oft graue Dämpfe liegen, in denen sich die Lichter spiegeln ... Nun, solch ein Abend war es an jenem Mittwoch, und Fritzi war plötzlich fort, und meine Anna war allein – mit einem Male allein ... wer begreift nicht, daß sie unter diesen Umständen ein ungeheures Grauen vor diesen Riesenmenschen mit den glühenden Augen und den großen schwarzen Bärten empfinden mußte? ... Zwei Stunden lang wartete sie auf Fritzi und hoffte immer, daß sie wiederkommen würde, endlich wurden die Tore geschlossen, da mußte sie gehen. So war es. Dies alles erzählte mir Anna in der Frühe, als ich an ihrem Bette saß, wie ich schon früher bemerkt habe ... sie hatte die Arme um meinen Nacken geschlungen und zitterte, ihre Augen waren ganz trüb, ich selber bekam Angst, und dabei wußte ich an diesem Tag noch nicht, was ich später wußte, so wenig als sie. Denn hätte ich gewußt, daß sie bereits unser Kind unter dem Herzen trage, dann hätte ich nie und nimmer gestattet, daß sie mit Fritzi an einem nebeligen Abend in den Prater ginge und sich allerlei Gefahren aussetzte. Denn für eine Frau in solchem Zustand ist alles Gefahr ... Freilich, wenn Fritzi sich nicht verloren hätte, so wäre meine Frau nie und nimmer in eine so entsetzliche Angst geraten; aber dies war eben das große Unglück, daß sie so allein war und um Fritzi zitterte ... Nun ist ja alles vorüber, und ich werfe auf niemand einen Stein. Aber ich habe dies alles aufgeschrieben, denn ich finde es notwendig, daß diese Sache völlig klar gestellt werde. Würde ich das nicht tun, wer weiß, ob die Leute in ihrer Erbärmlichkeit nicht endlich noch sagten: er hat sich umgebracht, weil seine Frau ihn betrogen hat ... Nein, ihr Leute, nochmals, meine Frau ist treu, und das Kind, das sie geboren hat ist mein Kind! Und ich liebe sie beide bis zum letzten Augenblick. In den Tod treibt nur ihr mich, ihr alle, die ihr zu armselig oder zu boshaft seid zu glauben oder zu verstehen. Und je mehr ich zu euch reden und versuchen würde, euch den Vorfall wissenschaftlich zu erklären ... ich weiß es ja, um so mehr würdet ihr höhnen und lachen, wenn auch nicht vor mir, so hinter meinem Rücken – oder ihr würdet gar sagen: »Thameyer ist wahnsinnig.« Nun ist euch das genommen, meine Verehrten, ich sterbe für meine Überzeugung, für die Wahrheit und vor allem für die Ehre meiner Frau; denn wenn ich tot bin, werdet ihr meine Frau nicht verhöhnen und werdet über mich nicht lachen; ihr werdet einsehen, daß es solche Dinge gibt, wie sie Hamberg, Heliodor, Malebranche, Welsenburg, Preuß, Limböck und andere berichten. – Auch du, liebe Mutter – wahrhaftig, du mußtest mir nicht die Hand drücken, als wäre ich zu bedauern! Du wirst jetzt doch meine Frau um Verzeihung bitten – ich weiß es . . . Nun, scheint mir, habe ich nichts mehr zu sagen. Es schlägt eins. Gute Nacht, meine Lieben. Nun geh' ich noch einmal ins Nebenzimmer und küsse mein Kind und meine Frau zum letzten Mal – dann geh' ich fort. – Lebt wohl.

Langsam schritt sie den Hügel hinab; nicht über die breite Fahrstraße, die in Windungen zur Stadt hinunterlief, sondern über den schmalen Weg zwischen den Weingeländen. Ihr kleiner Bub, den sie an der Hand hielt, ging immer einen Schritt voraus, denn für beide war nicht Platz genug. Die späte Nachmittagssonne strahlte ihr entgegen und hatte noch so viel Kraft, daß Berta ihren dunklen Strohhut ein wenig tiefer in die Stirn drücken und den Blick senken mußte. Auf den Hängen, an die die kleine Stadt sich lehnte, flimmerte es wie ein goldener Nebel, die Dächer unten glänzten, und der Fluß, der dort, außerhalb der Stadt, zwischen den Auen hervorkam, zog leuchtend ins Land. Die Luft war ganz regungslos, und die Kühle des Abends schien noch fern.

Berta blieb einen Augenblick stehen und sah um sich. Sie war ganz allein mit ihrem Buben, und eine merkwürdige Stille war um sie. Auch oben auf dem Friedhof hatte sie heute niemanden begegnet, nicht einmal die alte Frau, die sonst die Blumen begoß, den Gräberschmuck in gutem Stand erhielt, und mit der sie manchmal plauderte. Es kam Berta vor, als wäre sie schon recht lang vom Hause fort und hätte schon lang mit niemandem gesprochen. Jetzt schlug es von einem Kirchturme sechs Uhr. So war noch kaum eine Stunde verflossen, seit sie ihre Wohnung verlassen, und noch kürzere Zeit, daß sie auf der Straße mit der schönen Frau Rupius geplaudert. Und selbst die wenigen Minuten, die verstrichen waren, seit sie am Grabe ihres Mannes gestanden, schienen ihr schon weit zu liegen. –

»Mama!« hörte sie plötzlich ihren Buben rufen. Er hatte sich von ihrer Hand losgemacht und war vorausgelaufen. »Mama, ich kann schneller gehen als du!«

»So warte doch, Fritz!« rief Berta. »Du wirst die Mama doch nicht allein lassen.« Sie folgte ihm und nahm ihn wieder bei der Hand.

»Gehen wir schon nach Hause?« fragte der Kleine.

»Ja, Fritz, wir wollen uns zum offenen Fenster setzen, so lang, bis es ganz dunkel wird.«

Bald waren sie am Fuß des Hügels angelangt und spazierten nun unter den schattigen Kastanien, neben der staubweißen Reichsstraße, dem Städtchen zu. Auch hier trafen sie nur wenige Menschen. Auf der Fahrstraße kamen ihnen ein paar Lastwagen entgegen, die Kutscher trotteten daneben, die Peitsche in der Hand, zwei Radfahrer kamen aus der Stadt und fuhren landeinwärts, Staubwolken hinter sich lassend. Unwillkürlich blieb Berta stehen, sah den beiden nach, bis sie beinahe ganz verschwunden waren.

Indes war der Kleine auf eine Bank geklettert. »Schau, Mama, was für eine Kunst ich kann!« rief er aus und machte sich bereit, herunterzuspringen. Die Mutter faßte ihn bei den Armen und hob ihn sorgsam herab. Dann setzte sie sich.

»Bist du müd?« fragte der Kleine.

»Ja,« sagte sie und wunderte sich selbst, daß es so war. Denn jetzt erst fühlte sie, daß die schwüle Luft sie bis zur Schläfrigkeit ermattet hatte. Sie erinnerte sich übrigens nicht, jemals Mitte Mai so warme Tage erlebt zu haben.

Von der Bank aus, auf der sie saß, konnte sie den Weg zurück verfolgen, den sie gekommen war, wie er zwischen den Weingeländen in der Sonne hinauflief, bis zu der hell glänzenden Friedhofmauer. Es war ein Spaziergang, den sie zwei- oder dreimal in der Woche zu machen pflegte. Schon lange hatte dieser Weg für sie nichts anderes zu bedeuten. Wenn sie dort oben auf dem gepflegten Kies, zwischen den Kreuzen und Steinen umherwandelte, und am Grab ihres Mannes ein stilles Gebet verrichtete oder auch ein paar Feldblumen hinlegte, die sie auf dem Hinweg selbst gepflückt, empfand sie kaum mehr die leiseste schmerzliche Bewegung. Freilich waren nun drei Jahre hingegangen, seit sie ihn begraben, ebenso viele als sie mit ihm zusammen verlebt hatte. –

Ihre Augen schlossen sich. Sie gedachte ihrer Ankunft in der Stadt, wenige Tage nach ihrer Hochzeit, die noch in Wien stattgefunden. Sie hatten eine kleine Reise gemacht, wie sie sich eben ein Mann in geringen Verhältnissen gestatten konnte, der eine Frau ganz ohne Mitgift geheiratet. Sie waren mit dem Schiff von Wien aus stromaufwärts gefahren und hatten in einem kleinen Ort in der Wachau, ganz nahe ihrem künftigen Bestimmungsort, ein paar Tage zugebracht. Berta erinnerte sich noch deutlich des kleinen Gasthofs, in dem sie gewohnt, des Gärtchens am Fluß, wo sie nach Sonnenuntergang zu sitzen pflegten, an diese ruhigen und etwas langweiligen Abende, die so völlig anders waren, als sie sich, ein ganz junges Mädchen, die Abende einer jungen Ehe vorgestellt hatte. Freilich, sie hatte sich bescheiden müssen.

Sie war sechsundzwanzig Jahre alt und stand ganz allein, als Victor Mathias Garlan um sie anhielt. Ihre Eltern waren eben gestorben. Der eine ihrer Brüder war schon lang vorher nach Amerika gegangen, um dort als Kaufmann sein Glück zu versuchen, der jüngere war beim Theater, hatte eine Schauspielerin zur Frau genommen und spielte auf deutschen Bühnen dritten Rangs Komödie. Zu ihren Verwandten stand sie kaum in Beziehung, nur im Haus einer Cousine, die einen Advokaten geheiratet, verkehrte sie zuweilen. Aber auch diese Freundschaft war mit jedem Jahr kühler geworden, da die junge Frau mit einer Art Inbrunst sich ausschließlich ihrem Mann und ihren Kindern widmete und wenig Interesse mehr für die unverheiratete Freundin übrig hatte.

Herr Garlan war ein entfernter Verwandter von Bertas verstorbener Mutter; er hatte in früheren Jahren viel im Hause verkehrt und dem jungen Mädchen in etwas unbeholfener Weise den Hof gemacht. Damals hatte Berta keinen Grund, ihn zu ermutigen, das Leben und das Glück zeigte sich ihr in anderen Gestalten. Sie war jung und hübsch, die Verhältnisse im Hause ihrer Eltern waren behaglich, wenn auch nicht reich, und ihr lag die Hoffnung näher, als eine große Klaviervirtuosin, vielleicht als Gattin eines Künstlers, in der Welt umherzuziehen denn im Frieden der Familie eine bescheidene Existenz zu führen. Aber diese Hoffnung verblaßte bald, da ihr Vater eines Tags in einer Aufwallung seiner bürgerlichen Anschauungen ihr den weiteren Besuch des Konservatoriums nicht mehr gestattete, wodurch sowohl ihre Aussichten auf eine Künstlerlaufbahn, als ihre Beziehungen zu dem jungen Violinspieler, der seither so berühmt geworden war, ein Ende nahmen. Dann verflossen ein paar Jahre in einer sonderbaren Dumpfheit; anfangs mochte sie wohl etwas wie Enttäuschung oder gar Schmerz empfunden haben, aber das hatte gewiß nicht lange gedauert. Später waren Bewerber gekommen, ein junger Arzt und ein Kaufmann, die sie beide nicht hatte nehmen wollen; den Arzt, weil er zu häßlich, den Kaufmann, weil er in einer Provinzstadt ansässig war. Die Eltern redeten ihr auch nicht lebhaft zu. Aber als Berta sechsundzwanzig alt wurde und der Vater durch einen Bankerott sein kleines Vermögen verlor, mußte sie verspätete Vorwürfe hören wegen aller möglichen Dinge, die sie selbst zu vergessen anfing: wegen ihrer früheren künstlerischen Pläne, wegen jener längstvergangenen aussichtslosen Geschichte mit dem Violinspieler, wegen ihrer ablehnenden Haltung gegen den häßlichen Arzt und den Kaufmann aus der Provinz. Zu dieser Zeit war Victor Mathias Garlan nicht mehr in Wien ansässig; die Versicherungsgesellschaft, in der er seit seinem zwanzigsten Jahr als Beamter tätig war, hatte ihn vor zwei Jahren, auf seinen eigenen Wunsch, als Leiter einer neugegründeten Filiale nach der kleinen Stadt an der Donau versetzt, wo sein verheirateter Bruder als Weinhändler lebte. Als er damals in Bertas Hause Abschied genommen, hatte er in einem längeren Gespräch, das auf Berta einen gewissen Eindruck übte, erwähnt, daß er besonders deshalb um seine Versetzung nach der kleinen Stadt angesucht, weil er sich alt werden fühlte, nicht mehr zu heiraten gedächte und doch gern eine Art Heim bei Leuten hätte, die ihm naheständen. Die Eltern hatten damals über seine Auffassung, die etwas hypochondrisch schien, gescherzt; denn Garlan war kaum vierzig Jahre alt. Berta aber fand sie sehr vernünftig, denn ihr war Garlan nie eigentlich jung vorgekommen. Im Lauf der nächsten Jahre kam Victor Mathias Garlan öfters geschäftlich nach Wien und versäumte niemals, die Familie aufzusuchen. Dann pflegte Berta nach dem Nachtmahl Klavier vorzuspielen, und er hörte ihr mit einer gewissen Andacht zu, sprach wohl auch von seinem kleinen Neffen und von seiner kleinen Nichte, die beide sehr musikalisch wären und der er oft von Fräulein Berta erzählte als der vorzüglichsten Klavierspielerin, die er je gehört. Es schien sonderbar, und die Mutter konnte gelegentlich ihre Bemerkungen darüber nicht unterdrücken, daß Herr Garlan seit seiner schüchternen Werbung in früherer Zeit auch nicht mehr die leiseste Anspielung auf Vergangenes oder gar auf eine mögliche Zukunft gewagt hatte, und zu den anderen Vorwürfen, die Berta zu hören bekam, gesellte sich nun auch der, daß sie Herrn Garlan mit zu großer Gleichgültigkeit, ja mit Kälte begegnete. Berta schüttelte nur den Kopf, denn sie selbst dachte auch damals noch nicht daran, den etwas unbeholfenen Mann, der vor der Zeit alterte, zu heiraten. Nach dem plötzlichen Tod der Mutter, welcher erfolgte, während der Vater schon durch viele Monate krank war, erschien

Herr Garlan wieder in Wien und teilte mit, daß er einen vierwöchigen Urlaub genommen, den einzigen, um den er jemals angesucht hatte. Berta merkte wohl, daß er nur gekommen war, um ihr in dieser schweren Zeit beizustehen. Und als nun auch der Vater eine Woche nach dem Begräbnis der Mutter starb, erwies sich Garlan als treuer Freund und zudem von einer Energie, die sie ihm nie zugetraut hatte. Er veranlaßte seine Schwägerin, auf einige Wochen nach Wien zu kommen, um der Verwaisten in der ersten Zeit beizustehen und sie ein wenig zu zerstreuen; und er ordnete die geschäftlichen Angelegenheiten geschickt und schnell. Er war von einer Herzlichkeit, die Berta in diesen schlimmen Tagen sehr wohl tat, und als er sie nach Ablauf seines Urlaubs fragte, ob sie seine Frau werden wollte, nahm sie seinen Antrag mit dem Gefühl der tiefsten Dankbarkeit an. Sie wußte wohl, daß sie sonst genötigt gewesen wäre, sich nach wenigen Monaten vielleicht durch Lektionen ihr Brot selbst zu verdienen, überdies hatte sie Garlan so schätzen gelernt und sich so sehr an ihn gewöhnt, daß sie ihm in der Stunde, da er sie in die Kirche zur Trauung führte und im Wagen zum erstenmal fragte, ob sie ihn lieb hätte, ein aufrichtiges Ja zur Antwort geben konnte.

Schon in den ersten Tagen merkte sie freilich selbst, daß sie keine Liebe für ihn fühlte. Seine Zärtlichkeit ließ sie sich eben gefallen, anfangs mit einem gewissen Staunen der Enttäuschung, später mit Gleichgültigkeit, und, erst als sie sich Mutter fühlte, mit dem guten Willen, sie zu erwidern. An das stille Wesen in der kleinen Stadt hatte sie sich rasch gewöhnt, um so leichter, als sie auch in Wien zurückgezogen gelebt hatte. In der Familie ihres Mannes fühlte sie sich recht wohl; der Schwager schien ihr ganz liebenswürdig und lustig, wenn auch mitunter derb; seine Frau war gutmütig und zuweilen etwas traurig. Der Neffe zur Zeit, als Berta in die Stadt kam, zählte er dreizehn Jahre – war hübsch und keck; die Nichte ein sehr stilles Kind von neun Jahren, mit großen, erstaunten Augen, war Berta von allem Anfang an am herzlichsten zugetan. Als Berta ihren Buben bekam, wurde er von den Kindern als willkommenes Spielzeug begrüßt, und in den nächsten zwei Jahren fühlte sie sich vollkommen glücklich. Ja, sie glaubte zuweilen, daß ihr Schicksal sich gar nicht günstiger hätte gestalten können. Der Lärm, die Unruhe der großen Stadt erschienen ihr in der Erinnerung wie etwas Unangenehmes, beinahe Gefährliches, und als sie einmal mit ihrem Mann hineingefahren war, um einige Einkäufe zu machen und der Zufall es fügte, daß es ein ärgerlicher, schmutziger Regentag war, schwur sie sich zu, niemals wieder diese langweilige und überflüssige Reise von drei Stunden zu unternehmen.

Ihr Mann starb plötzlich, an einem Frühlingsmorgen, drei Jahre, nachdem er sie geheiratet. Ihre Bestürzung war groß. Sie fühlte, daß sie diese Möglichkeit überhaupt nie im Auge gehabt hatte. Sie blieb in recht beschränkten Verhältnissen zurück. Aber bald wurde von der Schwägerin eine liebenswürdige Art gefunden, die Witwe zu unterstützen, ohne daß es wie ein Almosen ausgesehen hätte. Man bat sie, die Kinder im Klavierspiel weiter auszubilden und verschaffte ihr auch in einigen anderen Häusern der Stadt Lektionen. Es war ein stilles Übereinkommen, daß man immer so tat, als wenn sie diese Lektionen nur übernommen, um sich ein wenig zu zerstreuen, und daß man sie dafür bezahlte, weil man sich ja ihre Zeit und Mühe unmöglich schenken lassen konnte. Was sie nun auf diese Weise verdiente, genügte vollkommen, um ihre Einnahmen in einer für ihre Lebensweise ausreichenden Art zu ergänzen. So war sie denn, nachdem erst der Schmerz und dann die Traurigkeit über das Hinscheiden ihres Mannes überwunden war, wieder ganz zufrieden und heiter. Ihr bisheriges Leben war nicht so verflossen, daß sie jetzt irgend etwas zu entbehren glaubte. In ihren Gedanken an die Zukunft beschäftigte sie kaum je anderes als das allmähliche Heranwachsen ihres Kleinen, und nur selten flog ihr die Möglichkeit einer neuen Heirat durch den Sinn, immer ganz flüchtig, da sich noch niemand gezeigt, an den sie in dieser Hinsicht ernstlich denken mochte. Regungen von jugendlichen Wünschen, die ihr zuweilen in wachen Morgenstunden kamen, verflogen immer wieder im gleichmäßigen Lauf der Tage. Erst seit Beginn dieses Frühlings fühlte sie sich weniger behaglich als bisher; sie schlief nicht mehr so ruhig und traumlos als früher, sie hatte zuweilen eine Empfindung der Langeweile, die sie nie gekannt, und das Sonderbarste war eine plötzliche Ermattung, die sie manchmal bei hellichtem Tage überkam, in der sie das Kreisen des Blutes in ihrem ganzen Körper zu verspüren meinte, und die sie an eine ganz frühe Epoche ihrer Mädchenzeit erinnerte. Anfangs war ihr das Gefühl in aller seiner Bekanntheit doch so fremd, daß ihr war, als hätte ihr einmal eine ihrer Freundinnen davon erzählt. Erst als es sich häufiger wiederholte, besann sie sich, daß sie selbst es schon früher erlebt hatte.

Sie schauerte zusammen, und es war ihr, als erwachte sie aus einem Schlaf. Sie öffnete die Augen. Die Luft schien ihr wie in einer schwirrenden Bewegung. Die Straße lag bereits zur Hälfte im Schatten, die Friedhofmauer oben auf dem Hügel glänzte nicht mehr; Berta bewegte ihren Kopf einigemal rasch hin und her, wie um sich ganz zu erwecken. Ihr schien, als wäre ein ganzer Tag, eine ganze Nacht verflossen, seit sie sich hierher auf die Bank gesetzt hatte. Wie ging das nur zu, daß ihr die Zeit so auseinanderrann? Sie sah um sich. Wo war denn ihr Bub? Da hinter ihr spielte er mit den Kindern des Doktor Friedrich, das Kindermädchen kniete neben ihnen auf dem Boden und half ihnen aus Sand eine Burg bauen. Die Allee war nun belebter als früher. Berta kannte beinah alle Leute, jeden Tag sah sie dieselben. Da sie aber die meisten selten sprach, zogen sie wie Schatten an ihr vorbei; hier kam der Sattler Peter Nowak mit seiner Frau, auf seinem kleinen Landwagen fuhr Doktor Rellinger vorbei und grüßte sie, dann kamen die beiden Töchter des Hausbesitzers Wendelein, und dort radelte der Leutnant Baier mit seiner Braut langsam die Straße ins Land hinaus. Dann schien wieder alle Bewegung auf kurze Zeit vorbei, und Berta hörte nichts als das Lachen der Kinder hinter sich. Jetzt sah sie wieder jemanden von der Stadt her langsam herankommen, den sie schon von weitem erkannte. Es war Herr Klingemann, der sie in der letzten Zeit öfter als früher anzureden pflegte. Vor zwölf oder fünfzehn Jahren war er aus Wien in die kleine Stadt übergesiedelt; es hieß, daß er früher Arzt gewesen und seine Praxis wegen irgendeines Kunstfehlers oder eines noch böseren Versehens hatte aufgeben müssen. Andere behaupteten, daß er es überhaupt nie bis zum Doktor gebracht und schließlich als alter Student das Studieren aufgegeben. Er selbst gab sich als Philosophen aus, den das Leben in der Großstadt, nachdem er es bis zum Überdruß genossen, angewidert und der deshalb in die kleine Stadt gezogen war, wo er mit den Resten seines Vermögens anständig leben konnte. Er war jetzt kaum älter als fünfundvierzig, hatte noch seine guten Tage, sah aber meistens recht verwittert und unangenehm aus. Schon von weitem lächelte er der jungen Witwe zu, beeilte seine Schritte aber nicht und blieb endlich mit einem spöttischen Kopfnicken, das sein Gruß gegenüber jedermann war, vor ihr stehen.

»Guten Abend, schöne Frau,« sagte er.

Sie erwiderte seinen Gruß. Es war heute einer jener Tage, wo er wieder auf Jugend und Eleganz Anspruch zu machen schien. Er war in einen dunkelgrauen Gehrock wie eingeschnürt und hatte auf dem Kopf einen schmalkrempigen, braunen Strohhut mit schwarzem Band, dazu trug er eine ganz kleine rote Krawatte, die etwas schief saß. Nachdem er eine Weile geschwiegen und seinen leicht angegrauten blonden Schnurrbart hinauf und hinunter gezogen hatte, sagte er: »Sie kommen wohl von dort oben, gnädige Frau?« Er wies mit der einen Hand, ohne seinen Kopf oder nur seine Augen zu wenden, gewissermaßen verächtlich über seine Schulter nach rückwärts in die Gegend des Friedhofs. Herr Klingemann galt in der ganzen Stadt als ein Mann, dem nichts heilig war; und Berta mußte, als er so vor ihr stand, an allerlei denken, was man von ihm erzählte. Es war bekannt, daß er ein Verhältnis mit seiner Köchin hatte, die er übrigens »Wirtschafterin« nannte, zugleich ein anderes mit einer Tabaktrafikantin, welche ihn mit einem Hauptmann des hier stationierten Regiments betrog, was er Berta mit stolzer Trauer erzählt hatte; außerdem gab es einige heiratsfähige Mädchen in der Stadt, die für ihn ein gewisses Interesse hegten. Spielte man darauf an, so pflegte er höhnische Bemerkungen über das Institut der Ehe im allgemeinen zu machen, was ihm zwar von manchem übel vermerkt wurde, im ganzen aber doch den Respekt vor ihm erhöhte.

»Ich habe einen kleinen Spaziergang gemacht,« sagte Berta.

»Allein?«

»Oh nein, mit dem Buben.«

»Richtig, da ist er ja! Grüß dich Gott, kleiner Sterblicher.« Er sah, während er das sagte, über den Kleinen hinweg. »Darf man sich auf einen Augenblick zu Ihnen setzen, Frau Berta?« Er sprach ihren Namen spöttisch aus und setzte sich, ohne ihre Antwort abzuwarten. »Ich habe Sie heute Vormittag Klavier spielen gehört,« fuhr er fort. »Wissen Sie, was ich für einen Eindruck habe? Daß Ihnen die Musik alles ersetzen muß.« Er wiederholte: »Alles« und sah sie dabei an, daß sie rot wurde. Dann fuhr er fort: »Wie schade, daß ich so selten Gelegenheit habe, Sie zu hören! Wenn ich nicht zufällig an Ihrem offenen Fenster vorbeigehe, während Sie spielen –«

Berta merkte, daß er immer näher an sie herangerückt war und mit seinem Arm den ihren berührte. Sie rückte unwillkürlich weg. Plötzlich fühlte sie sich von rückwärts umschlungen, ihren Kopf über die Lehne der Bank zurückgebeugt, eine Hand über ihre Augen gehalten. Einen Moment lang hatte sie die Empfindung, als fühlte sie die Hand Klingemanns über den Augenlidern und rief: »Aber sind Sie denn verrückt!« Die lachende Stimme eines Knaben hinter ihr erwiderte: »Nein, wie komisch das ist, wenn du zu mir ›Sie‹ sagst, Tante Berta!«

»So laß mich doch wenigstens die Augen aufmachen, Richard!« sagte Berta und versuchte, die Hände von ihren Augen zu entfernen; dann wandte sie sich um und fragte: »Kommst du vom Hause?«

»Ja, Tante, da hab ich dir auch die Zeitung mitgebracht.« Berta nahm ihm das Blatt aus der Hand und begann darin zu lesen. Indes stand Klingemann auf und wandte sich zu Richard. »Haben Sie schon Ihre Aufgaben gemacht?« fragte er ihn.

»Wir haben überhaupt keine Aufgaben mehr, Herr Klingemann, denn im Juli haben wir Matura.«

»Also wirklich, das nächste Jahr sind Sie schon Student?«

»Das nächste Jahr? Im Herbst!« Dabei schwippte er mit den Fingern über die Zeitung der Tante.

»Was willst du denn, ungezogener Bursch?«

»Du, Tante, wirst du mich in Wien besuchen?«

»Ja, könnt mir einfallen! Ich werd froh sein, wenn ich dich los bin.«

»Da kommt Herr Rupius,« sagte Richard.

Berta ließ das Blatt sinken. Sie sah in die Richtung, welche Richards Blick wies. In der Allee von der Stadt her kam in einem Rollstuhl, den ein Dienstmädchen vor sich herschob, ein Mann herangefahren; er hatte den Kopf unbedeckt, der weiche Hut lag auf seinem Schoß, von dem ein Plaid bis über seine Füße herabfiel. Die Stirn war hoch, die Haare schlicht und blond, an der Stirngrenze ergraut, die Augen eigentümlich groß. Als er an der Bank vorüberfuhr, neigte er nur leicht den Kopf, ohne zu lächeln. Berta wußte, daß er sicher hätte anhalten lassen, wenn sie allein gewesen wäre; er sah auch nur sie an, als er vorbeifuhr, und sein Gruß schien nur ihr zu gelten. Ihr war, als hätten seine Augen noch nie so ernst geblickt als heut. Das machte sie sehr traurig, denn sie hatte ein tiefes Mitleid mit dem gelähmten Mann.

Als er vorüber war, sagte Klingemann: »Armer Teufel! Und das Weibchen ist wohl wieder einmal in Wien?«

»Nein,« sagte Berta beinah erzürnt, »ich hab sie vor einer Stunde gesprochen.« Klingemann schwieg, denn er fühlte, daß weitere Bemerkungen über die geheimnisvollen Reisen der Frau Rupius sich mit seinem eigenen Ruf als freidenkender Mensch nicht vertragen hätten.

»Wird er wirklich nie wieder gehen können?« fragte Richard.

»Nie,« sagte Berta. Sie wußte es, weil es ihr Herr Rupius selbst einmal gesagt hatte, als sie ihn besuchte, während seine Frau in Wien war. Er kam ihr in diesem Augenblick besonders elend vor, denn gerade als Herr Rupius an ihnen vorbeigerollt wurde, war sie beim Lesen der Zeitung auf den Namen von einem gestoßen, den sie für einen Glücklichen hielt. Unwillkürlich las sie noch einmal. »Unser berühmter Landsmann Emil Lindbach ist von seiner Kunstreise durch Spanien und Frankreich, die ihm große Triumphe brachte, vor wenigen Tagen wieder nach Wien zurückgekehrt. In Madrid hatte der ausgezeichnete Künstler die Ehre, vor der Königin zu spielen. Am 24. dieses wird Herr Lindbach bei dem Wohltätigkeitskonzert zugunsten der durch die letzte Überschwemmung so schwer geschädigten Einwohner von Vorarlberg mitwirken, für das sich trotz der vorgerückten Saison lebhaftes Interesse im Publikum kundgibt.«

Emil Lindbach. Es kostete ihr eine gewisse Mühe, sich vorzustellen, daß es derselbe war, den sie – wann? – vor zwölf Jahren geliebt hatte. Vor zwölf Jahren. Sie fühlte, wie es ihr heiß in die Stirne stieg. Es war ihr, als müßte sie sich ihres allmählichen Älterwerdens schämen.

Die Sonne war ganz hinunter. Berta nahm den Knaben bei der Hand, empfahl sich von den anderen und ging langsam heimwärts. Das Haus, in dessen erstem Stock sie wohnte, lag in einer neuen Straße; von ihren Fenstern hatte sie den Blick auf die Hügel, und ihr gegenüber lagen unbebaute Plätze. Berta übergab ihren Kleinen dem Mädchen, setzte sich ans Fenster, nahm die Zeitung zur Hand und las weiter. Es war ihre Gewohnheit geblieben, zuerst die Kunstnachrichten durchzuschauen; die stammte noch aus ihrer frühesten Kinderzeit, als sie mit ihrem Bruder, dem jetzigen Schauspieler, auf die vierte Galerie ins Burgtheater zu gehen pflegte. Dieses Interesse wuchs natürlich, als sie das Konservatorium besuchte; sie kannte damals die Namen der kleinsten Schauspieler, Sänger, Pianisten, und als später der häufige Theaterbesuch, der Unterricht im Konservatorium und ihre eigenen künstlerischen Bestrebungen ein Ende nahmen, blieb doch eine Art von Anteilnahme an dieser fröhlichen Welt in ihr zurück, die etwas vom Heimweh an sich hatte. Schon in der letzten Zeit ihres Wiener Aufenthalts hatten ja alle diese Dinge kaum mehr etwas für sie zu bedeuten, wie wenig erst, seit sie in der kleinen Stadt wohnte, wo gelegentliche Dilettantenkonzerte das Höchste waren, was an künstlerischen Genüssen geboten wurde. Im ersten Jahre ihres Hierseins hatte sie bei einem solchen Abend im Gasthof »zum roten Apfel« mitgewirkt, das heißt, sie hatte mit einer anderen jungen Dame der Stadt zwei Märsche von Schubert vierhändig gespielt. Ihre Aufregung war damals so groß gewesen, daß sie sich verschwor, je wieder öffentlich aufzutreten, und recht froh war, ihre Karriere aufgegeben zu haben. Dazu mußte man ganz anders angelegt sein, so etwa wie Emil Lindbach. – Ja, der war dazu geboren! Das hatte sie erkannt in dem Augenblick, da sie ihn das erstemal bei einer Schülerproduktion aufs Podium treten gesehen, an der Art, wie er sich unbefangen das Haar zurückgestrichen, die Leute unten mit spöttischer Überlegenheit angesehen und sich gleich für den ersten Beifall mit einer Ruhe bedankt hatte, als wär er das längst gewohnt. Sonderbar! wenn sie an Emil Lindbach dachte, sah sie ihn noch immer so jünglingshaft, ja knabenhaft vor sich, als er zu der Zeit aussah, da sie einander gekannt und geliebt hatten. Und doch hatte sie vor ganz kurzem, als sie mit Schwager und Schwägerin einmal abends im Kaffeehaus war, in einem illustrierten Blatt eine Photographie von ihm gesehen, auf der er sehr verändert aussah. Er trug die Haare nicht mehr lang, der schwarze Schnurrbart schien mit dem Eisen nach abwärts gedreht, er hatte einen auffallend hohen Kragen und eine nach der Mode geschlungene Krawatte. Die Schwägerin hatte gefunden, er sehe aus wie ein polnischer Graf.

Berta nahm die Zeitung wieder vor und wollte weiterlesen, aber es war schon zu dunkel. Sie stand auf, rief nach dem Mädchen. Die Lampe wurde hereingebracht, der Tisch gedeckt. Berta aß mit dem Kleinen zur Nacht, während das Fenster offen stehen blieb. Sie empfand heute für ihr Kind eine noch größere Zärtlichkeit als sonst, auch dachte sie an die Zeit zurück, in der ihr Mann noch gelebt hatte, und allerlei Erinnerungen flogen ihr durch den Sinn. Während sie Fritz zu Bette brachte, weilte ihr Blick recht lang auf dem Porträt ihres verstorbenen Mannes, das in einem dunkelbraunen, ovalen Holzrahmen über ihrem Bette hing. Er hatte sich in ganzer Figur aufnehmen lassen, im Frack, mit weißer Krawatte, den Zylinder in der Hand, zum Gedächtnis an den Hochzeitstag. Berta wußte in diesem Augenblick ganz bestimmt, das Herr Klingemann beim Anblick dieses Porträts spöttisch gelächelt hätte.

Später setzte sie sich ans Klavier, wie sie es nicht selten vor dem Schlafengehen zu tun pflegte, nicht eben aus Begeisterung für die Musik, sondern um nicht gar zu früh zu Bett zu gehen. Sie spielte dann meistens die wenigen Sachen, die sie noch auswendig kannte, Mazurken von Chopin, irgendeinen Satz aus einer Beethovenschen Sonate, die Kreisleriana, zuweilen phantasierte sie auch, brachte es aber nie über eine Folge von Akkorden, und zwar waren es immer dieselben. Heute fing sie gleich damit an, ihre Akkorde zu greifen, etwas leiser als sonst, dann versuchte sie Modulationen, und als sie einen letzten Dreiklang recht lang durch das Pedal nachklingen ließ – die Hände hatte sie schon in den Schoß gelegt – empfand sie gelinde Freude über die Töne, welche sie gleichsam umschwebten. Jetzt fiel ihr die Bemerkung Klingemanns ein: »Die Musik ersetzt Ihnen alles.« Wahrhaftig, er hatte nicht ganz unrecht gehabt. Die Musik mußte ihr mindestens viel ersetzen. Aber alles? – Oh nein.

Was war das? Schritte gegenüber . . . Nun, das war nichts Merkwürdiges. – Aber regelmäßige, langsame Schritte, als wenn jemand auf und ab ginge. Sie stand auf und trat zum Fenster. Es war ganz dunkel, und sie konnte den Mann, der da drüben spazierte, nicht gleich erkennen, aber sie wußte: es war Klingemann. Was für ein Einfall? Sollte er ihr eine Fensterpromenade machen?

»Guten Abend, Frau Berta,« sagte er von drüben, und sie sah, wie er im Dunkel den Hut lüftete.

Sie antwortete, beinah befangen: »Guten Abend.«

»Sie haben sehr schön gespielt, gnädige Frau.«

Sie erwiderte nichts als ein leises »So?«, das er vielleicht gar nicht hörte.

Er blieb eine Sekunde stehen, dann sagte er: »Gute Nacht, schlafen Sie wohl, Frau Berta.« Er sagte das Wort »schlafen« mit einer Betonung, die nahezu unverschämt war. Sie dachte: nun geht er nach Hause zu seiner Köchin. Dann fiel ihr plötzlich etwas ein, was sie schon sehr lang wußte, woran sie aber, seit sie es erfahren, nicht mehr gedacht: in seinem Zimmer sollte ein Bild hängen, das stets von einem kleinen Vorhang überdeckt war und das eine laszive Szene vorstellte. Wer hatte ihr das nur erzählt? – Ach ja, Frau Rupius, im vorigen Herbst einmal während eines Spazierganges an der Donau, und die hatte es wieder von jemand anderm erfahren – von wem nur? Was für ein widerwärtiger Mensch! Berta kam sich ein bißchen verworfen vor, daß sie an ihn und an alle diese Dinge dachte. Sie blieb noch am Fenster stehen. Ihr war, als hätte sie einen schweren Tag hinter sich. Sie dachte nach, was ihr denn eigentlich begegnet sei, und sie wunderte sich, daß es schließlich doch nur ein Tag gewesen war wie viele hundert vor ihm und viele, viele, die noch kommen würden.

Man stand vom Tische auf. Es war eines jener kleinen Sonntagsdiners gewesen, das der Weinhändler Garlan gelegentlich seinen Bekannten zu geben pflegte. Der Herr des Hauses näherte sich seiner Schwägerin und faßte sie um die Taille, was zu seinen Nachmittagsgewohnheiten gehörte.

Sie wußte schon, was er wollte. Wenn er Leute eingeladen hatte, mußte Berta nach dem Essen Klavier spielen, manchmal auch vierhändig mit Richard. Das leitete in angenehmer Weise zum Kartenspielen über oder klang auch anmutig hinein. Sie setzte sich an das Instrument. Indes wurde die Tür zum Herrenzimmer aufgetan; Garlan, Doktor Friedrich und Herr Martin setzten sich an einen kleinen, grünen Tisch und begannen zu spielen. Die Gattinnen der drei Herren blieben im Speisezimmer, und Frau Martin zündete sich eine Zigarette an, setzte sich auf den Divan und schlug die Beine übereinander. Sie trug Sonntags immer Ballschuhe und schwarze Seidenstrümpfe. Frau Doktor Friedrich sah wie gebannt auf die Füße der Frau Martin. Richard war den Herren gefolgt, er interessierte sich schon fürs Tarockspiel. Elly stützte ihren Ellbogen auf die Klavierdecke und wartete, bis Berta zu spielen begänne. Die Frau des Hauses ging aus und ein, sie hatte immer in der Küche Aufträge zu geben und klapperte mit dem Schlüsselbund, den sie in der Hand hielt. Als sie jetzt hereinkam, machte ihr Frau Doktor Friedrich mit den Augen ein Zeichen, das bedeuten sollte: Schauen Sie doch an, wie Frau Martin dasitzt!

Alles das sah Berta heute sozusagen deutlicher, als oftmals vorher, so etwa wie man Dinge sieht, wenn man Fieber hat. Noch immer hatte sie keine Taste berührt. Da wandte sich der Schwager zu ihr und sah sie mit einem Blick an, der sie an ihre Pflicht erinnern sollte. Sie begann zu spielen, einen Marsch von Schubert, mit sehr starkem Anschlag. Der Schwager drehte sich wieder nach ihr um und sagte: »Leiser.«

»Das bleibt eine Spezialität dieses Hauses,« sagte Doktor Friedrich, »Tarock mit Musikbegleitung.«

»Sozusagen Lieder ohne Worte,« setzte Herr Martin hinzu. Die anderen lachten. Garlan wandte sich wieder nach Berta um, denn sie hatte plötzlich aufgehört zu spielen.

»Ich habe ein bißchen Kopfweh,« sagte sie, wie wenn sie sich entschuldigen müßte, es war ihr aber gleich darauf, als hätte sie sich etwas vergeben, und sie setzte hinzu: »Ich habe keine Lust.«

Alle sahen auf sie, denn jeder fühlte, daß etwas nicht ganz Gewöhnliches geschehen sei. Frau Garlan sagte: »Willst du dich nicht zu uns setzen, Berta?« Elly hatte eine dunkle Empfindung, ihrer Tante gegenüber zärtlich sein zu müssen, und hing sich in ihren Arm. So standen die beiden nebeneinander, ans Klavier gelehnt.

»Gehen Sie heute Abend auch in den ›Roten Apfel‹?« fragte Frau Martin die Hausfrau.

»Nein, ich glaube nicht.«

»Ah!« rief Herr Garlan herein, »da wir heut Nachmittag auf unser Konzert verzichten mußten, wollen wir doch abends – Sie spielen aus, Herr Doktor.«

»Militärkonzert?« fragte Frau Doktor Friedrich.

Die Frau des Hauses war aufgestanden und fragte ihren Gatten: »Ist es dein Ernst, daß wir am Abend in den ›Roten Apfel‹ gehen?«

»Gewiß.«

»Soso,« sagte die Frau mit einer gewissen Betroffenheit und ging gleich wieder in die Küche, um neue Dispositionen zu treffen.

»Richard,« sagte Garlan zu seinem Sohn, »du könntest rasch hinüberlaufen, dem Wirt sagen, er möge uns einen Tisch im Garten reservieren lassen.«

Richard eilte hinaus und stieß in der Tür mit seiner Mutter zusammen, die eben hereinkam und wie erschöpft auf dem Divan niedersank. »Sie glauben nicht,« sagte sie zu Frau Doktor Friedrich, »wie schwer es ist, der Brigitta die einfachsten Dinge zu erklären.«

Frau Martin hatte sich neben ihren Mann gesetzt, während sie zugleich einen Blick auf Berta warf, die noch immer stumm mit Elly am Klavier stand. Sie strich ihrem Gatten durchs Haar, legte ihre Hand auf seine Knie und schien ein Bedürfnis zu haben, den Leuten zu zeigen, wie glücklich sie wäre. Plötzlich sprach Elly zu ihrer Tante:

»Ich will dir was sagen, Tante, wir wollen ein bißchen in den Garten hinunter, im Freien wird das Kopfweh schon vergehen.«

Sie gingen die Treppe hinab, in den Hof, in dessen Mitte man eine kleine Wiese angelegt hatte. Rückwärts schloß ihn eine Mauer ab, an der einiges Gesträuch und zwei junge Bäume standen, die vorläufig noch durch Stöcke gestützt werden mußten. Über die Mauer hinweg sah man nur den blauen Himmel; an stürmischen Tagen hörte man hier das Rauschen des nahen Flusses. Mit der Lehne gegen die Mauer standen zwei Gartenstühle aus Stroh und vor ihnen ein kleines Tischchen; auf diese Stühle setzten sich Berta und Elly, ohne daß Elly den Arm der Tante losließ.

»Willst du mir nicht sagen, Tante –«

»Was denn, Elly?«

»Schau, ich bin ja jetzt schon groß, erzähl' mir doch von ihm.«

Berta schrak leise zusammen, denn ihr war mit einemmal, als bezöge sich diese Frage nicht auf ihren verstorbenen Mann, sondern auf irgendeinen andern. Und plötzlich sah sie das Bild Emil Lindbachs vor sich, so wie sie es in der illustrierten Zeitung gesehen; aber gleich war die Erscheinung und der leise Schreck vorbei, und sie empfand eine Art Rührung über die schüchterne Frage des jungen Mädchens, das glaubte, sie traure noch immer um ihren verstorbenen Mann, und es würde sie trösten, wenn sie über ihn reden könnte.

In diesem Augenblick ertönte Richards Stimme an einem Fenster, das in den Hof hinunter schaute: »Darf ich auch zu euch hinunter, oder habt ihr Geheimnisse?« Jetzt fiel Berta zum erstenmal eine Ähnlichkeit auf, die er mit Emil Lindbach hatte. Sie dachte aber, es wäre vielleicht nur das Jugendliche seines Wesens und die etwas langen Haare, die an ihn gemahnten. Er war jetzt beinah so alt, als Emil damals gewesen.

»Der Tisch ist reserviert,« sagte er, indem er in den Hof trat. »Kommst du mit uns, Tante Berta?« Er setzte sich auf die Lehne des Stuhls, auf dem sie saß, streichelte ihr die Wange, indem er in seiner frischen und doch etwas zärtelnden Art sagte: »Komm' mit, mir zulieb, schöne Tante.«

Berta schloß unwillkürlich die Augen. Ein Wohlbehagen überkam sie, wie wenn Kinderhände, wie wenn die kleinen Finger ihres eigenen Buben ihr die Wange streichelten. Bald aber fühlte sie, daß sich irgendeine andere Erinnerung beigesellte. Sie mußte an einen Spaziergang denken, mit Emil, im Stadtpark, abends nach dem Konservatorium. Damals hatte er mit ihr auf einer Bank ausgeruht und zärtlich ihre Wangen berührt. War das nur einmal geschehen? Nein – viel öfter, freilich, zehn, zwanzigmal waren sie auf jener Bank gesessen, und er hatte ihr die Wange gestreichelt. Wie sonderbar, daß ihr das jetzt wieder einfiel!

An diese Spaziergänge hätte sie gewiß nie wieder gedacht, wenn nicht Richard zufällig – Aber wie lange ließ sie sich das noch gefallen? »Richard!« rief sie aus und öffnete die Augen. Da sah sie ihn so lächeln, daß sie meinte, Richard müßte ihre Erinnerungen erraten haben. Das war natürlich ganz unmöglich, denn man wußte ja hier kaum, daß sie den Violinvirtuosen Emil Lindbach kannte. Im übrigen, kannte sie selbst ihn denn heute noch? Der, an den sie jetzt dachte, war ja ein ganz anderer, das war der hübsche Junge, den sie als ganz junges Mädchen geliebt hatte. So schweiften ihre Gedanken immer weiter, in die Vergangenheit zurück, und es schien ihr ganz unmöglich, wieder in die Gegenwart zurückzukehren und mit den beiden Kindern zu plaudern. Sie sagte ihnen Adieu und ging.

Über den Straßen lag eine schwere Nachmittagssonne. Die Läden waren gesperrt, die Wege beinahe menschenleer. An den Tischchen vor dem Kaffeehaus auf dem Marktplatz saßen ein paar Offiziere. Berta sah nach den Fenstern des ersten Stockwerks, in welchem das Ehepaar Rupius wohnte. Sie war schon lange nicht bei ihnen gewesen, sie wußte ganz genau, seit wann: seit dem zweiten Weihnachtsfeiertag. Damals hatte sie Herrn Rupius allein zu Hause getroffen, und damals hatte er ihr erzählt, sein Leiden wäre unheilbar. Sie wußte nun auch, warum sie seitdem nicht bei ihm gewesen: ohne sich's einzugestehen, hatte sie eine Art Angst davor gehabt, diese Wohnung zu betreten, die sie damals in heftiger Bewegung verlassen. Heute war es ihr aber, als müßte sie hinauf; es schien ihr, als wenn im Lauf der letzten Tage sich irgendein Band zwischen ihr und dem Kranken geknüpft, und als wenn selbst der Blick, mit dem er sie gestern auf dem Spaziergang still betrachtet, etwas zu bedeuten gehabt hätte.

Als sie ins Zimmer eintrat, mußten ihre Augen sich erst an das Halbdunkel gewöhnen; die Rouleaus waren herabgelassen, und nur durch die obere Spalte fiel ein Sonnenstrahl gerade vor den weißen Ofen hin. An dem Tisch in der Mitte des Zimmers saß in einem Lehnstuhl Herr Rupius; vor ihm lagen aufgeschichtete Blätter, von denen er eben eines wegtat, um das nächste zu betrachten. Berta sah, daß es Stiche waren.

»Ich danke Ihnen,« sagte er, »daß Sie mich wieder einmal besuchen.« Er streckte ihr die Hand entgegen. »Sie sehen, womit ich da eben beschäftigt bin? Nun, es ist eine Sammlung von Stichen nach alten Niederländern. Glauben Sie mir, gnädige Frau, es ist ein großes Vergnügen, alte Stiche zu betrachten.«

»Oh freilich.«

»Sehen Sie, es sind sechs Bände, oder vielmehr sechs Mappen, jede zu zwanzig Blättern; ich werde wohl den ganzen Sommer brauchen, um sie wirklich zu kennen.«

Berta stand an seiner Seite und blickte auf den Stich, der eben vor ihm lag und der eine Jahrmarktsszene von Teniers darstellte. »Den ganzen Sommer,« sagte sie zerstreut.

Rupius wandte sich zu ihr. »Jawohl,« sagte er mit leicht zusammengepreßten Zähnen, als gälte es, einen Standpunkt zu verteidigen, »was ich eben heiße, ein Bild kennen. Darunter verstehe ich, ein Bild im Innern sozusagen nachzeichnen können, Linie für Linie. Dies hier ist ein Teniers, das Original hängt im Haag. Warum reisen sie nicht nach dem Haag, gnädige Frau, wo so schöne Teniers zu sehen sind und mancherlei anderes?«

Berta lächelte. »Wie kann ich daran denken, solche Reisen zu machen?«

»Nun freilich,« sagte Herr Rupius. »Der Haag ist sehr schön, ich war dort vor vierzehn Jahren; damals war ich achtundzwanzig, heut bin ich zweiundvierzig oder auch vierundachtzig. – Er legte wieder ein Blatt zur Seite. »Das hier ist ein Ostade, ›der Pfeifenraucher‹. Nun ja, man sieht wohl, daß er eine Pfeife raucht. Original in Wien.«

»Ich glaube, an dieses Bild erinnere ich mich.«

»Wollen Sie sich nicht mir gegenübersetzen, gnädige Frau, oder hier an meine Seite, wenn Sie die Bilder mit mir ansehen wollen? Das hier ist ein Falckenborgh – wundervoll, nicht wahr? Nur ganz im Vordergrund scheint es so nichtig, so begrenzt; ja, nichts als ein Bauer, der mit einer Bäuerin tanzt, und da eine Alte, die sich darüber ärgert, und hier ein Haus, und aus der Türe tritt einer mit einem Eimer Wasser. Ja, das ist freilich nichts, aber da hinten, sehen Sie, da ist die ganze Welt, blaue Berge, grüne Städte, der Himmel drüber mit Wolken und nebstbei ein Tournier – haha! – es gehört wohl nicht dazu in gewissem Sinn, aber in einem anderen Sinn gehört es eben doch dazu. Denn Hintergründe sind überall, und darum ist es sehr richtig, daß hier gleich hinter dem Bauernhaus die Welt anfängt mit ihren Tournieren und ihren Bergen und Flüssen und Festungen und Weingarten und Wäldern.« Er zeigte mit einem kleinen, elfenbeinernen Papiermesser auf die einzelnen Partien des Bildes, von denen er eben sprach. »Gefällt's Ihnen? Es hängt auch in der Wiener Galerie. Sie müßten es kennen.«

»Es ist schon sechs Jahre, daß ich nicht mehr in Wien lebe, und auch viele Jahre vorher war ich nicht mehr im Museum.«

»So? Ich bin oft dort herumgegangen, auch vor diesem Bild bin ich gestanden. Ja, *gegangen* bin ich, früher einmal.« Er sah sie beinah lachend an, und sie konnte vor Befangenheit nicht antworten. Dann sprach er unvermittelt weiter: »Ich glaube, ich langweile Sie mit den Bildern. Warten Sie, meine Frau kommt gleich nach Hause. Sie wissen doch, daß sie jetzt nach Tisch immer zwei Stunden herumläuft? Sie fürchtet, zu stark zu werden.«

»Ihre Frau sieht so schlank und jung aus wie . . . Nun, ich finde, seit ich hier bin, hat sie sich gar nicht verändert.« Berta war es, als wenn das Antlitz von Rupius ganz starr würde. Dann sagte er plötzlich in harmlosem Tone, der zu seinem Gesichtsausdruck gar nicht stimmte:

»Das ruhige Leben in so einer kleinen Stadt, ja das erhält jung. Es war eine kluge Idee von mir und von ihr, denn es war eine gemeinschaftliche Idee von uns beiden, uns hierher zurückzuziehen. Wer weiß, in Wien wäre es schon ganz zu Ende.«

Berta konnte nicht erraten, wie er dieses »zu Ende« meinte, ob er es auf sein Leben, auf die Jugend seiner Frau oder sonst irgendwas bezog. Jedenfalls bedauerte sie, daß sie heute gekommen war; sie hatte ein Gefühl von Beschämung, so gesund zu sein.

»Hab' ich Ihnen gesagt,« fuhr Rupius fort, »daß ich diese Mappen von Anna bekommen habe? Ein Gelegenheitskauf, denn das Werk ist für gewöhnlich sehr teuer. Ein Buchhändler hatte es annonciert, und Anna telegraphierte gleich an ihren Bruder, er möge es für uns besorgen. Sie wissen ja, daß wir viele Verwandte in Wien haben, sowohl ich als Anna. Sie fährt auch zuweilen hinein, sie besuchen. Demnächst erhalten wir einen Gegenbesuch. Ich wäre schon erfreut, sie bei mir zu sehen, besonders Annas Bruder und Schwägerin; ich bin ihnen viel Dank schuldig. Wenn Anna in Wien ist, speist sie bei ihnen, schläft sie bei ihnen – nun, Sie wissen ja, gnädige Frau.« Er sprach rasch und dabei mit einem kühlen, geschäftsmäßigen Tonfall; es klang, als wenn er sich vorgenommen, diese Dinge jedem zu erzählen, der heute ins Zimmer träte. Es war das erstemal, daß er überhaupt mit Berta über die Reisen seiner Frau sprach.

»Morgen will sie wieder fahren,« sagte er. »Ich glaube, es handelt sich diesmal um die Sommertoilette.«

»Ich finde das sehr klug von Ihrer Frau,« sagte Berta, froh, eine Anknüpfung gefunden zu haben.

»Und nebstbei ist es billiger,« setzte Rupius hinzu. »Ich versichere Sie, selbst wenn Sie die Reise dazurechnen. Warum machen Sie's nicht auch so wie meine Frau?«

»Wie das, Herr Rupius?«

»Nun, in Hinsicht auf Ihre Kleider und Hüte! Auch Sie sind jung und hübsch.«

»O Gott, für wen soll ich mich schön anziehen?«

»Für wen? Für wen zieht sich denn meine Frau so hübsch an?«

Die Türe öffnete sich, und Frau Rupius trat ein, in einem hellen Frühjahrskleid, einen roten Sonnenschirm in der Hand und einen weißen Strohhut mit rotem Band auf dem dunklen, hoch frisierten Haar. Um ihren Mund war das freundliche Lächeln wie immer, und mit heiterer Ruhe begrüßte sie Berta. »Lassen Sie sich wieder einmal in unserm Hause sehen?« Das Dienstmädchen war hinter ihr eingetreten, Anna gab ihr Schirm und Hut. »Interessieren Sie sich auch für Bilder, Frau Garlan?« Sie trat näher hinter ihren Mann, strich ihm mit der Hand sanft über Stirn und Haar.

»Ich sprach eben Frau Garlan meine Verwunderung aus,« sagte Rupius, »daß sie niemals nach Wien fährt.«

»Wahrhaftig,« warf Frau Rupius ein, »warum tun Sie es nicht? Sie haben gewiß auch noch Bekannte dort. Fahren Sie einmal mit mir hinein, zum Beispiel morgen. Ja, morgen.«

Rupius blickte, während seine Frau so sprach, vor sich hin, als wagte er nicht, sie anzusehen.

»Frau Rupius, Sie sind wirklich sehr lieb,« sagte Berta, und es war ihr, als wenn ein ganzer Strom von Freude durch ihr Wesen ränne. Sie wunderte sich auch, daß sie nun so lange gar nicht an die Möglichkeit einer solchen Reise gedacht, die doch so leicht zu bewerkstelligen war und die ihr in diesem Augenblick wie ein Heilmittel gegen die sonderbare Mißstimmung erschien, unter der sie seit einigen Tagen litt.

»Nun, sind Sie einverstanden, Frau Garlan?«

»Ich weiß wirklich nicht – Zeit hätt' ich wohl, morgen hab' ich nur die eine Lektion bei meiner Schwägerin, die wird es ja nicht so genau nehmen; aber ob ich Sie nicht störe?«

Ein leichter Schatten flog über die Stirne von Frau Rupius. »Stören, was fällt Ihnen denn ein? Ich bin recht froh, die paar Stunden der Hin- und Rückfahrt in angenehmer Gesellschaft zu verbringen. Und in Wien – oh, sicher werden wir auch in Wien gemeinschaftliche Wege haben.«

»Ihr Herr Gemahl,« sagte Berta und errötete wie ein Mädchen, das vom ersten Ball spricht, »hat mir erzählt . . . hat mir geraten . . .«

»Er hat Ihnen sicher von meiner Schneiderin vorgeschwärmt,« sagte Frau Rupius lachend.

Rupius saß noch immer regungslos da und sah keine von den beiden an.

»Ja, ich möchte Sie wirklich bitten, Frau Rupius. Wenn ich Sie ansehe, bekomm' ich Lust, mich auch wieder einmal so hübsch anzuziehen.«

»Das ist leicht zu machen,« sagte Frau Rupius. »Ich bringe Sie zu meiner Schneiderin, und so habe ich gleich die angenehme Hoffnung, auch meine nächsten Fahrten nicht allein machen zu müssen. Ich bin auch um deinetwillen froh,« sagte sie zu ihrem Mann, indem sie seine Hand berührte, die auf dem Tisch lag, »und um Ihretwillen,« wandte sie sich an Berta, »Sie werden sehen, wie Ihnen das wohltun wird. In Straßen herumlaufen, ohne daß einen jemand kennt, das ist wunderbar. Ich brauch' es von Zeit zu Zeit. Ganz erfrischt komm' ich immer zurück, und –« sie sah dabei ihren Mann von der Seite mit einem Blick voll Angst und Zärtlichkeit an, »bin dann hier so glücklich, als man nur sein kann, glücklicher als alle andern Frauen der Welt, glaub' ich.« Sie näherte sich ihrem Mann und küßte ihn auf die Schläfe. Berta hörte, wie sie leise dazu sagte: »Liebster.« Er aber sah noch immer vor sich hin, als scheute er sich, dem Blick seiner Frau zu begegnen. Beide schwiegen und schienen in sich versunken, als wäre Berta gar nicht da. Berta fühlte dunkel, daß in der Beziehung zwischen diesen beiden Menschen irgend etwas Geheimnisvolles walte, das ganz zu verstehen sie nicht klug oder nicht erfahren oder nicht gut genug war. Minutenlang blieb es still, und Berta wurde so befangen, daß sie gern fortgegangen wäre; aber es war ja notwendig, über die morgige Reise näheres zu vereinbaren. Anna war es, die zu reden begann.

»So wollen wir also dabei bleiben, daß wir uns zum Frühzug auf dem Bahnhof treffen – ja? Und ich will es so einrichten, daß wir mit dem Abendzug um sieben wieder nach Hause fahren; in acht Stunden läßt sich ja viel besorgen.«

»Gewiß,« sagte Berta, »wenn Sie sich nur meinetwegen nicht im geringsten stören.«

Anna unterbrach sie beinahe ärgerlich. »Ich sagte Ihnen ja schon, wie froh ich bin, daß Sie mit mir fahren, um so mehr, als mir keine Frau in der Stadt so sympathisch ist als Sie.«

»Ja,« sagte Herr Rupius, »das kann ich bestätigen. Sie wissen ja, daß meine Frau beinah nirgends hier verkehrt, – und da Sie nun so lange nicht bei uns waren, hatt' ich schon Angst, sie verliert nun auch Sie.«

»Wie können Sie das nur denken! aber Herr Rupius! Und Sie, Frau Rupius, Sie haben doch nicht geglaubt« – Berta fühlte eine überströmende Liebe für beide in diesem Augenblick. Sie war so gerührt, daß sie Tränen in der eigenen Stimme aufsteigen spürte.

Frau Rupius lächelte seltsam und überlegen. »Ich habe gar nichts geglaubt, überhaupt denk' ich über gewisse Dinge nicht weiter nach. Mein Bedürfnis nach Verkehr ist ja nicht groß, aber Sie, Frau Berta, hab' ich wirklich lieb.« Sie reichte ihr die Hand. Berta warf einen Blick auf Rupius; ihr war es, als müßte sie nun auf seinem Gesicht einen Ausdruck der Befriedigung gewahren, aber zu ihrer Verwunderung schaute er mit einem beinah entsetzten Blick in die Ecke des Zimmers.

Das Stubenmädchen kam mit dem Kaffee. Das weitere über die Einteilung des morgigen Tags wurde besprochen und endlich ein ziemlich genauer Stundenplan festgestellt, den Berta in ihrem kleinen Notizbuch eintrug, worüber Frau Rupius ein wenig lächelte.

Als Berta wieder auf die Straße kam, hatte sich der Himmel bewölkt, und die steigende Schwüle deutete auf ein nahes Gewitter. Noch bevor sie zu Hause angelangt war, fielen die ersten großen Tropfen, und sie geriet in einige Besorgnis, als sie, oben angelangt, das Dienstmädchen und ihren Kleinen nicht daheim fand; aber als sie sich zum Fenster stellte, um es zu schließen, sah sie beide laufend daherkommen. Der erste Donnerschlag ertönte, und sie fuhr zusammen; zugleich leuchtete ein Blitz.

Das Gewitter war kurz, aber ungewöhnlich heftig. Berta saß im Schlafzimmer auf ihrem Bett, hielt ihren Buben auf dem Schoß und erzählte ihm eine Geschichte, damit er keine Angst hätte; dabei war ihr zumute, als bestände ein gewisser Zusammenhang zwischen dem, was sie heut und gestern erlebt und dem Ungewitter. Nach einer halben Stunde war alles vorüber. Berta öffnete das Fenster, die Luft war abgekühlt, der dämmernde Himmel klar und fern. Berta atmete auf; sie war wie durchdrungen von einem Gefühl des Friedens und der Hoffnung.

Es war Zeit, sich für das Gartenkonzert bereit zu machen. Als sie hinkam, fand sie die Gesellschaft schon an einem großen Tisch unter einem Baum versammelt. Berta hatte die Absicht, ihrer

Schwägerin gleich zu sagen, daß sie morgen nach Wien fahren wolle, aber eine Scheu, als wäre diese Reise etwas Verbotenes, hielt sie davon zurück. Herr Klingemann ging mit seiner Wirtschafterin an ihrem Tisch vorüber. Die Wirtschafterin war ein nicht mehr junges, sehr üppiges Weib, größer als Klingemann, und sah im Gehen immer aus, als wenn sie schliefe. Klingemann grüßte mit übertriebener Höflichkeit, die Herren dankten kaum, die Frauen taten, als wenn sie den Gruß nicht bemerkten. Nur Berta nickte leicht und sah den beiden nach. Richard, der neben seiner Tante saß, flüsterte ihr zu: »Das ist seine Geliebte – ja, ganz bestimmt, ich weiß es.«

Man aß und trank und plauderte; zuweilen kamen Bekannte von anderen Tischen, setzten sich auf eine Weile dazu und gingen wieder an ihre Plätze. Die Musik rauschte um Berta, ohne irgendeinen Eindruck auf sie zu machen; sie war ununterbrochen mit dem Gedanken beschäftigt, wie sie ihren Plan mitteilen sollte. Plötzlich, während die Musik sehr laut spielte, sagte Berta zu Richard: »Du, morgen hast du keine Stunde, ich fahre nach Wien.«

»Nach Wien?« sagte Richard, und er rief es hinüber zu seiner Mutter: »Du, die Tante fährt morgen nach Wien.«

»Wer fährt nach Wien?« fragte Garlan, der am entferntesten saß.

»Ich,« sagte Berta.

»Ei, ei,« sagte Garlan und drohte scherzhaft mit dem Finger.

So war es also abgetan. Berta freute sich darüber. Richard machte Späße über die Leute, die im Garten saßen, auch über den dicken Kapellmeister, der während des Dirigierens immer hüpfte, dann über einen Trompeter, der dicke Backen bekam und zu weinen schien, wenn er blies. Berta mußte sehr viel lachen. Man scherzte über ihre gute Laune, und Doktor Friedrich bemerkte, sie fahre sicher zu einem Rendezvous nach Wien.

»Das möcht' ich mir aber verbieten!« rief Richard so zornig, daß die Heiterkeit eine allgemeine wurde. Nur Elly blieb ernst und sah ihre Tante ganz erstaunt an.

Berta sah durch das offene Kupeefenster in die Landschaft hinaus, Frau Rupius las in einem Buch, das sie sehr bald nach der Abfahrt des Zugs aus der kleinen Reisetasche herausgenommen; es hatte beinah den Anschein, als wollte sie ein längeres Gespräch mit Berta vermeiden, und diese war ein wenig gekränkt. Sie hatte schon lange den Wunsch gehegt, die Freundin der Frau Rupius zu sein, aber seit gestern war es wie eine Sehnsucht geworden, die sie an die Schwärmerei von Kinderfreundschaften zurückdenken ließ. Sie war so anfangs ganz unglücklich gewesen und hatte ein Gefühl von Verlassenheit gehabt, aber bald begannen die wechselnden Bilder vor dem Fenster sie angenehm zu zerstreuen. Während sie auf die Geleise schaute, die ihr entgegenzulaufen schienen, auf die Hecken und Telegraphenstangen, die an ihr vorbeischwebten und -sprangen, erinnerte sie sich der paar kurzen Reisen ins Salzkammergut, die sie als Kind mit den Eltern gemacht hatte, und an das namenlose Vergnügen, wenn sie damals am Waggonfenster sitzen konnte. Dann blickte sie ins Weite, freute sich am Leuchten des Flusses, an den gefälligen Windungen der Hügel und Wiesen, am Blau des Himmels und an den weißen Wolken. Nach einiger Zeit legte Anna wieder ihr Buch weg, fing mit Berta an zu plaudern und lächelte ihr zu wie einem Kind.

»Wer uns das vorausgesagt hätte,« sagte Frau Rupius.

»Daß wir zusammen nach Wien –?«

»Nein, nein; daß wir beide unser Leben dort« – sie wies mit einer leichten Bewegung des Kopfes in die Gegend, aus der sie kamen – »wie soll ich sagen? verbringen oder beschließen werden.«

»Freilich, freilich,« sagte Berta. Sie hatte noch nicht daran gedacht, daß das eigentlich sonderbar wäre.

»Nun, Sie wußten es doch von dem Augenblick an, da Sie heirateten, aber ich –« Frau Rupius sah vor sich hin.

Berta fragte: »Sie sind also erst in die kleine Stadt gezogen, als . . . als –« Sie unterbrach sich verlegen.

»Ja, Sie wissen's doch.« Dabei schaute sie Berta voll ins Gesicht, als wenn sie ihr diese Frage verwiese. Aber dann setzte sie, mild lächelnd, fort, als wäre das, woran sie dachte, gar nicht so traurig: »Ja, ich habe nicht geahnt, daß ich je Wien verlassen würde; mein Mann hatte seine Stellung als Beamter im Ministerium, er hätte sie gewiß noch längere Zeit behalten können trotz seines Leidens, aber er wollte eben fort.«

»Er dachte wohl, die gute Luft, die Stille –« begann Berta und spürte gleich, daß sie nichts sehr Kluges sagte.

Aber Anna antwortete ganz freundlich: »Nicht das, weder Ruhe, noch Klima kann da helfen; aber er dachte, es wäre in jeder Hinsicht besser für uns beide. Er hatte auch recht, was sollten wir noch in der großen Stadt?«

Berta fühlte, daß Anna ihr nicht alles sagte; sie hätte sie bitten mögen, ihr doch ihr ganzes Herz aufzuschließen, aber eine solche Bitte mit den rechten Worten auszusprechen, dazu wußte sie sich nicht geschickt genug. Und als hätte Frau Rupius erraten, daß Berta gern mehr erfahren wollte, ging sie rasch auf etwas anderes über, fragte sie nach ihrem Schwager, nach den musikalischen Talenten ihrer Schüler, nach ihrer Unterrichtsmethode; dann nahm sie wieder ihren Roman und ließ Berta allein. Einmal sah sie von dem Buch auf und fragte: »Haben Sie sich denn nichts zum Lesen mitgenommen?«

»Oh ja,« antwortete Berta. Es fiel ihr plötzlich ein, daß sie die Zeitung mit hatte; sie nahm sie und blätterte eifrig auf. Man näherte sich Wien. Frau Rupius klappte ihr Buch zusammen und tat es in die Reisetasche. Sie sah Berta mit einer gewissen Zärtlichkeit an, wie ein Kind, das man nun bald in ein ungewisses Schicksal entlassen muß. »Noch eine Viertelstunde,« sagte sie, »dann sind wir – nun hätt' ich beinah gesagt: zu Hause.«

Die Stadt lag vor ihnen. Jenseits des Flusses ragten Schlöte in die Höhe, langgestreckte, gelb angestrichene Häuser reihten sich aneinander, Türme stiegen auf. Über allem lag die milde Maisonne.

Berta klopfte das Herz. Sie hatte das Gefühl, wie wenn man nach langen Jahren in eine ersehnte Heimat zurückkehrt, die sich seitdem wahrscheinlich sehr verändert hat, wo allerlei Geheimnisse und Überraschungen warten. In dem Augenblick, als der Zug in die Halle fuhr, kam sie sich beinahe mutig vor.

Die Frauen nahmen einen Wagen und fuhren in die Stadt. Als sie den Ring passierten, beugte sich Berta plötzlich aus dem Fenster; sie sah einem jungen Mann nach, dessen Gestalt und Gang sie an Emil Lindbach erinnerte. Sie wünschte, der junge Mann möchte sich umwenden, aber sie verlor ihn aus dem Auge, ohne daß es geschehen wäre.

Vor einem Hause auf dem Kohlmarkt hielt der Wagen; die beiden Frauen stiegen aus und begaben sich in den dritten Stock, wo sich das Atelier der Schneiderin befand. Während Frau Rupius probierte, ließ sich Berta Stoffe vorlegen und traf eine Wahl, die Mamsell nahm ihr Maß, und es wurde bestimmt, daß Berta heute über acht Tage sich zur Probe einfinden sollte. Frau Rupius kam aus dem Nebenzimmer und empfahl den Auftrag ihrer Freundin besonderer Sorgfalt. Berta schien es, als werde sie von allen mit etwas spöttischen, beinah mitleidigen Blicken betrachtet, und im großen Wandspiegel gewahrte sie plötzlich, daß sie recht geschmacklos angezogen war. Was war ihr aber nur eingefallen, sich für den heutigen Tag in den provinziellen Sonntagsstaat zu werfen, statt eines ihrer einfachen, glatten Kleider zu tragen wie sonst? Sie wurde rot vor Beschämung. Sie hatte eine schwarzweiß gestreifte Toilette aus Foulard, die in ihrem Schnitt um drei Jahre zurück war, und einen übertriebenen, nach vorn aufgebogenen hellen, mit Rosen aufgeputzten Hut, der ihre zierliche Gestalt drückte und beinah lächerlich machte. Und als hätte es noch einer Bestätigung durch ein tröstendes Wort bedurft, sagte ihr Frau Rupius im Hinuntergehen: »Sie sehen doch sehr hübsch aus.«

Sie standen im Torweg.

»Was nun?« fragte Frau Rupius. »Was haben Sie vor?«

»Wollen Sie mich denn ... ich meine ...« Berta war ganz erschrocken, sie kam sich wie ausgesetzt vor.

Frau Rupius sah sie mit freundlichem Mitleid an.

»Ich denke,« sagte sie, »daß Sie nun Ihre Cousine besuchen werden, nicht wahr? Und ich nehme an, daß man Sie dort zum Essen behält?«

»Natürlich wird mich Agathe zu Tisch einladen.«

»Ich werde Sie bis hin führen, wenn es Ihnen recht ist, dann geh' ich zu meinem Bruder, und wenn's mir möglich ist, hol' ich Sie um drei Uhr nachmittags ab.«

Sie gingen zusammen durch die belebtesten Straßen der inneren Stadt und betrachteten die Auslagen. Der Lärm hatte anfangs etwas Verwirrendes für Berta, dann wirkte er eher angenehm auf sie. Sie sah die Leute an, die vorübergingen, und der Anblick der eleganten Herren und hübsch angezogenen Damen bereitete ihr großes Vergnügen. Die Leute schienen überhaupt alle neue Kleider anzuhaben, und ihr war, als sähen hier alle viel glücklicher aus als daheim. Jetzt blieb sie vor der Auslage eines Kunsthändlers stehen, und ihr Auge fiel gleich auf ein bekanntes Bild; es war dasjenige Emil Lindbachs aus der illustrierten Zeitung. Berta war so erfreut, als hätte sie einen Bekannten getroffen. »Den kenn' ich,« sagte sie zu Frau Rupius.

»Wen?«

»Den hier.« Sie wies mit dem Finger auf die Photographie. »Denken Sie, mit dem bin ich zugleich ins Konservatorium gegangen.«

»So?« fragte Frau Rupius. Berta sah sie an und merkte, daß sie dem Bild gar keine Aufmerksamkeit geschenkt hatte, sondern über irgend etwas nachdachte. Berta war aber froh darüber, denn es schien ihr, als hätte in ihrer Stimme zu viel Wärme gelegen. Zugleich regte sich ein ganz leichter Stolz in ihr, daß der Mann, dessen Bild hier in der Auslage hing, als ganz junger Mensch in sie verliebt gewesen war und sie geküßt hatte. Mit einem Gefühl innerer Zufriedenheit ging sie weiter. Nach kurzer Zeit war sie in der Riemerstraße vor dem Haus ihrer Cousine.

»Also es bleibt dabei,« sagte sie, »nicht wahr, daß Sie mich um drei abholen?«

»Ja,« entgegnete Frau Rupius, »das heißt, – nun, wenn ich mich ein wenig verspäten sollte, halten Sie sich meinetwegen keineswegs länger bei Ihrer Cousine auf, als Ihnen angenehm ist; es bleibt jedenfalls dabei: um sieben Uhr abends auf dem Bahnhof. Auf Wiedersehen.« Sie gab Berta die Hand und ging rasch. Berta sah ihr befremdet nach. Sie kam sich wieder so verlassen vor wie in der Eisenbahn, da Frau Rupius ihren Roman gelesen hatte.

Dann ging sie die zwei Treppen hinauf. Sie hatte die Cousine von ihrem Kommen nicht benachrichtigt und bekam eine leise Angst, daß sie ungelegen sein könnte. Seit vielen Jahren hatte sie Agathe nicht mehr gesehen, und die Korrespondenz zwischen ihnen war recht sparsam geführt worden.

Agathe empfing sie nicht anders, als wären sie gestern zum letztenmal beisammen gewesen, ohne Verwunderung und ohne Herzlichkeit. Um Bertas Lippen war schon das Lächeln gewesen, wie man es hat, wenn man jemandem eine Überraschung zu bereiten glaubt; sie unterdrückte es gleich.

»Du bist ja ein recht seltener Gast,« sagte Agathe, »und läßt gar nichts von dir hören.«

»Aber Agathe, du bist mir ja noch einen Brief schuldig, seit drei Monaten.«

»So?« fragte Agathe. »Nun, mich mußt du entschuldigen, du kannst dir denken, was einem drei Kinder zu tun geben. Hab' ich dir geschrieben, daß Georg schon in die Schule geht?« Agathe führte ihre Cousine in die Kinderstube, wo Georg und die zwei kleinen Mädchen von der Bonne eben ihr Mittagessen vorgeteilt erhielten. Berta stellte einige Fragen an sie, aber die Kinder waren sehr scheu, und das kleinste Mädchen begann sogar zu weinen. Endlich sagte Agathe zu Georg: »Bitte doch Tante Berta, daß sie das nächstemal Fritz mitbringt.«

Berta fiel es auf, wie alt ihre Cousine in den letzten Jahren geworden. Wahrhaftig, wenn sie sich zu den Kindern beugte, sah sie beinahe aus wie eine alte Frau, und Berta wußte, daß sie selbst nur um ein Jahr jünger war als Agathe.

Als sie wieder ins Speisezimmer zurückkehrten, war alles erschöpft, was sie einander zu erzählen hatten, und als Agathe Berta zu Tisch einlud, schien sie es nur gesagt zu haben, um überhaupt etwas zu reden. Berta nahm trotzdem an, und die Cousine ging in die Küche, um einige Aufträge zu erteilen. Berta sah sich im Zimmer um, das sparsam und geschmacklos eingerichtet was. Es war recht dunkel, da die Gasse sehr eng war. Berta nahm ein Album vor, das auf dem Tisch lag; darin fand sie beinahe lauter bekannte Gesichter: gleich im Anfange die Eltern Agathens, die längst tot waren, dann die Bilder ihrer eigenen Eltern und die ihrer für sie fast verschollenen Brüder, Bilder gemeinschaftlicher Jugendbekannter, von denen sie beinah nichts mehr wußte, und endlich ein Bild, dessen Vorhandensein sie schon ganz vergessen hatte: sie und Agathe gemeinschaftlich als ganz junge Mädchen. Damals hatten sie einander sehr ähnlich gesehen und waren sehr befreundet gewesen, Berta erinnerte sich mancher intimen Mädchengespräche, die sie damals geführt hatten. – Und dieses bildhübsche Ding mit den aufgesteckten Zöpfen war jetzt beinah eine alte Frau. Und sie selbst? Warum hielt sie sich denn noch immer für eine junge? Erschien sie nicht vielleicht anderen so wie Agathe ihr? Sie nahm sich vor, nachmittags auf die Blicke zu achten, mit welchen sie von Vorübergehenden betrachtet würde. Es wäre schrecklich, wenn sie auch schon so alt aussähe wie ihre Cousine! Nein, es war ganz lächerlich, das zu glauben! Ihr Neffe fiel ihr ein, der sie immer die »schöne Tante« nannte, – die Fensterpromenade Klingemanns von gestern Abend, – ja, sogar die Erinnerung an die Liebenswürdigkeiten ihres Schwagers beruhigte sie. Und als sie in den Spiegel sah, der ihr gegenüber hing, blickten ihr zwei helle Augen aus einem frischen und faltenlosen Gesicht entgegen, und es war ihr Gesicht und ihre Augen.

Als Agathe wieder hereinkam, begann Berta von den fernen Jugendjahren zu sprechen, aber es schien, als hätte Agathe ihre früheren Beziehungen geradezu vergessen, als hätten die Ehe, die Mutterschaft, die Sorgen des Alltags mit der Jugend auch die Erinnerung daran ausgelöscht. Wie jetzt Berta von einem Studentenkränzchen zu reden begann, das sie zusammen besucht, von jungen Leuten, die Agathen den Hof gemacht, von einem gewissen anonymen Blumenstrauß, den Agathe einmal geschickt bekommen hatte, lächelte sie anfangs wie abwesend, dann sah sie Berta an und sagte: »Daß du dich noch an alle die Dummheiten erinnerst.«

Der Gatte Agathens kam aus der Kanzlei nach Hause. Er war recht grau geworden. Im ersten Augenblick schien er Berta nicht zu erkennen, dann verwechselte er sie mit einer anderen Dame und entschuldigte sich mit seinem schlechten Personengedächtnis. Bei Tisch spielte er den Gewandten, er fragte in einer gewissen überlegenen Art nach den Zuständen der kleinen Stadt und meinte scherzend, ob Berta nicht wieder zu heiraten gedächte. An diesen Neckereien beteiligte sich auch Agathe, während sie zugleich ihren Gatten, der dem Gespräch eine frivole Wendung zu geben suchte, gelegentlich durch Blicke zurechtwies. Berta fühlte sich unbehaglich. Später machte Agathens Gatte eine Anspielung, aus der hervorging, daß seine Frau wieder Mutterfreuden entgegensah. Aber während Berta sonst für Frauen in solchen Umständen ein Gefühl der Sympathie hatte, war sie hier fast unangenehm berührt. Auch lag in der Art, wie der Gatte davon sprach, keine Spur von Liebe, sondern eher ein gewisser alberner Stolz erfüllter Pflicht. Er sprach so davon, als wenn es eine besondere Liebenswürdigkeit von ihm wäre, daß er sich bei all seiner Beschäftigung und trotzdem Agathe nicht mehr schön war, dazu verstand, bei ihr zu schlafen. Berta hatte das Gefühl, hier in eine unreinliche Geschichte eingeweiht zu werden, die sie nichts anging. Sie war froh, als der Gatte gleich nach eingenommener Mahlzeit ging, – es war seine Gewohnheit, »sein einziges Laster«, wie er lächelnd sagte, nach Tisch eine Stunde im Kaffeehaus Billard zu spielen.

Berta blieb mit Agathe allein.

»Ja,« sagte Agathe, »nun steht mir das wieder einmal bevor.« Und nun begann sie in einer geschäftsmäßigen, kühlen Art von ihren früheren Entbindungen zu reden, mit einer Aufrichtigkeit und Schamlosigkeit, die Berta um so mehr auffiel, als sie einander doch so fremd geworden waren. Aber während Agathe weitersprach, fuhr Berta plötzlich der Gedanke durch den Sinn, wie schön es sein müßte, von einem Mann, den man liebt, ein Kind zu bekommen. Sie hörte nicht mehr auf die widerwärtigen Reden ihrer Cousine, sie dachte nur mehr an die unendliche Sehnsucht, die sie selbst manchmal in ganz jungen Jahren überkommen, Mutter zu werden, und sie erinnerte sich eines Augenblicks, da diese Sehnsucht tiefer gewesen war als jemals früher oder später. Es war an einem Abend, da Emil Lindbach sie vom Konservatorium aus nach Hause begleitete, ihre Hand in der seinen. Sie wußte noch, daß es ihr damals zu schwindeln begonnen, und daß sie in jenem einzigen Momente verstanden hatte, was die Phrase besagen wollte, die sie zuweilen in Romanen gelesen: »er hätte aus ihr machen können, was er wollte«.

Jetzt merkte sie, daß es im Zimmer ganz still geworden und daß Agathe in der Ecke des Divans lehnte und zu schlafen schien. Auf der Wanduhr war es drei. Wie unangenehm, daß Frau Rupius noch nicht da war! Berta trat zum Fenster und blickte auf die Straße. Dann wandte sie sich nach Agathe um, die die Augen wieder geöffnet hatte. Berta versuchte rasch ein neues Gespräch zu beginnen und erzählte von der Toilette, die sie vormittags bestellt, aber Agathe war zu schläfrig, sie antwortete gar nicht mehr. Berta wollte nicht lästig fallen und nahm Abschied. Sie beschloß auf der Straße Frau Rupius zu erwarten. Agathe schien sehr froh, während Berta sich zum Fortgehen ankleidete, wurde herzlicher, als sie die ganze Zeit über gewesen, und sagte an der Tür, als wäre eine Erleuchtung über sie gekommen: »Wie die Zeit vergeht! Ich hoffe, du läßt dich bald wieder anschauen.«

Als Berta vor dem Haustor stand, wußte sie, daß sie vergeblich auf Frau Rupius wartete. Gewiß war es von Anfang an deren Absicht gewesen, den Nachmittag ohne Berta zu verbringen, es brauchte ja weiter nichts Böses dabei zu sein, und war auch sicher nichts Böses dabei. Es kränkte Berta nur, daß Anna so wenig Vertrauen zu ihr hatte. Berta spazierte planlos weiter; es lagen noch mehr als drei Stunden vor ihr, ehe sie auf den Bahnhof sollte. Zuerst ging sie wieder in der inneren Stadt spazieren. Es war wirklich angenehm, so ganz unbeobachtet, als Fremde unter den Leuten herumzugehen. Lange hatte sie dieses Vergnügen nicht mehr gekostet. Von einigen Herren wurde sie mit Interesse betrachtet, ja manchmal blieb einer stehen und sah ihr nach. Es tat ihr leid, daß sie so unvorteilhaft angezogen war, und sie freute sich, bald das schöne Kleid aus dem Atelier der Wiener Schneiderin zu bekommen. Sie hätte gewünscht, von irgend jemandem verfolgt zu werden. Plötzlich fuhr ihr durch den Sinn: wenn sie Emil Lindbach begegnete, ob er sie erkennen würde? Welche Frage! Aber solche Zufälle gibt es nicht – nein, sie war ganz sicher, sie konnte tagelang in Wien herumgehen, nie würde sie ihm begegnen. Wie lange hatte sie ihn nicht gesehen? Sieben – acht Jahre . . . Ja, zwei

Jahre vor ihrer Verheiratung hatte sie ihn das letztemal gesehen. Sie war mit ihren Eltern an einem warmen Sommerabend im Prater im Schweizerhaus gewesen, mit einem Freund war er vorübergegangen und ein paar Minuten an ihrem Tisch stehen geblieben. Ah, nun besann sie sich darauf, daß auch der junge Arzt an ihrem Tisch gesessen war, der sich um sie bewarb. Was Emil damals gesprochen, wußte sie nicht mehr, doch erinnerte sie sich, daß er die ganze Zeit, während er vor ihr gestanden, seinen Hut in der Hand gehalten, was ihr unsagbar gefiel. Ob er das heute auch täte, wenn sie ihm begegnete? Wo mochte er jetzt wohnen? Zu jener Zeit hatte er ein Zimmer auf der Wieden gehabt, nah von der Paulanerkirche . . . ja, er hatte ihr das Fenster gezeigt, als sie einmal vorübergingen, und bei dieser Gelegenheit eine Bemerkung gewagt – des Wortlauts entsann sie sich nicht mehr, aber der Sinn war bestimmt der gewesen, daß sie mit ihm in diesem Zimmer zusammen sein sollte. Sie hatte ihn damals sehr streng zurechtgewiesen, ja, sie hatte erwidert, wenn er so von ihr dächte, wäre alles aus. Und er sprach wirklich nie wieder davon. Ob sie das Fenster wiedererkannte? Ob sie es fände? Wahrhaftig, ob sie hier spazieren ging oder dort, das war doch einerlei. Sie ging rasch, als ob sie plötzlich ein Ziel gefunden, der Wieden zu. Sie staunte, wie sich hier alles verändert hatte. Wie sie von der Elisabethbrücke aus hinunterschaute, sah sie Mauern, die aus dem Wienbett aufstiegen, halbfertige Geleise, kleine Waggons in Bewegung und beschäftigte Arbeiter. Bald hatte sie die Paulanerkirche erreicht, auf demselben Weg, den sie in früherer Zeit so oft gegangen. Aber nun hielt sie inne; sie konnte sich durchaus nicht mehr besinnen, wo Emil gewohnt hatte, ob sie rechts, ob sie links gehen müsse. Sonderbar, wie gänzlich ihr das entfallen war! Sie ging langsam wieder zurück, bis zum Konservatorium. Dort blieb sie stehen. Oben waren die Fenster, von denen aus sie so oft die Kuppel der Karlskirche betrachtet, und sehnsüchtig das Ende der Stunde erwartet hatte, um mit Emil zusammenzutreffen. Wie lieb hatte sie ihn doch gehabt, und wie sonderbar war es, daß es so ganz aufhören konnte! Sie ging nun hier herum als Witwe, war es schon jahrelang, hatte daheim ein Kind, das heranwuchs, – und wenn sie gestorben wäre, Emil hätt' es gar nicht erfahren, oder vielleicht erst Jahre später. Ihr Auge fiel auf ein großes Plakat, das auf das Eingangstor geheftet war. Das Konzert war angekündigt, in dem auch er mitwirken würde, und hier stand sein Name unter vielen anderen großen, von denen sie manche seit lang mit stiller

Scheu bewundert: »Brahm's Violinkonzert, vorgetragen von dem königlich bayrischen Kammervirtuosen Emil Lindbach.« – Bayrischer Kammervirtuose, das hatte sie gar nicht gewußt. Es war ihr, als könnte der, dessen Name hier auf sie herableuchtete, im nächsten Moment aus der Einfahrt heraustreten, den Violinkasten in der Hand, die Zigarette zwischen den Lippen. So nah war das alles plötzlich und schien noch näher, als mit einemmal von oben die langgezogenen Striche einer Violine zu ihr heruntertönten, wie sie sie damals so oft gehört. Sie wollte zu diesem Konzert nach Wien hereinfahren – ja, und wenn sie auch eine Nacht im Hotel verbringen müßte! Und sie würde sich weit vorne hinsetzen und ihn ganz in der Nähe sehen. Ob er sie auch sehen und sie erkennen würde? Sie stand noch immer vor dem gelben Plakat, ganz versunken, bis sie sich von ein paar jungen Leuten, die aus der Einfahrt herauskamen, angestarrt fühlte und nun auch wußte, daß sie die ganze Zeit gelächelt hatte wie in einem schönen Traum. Sie setzte ihren Weg fort. Auch die Gegend um den Stadtpark hatte sich verändert, und als sie die Stellen suchte, wo sie damals mit ihm herumgegangen war, fand sie sie ganz zerstört: Bäume waren ausgeholzt, Planken verwehrten den Weg, der Boden war aufgerissen, und vergeblich suchte sie die Bank zu finden, wo sie mit Emil verliebte Worte gewechselt, an deren Ton sie sich so gut und an deren eigentlichen Inhalt sie sich gar nicht mehr erinnerte. Sie gelangte nun in den gut erhaltenen, wohlgepflegten Teil des Parks, der voll Menschen war. Aber sie hatte die Empfindung, daß manche Leute sie betrachteten und einige Damen über sie lachten, und sie kam sich wieder sehr kleinstädtisch vor, ärgerte sich über ihre eigene Verlegenheit und dachte an die Zeit, da sie als hübsches junges Mädchen unbefangen und stolz durch solche Alleen gegangen war. Sie kam sich jetzt so herabgesunken, so bedauernswert vor. Der Einfall, im großen Musikvereinssaal in der ersten Reihe zu sitzen, erschien ihr verwegen, beinah unausführbar. Es war ihr jetzt auch sehr unwahrscheinlich, daß Emil Lindbach sie noch erkennen würde, ja es schien ihr fast unmöglich, daß er sich noch ihrer Existenz erinnern könnte. Was hatte er seitdem alles erlebt! Wie viele Frauen und Mädchen mochten ihn wohl geliebt haben, und in ganz anderer Art als sie. Und während sie weiter ging, nun durch weniger belebte Alleen endlich wieder hinaus auf die Ringstraße, sah sie den Geliebten ihrer Jugend in allerlei Abenteuern vor sich, in die wirre Erinnerungen aus gelesenen Romanen und unklare Vorstellungen von seinen Kunstreisen im Ausland seltsam hineinspielten. Sie dachte sich ihn in Venedig, in einer Gondel mit einer russischen Fürstin, dann wieder sah sie ihn am Hofe des bayrischen Königs, wo Herzoginnen seinem Spiel lauschten und sich in ihn verliebten, dann erschien er ihr im Boudoir einer Opernsängerin, dann auf einem Maskenball in Spanien, von verführerischen Masken umschwärmt. Und in je weitere Fernen er unnahbar und beneidenswert entschwebte, um so ärmlicher erschien sie sich selbst, und sie begriff es mit einemmal nicht mehr, wie leicht sie damals ihre eigenen Hoffnungen, ihre künstlerische Zukunft und den Geliebten aufgegeben, um ein sonnenloses Dasein zu führen und in der Menge zu verschwinden. Es war wie ein Schauer, der sie erfaßte, als sie sich darauf besann, daß sie nichts anderes war als die Witwe eines unansehnlichen Menschen, die in einer kleinen Stadt lebte, sich mit Klavierlektionen fortbrachte und langsam das Alter herankommen sah. Niemals hatte sie auch nur einen Strahl von dem Glanz auf ihrem Weg gefunden, in dem der seine dahinlief, solang er lebte. Und mit dem gleichen Schauer dachte sie daran, wie sie sich immer an ihrem Schicksal hatte genügen lassen, wie sie ohne Hoffnung, ja ohne Sehnsucht in einer Dumpfheit, die ihr in diesem Augenblick unerklärlich erschien, ihr ganzes Dasein hingebracht.

Sie war zur Aspernbrücke gekommen, ohne nur auf den Weg zu achten. Hier wollte sie die Straße übersetzen, aber sie mußte warten, da eine große Anzahl von Wagen vorüberfuhr. In den meisten saßen Herren, von denen viele Feldstecher trugen; sie wußte: die kamen aus dem Prater, vom Rennen. Jetzt kam eine elegante Equipage, darinnen ein Herr mit einer jungen Frau in weißer Frühjahrstoilette saß; gleich darauf ein Wagen mit zwei auffallend gekleideten Damen. Berta sah ihnen lang nach: eine wandte sich um, und zwar nach einem Wagen, der gleich hinten nachfuhr und in dem ein junger, sehr hübscher Mann in einem langen, grauen Überzieher lehnte. Berta empfand etwas sehr Schmerzliches, Unruhe und Ärger zugleich; sie hätte die Dame sein wollen, welcher der junge Mann nachfuhr, sie hätte schön, jung, unabhängig, ach Gott, sie hätte irgendein Weib sein wollen, das tun kann, was es will und sich nach Männern umwenden, die ihm gefallen. Und in diesem Augenblick wußte sie ganz bestimmt, daß Frau Rupius jetzt mit jemandem zusammen war, den sie lieb hatte. Freilich, warum sollte sie's nicht sein? Sie war ja, wenigstens solang sie in Wien lebte, frei, Herrin ihrer Zeit, –

und dabei war sie sehr hübsch, und ein duftiges, violettes Kleid hatte sie an, und um ihren Mund war ein Lächeln, das man gewiß nur haben kann, wenn man glücklich ist – und zu Hause ist sie nicht glücklich. Und mit einemmal sah Berta Herrn Rupius vor sich, wie er daheim in seinem Zimmer saß und Stiche betrachtete. Aber heut' tut er es sicher nicht, nein, heute zittert er zu Hause um seine Frau, in einer ungeheuren Angst, daß man sie ihm dort, in der großen Stadt wegnimmt, daß sie nie wieder zurückkommt, und daß er ganz allein bleibt mit seinem Jammer. Und Berta hatte plötzlich ein Mitleid für ihn wie nie zuvor. Ja, sie wäre am liebsten bei ihm gewesen, um ihn zu trösten und ihn zu beruhigen.

Sie fühlte, wie jemand ihren Arm berührte. Sie zuckte zusammen und sah auf. Ein junger Mann stand neben ihr und schaute sie frech an. Sie starrte ihm noch ganz zerstreut ins Aug', da sagte er: »Na,« und lachte. Berta erschrak und lief beinahe, rasch einem Wagen zuvorkommend, über die Straße. Sie schämte sich ihres Wunsches von früher, die Dame im Wagen zu sein. Es schien ihr, als wäre die Unverschämtheit jenes Menschen die Strafe dafür. Nein, nein, sie ist eine anständige Frau, alles Freche ist ihr im Grund ihrer Seele zuwider – nein, sie könnte in Wien gar nicht mehr leben, wo man solchen Dingen ausgesetzt ist! Eine Sehnsucht nach dem Frieden ihres kleinen Hauses überkommt sie, und sie freut sich auf das Wiedersehen mit ihrem Buben wie auf etwas unerhört Schönes. – Wie spät ist es denn? Um Himmels willen, dreiviertel sieben! Sie muß einen Wagen nehmen; darauf kommt es ja nicht mehr an. Den Wagen heut' morgen hat ja Frau Rupius bezahlt, also kostet sie der, den sie jetzt nehmen wird, sozusagen nur die Hälfte. Sie setzt sich in einen offnen Fiaker, sie lehnt in der Ecke, beinah geradeso vornehm, wie sie von jener Dame in dem weißen Kleid gesehen. Die Leute schaun sie an. Sie weiß, daß sie jetzt hübsch und jung aussieht, und dabei fühlt sie sich so sicher, es kann ihr nichts geschehen. Das rasche Dahinsausen auf den Gummirädern bereitet ihr ein unsägliches Vergnügen. Wie hübsch wird es sein, wenn sie das nächstemal in dem neuen Kleid und mit dem kleinen Strohhut, der sie so jung macht, wieder im Wagen durch die Stadt fährt. Sie freut sich, daß Frau Rupius am Eingang des Bahnhofes steht und sie ankommen sieht, doch sie verrät nichts von ihrem Stolz, sondern tut, als wenn es ganz selbstverständlich wäre, im Fiaker beim Bahnhof vorzufahren.

»Wir haben noch zehn Minuten Zeit,« sagt Frau Rupius. »Sind Sie mir sehr böse, daß ich Sie habe warten lassen? Denken Sie, bei meinem Bruder war heute große Kinderjause, und die Kleinen wollten mich absolut nicht fortlassen. Zu spät fiel mir ein, daß ich Sie eigentlich holen lassen könnte; die Kinder hätten Ihnen viel Spaß gemacht, und ich habe meinem Bruder schon gesagt, daß ich nächstesmal Sie und Ihren Buben hinaufbringe.«

Berta schämte sich sehr. Wie unrecht hatte sie dieser Frau wieder getan! Sie konnte ihr nur die Hand drücken und sagen: »Ich danke Ihnen, Sie sind sehr lieb.«

Sie traten auf den Perron und stiegen in ein Kupee, das ganz leer war. Frau Rupius hatte ein Päckchen mit Kirschen in der Hand und aß langsam eine nach der anderen, die Kerne warf sie zum Fenster hinaus. Als der Zug sich in Bewegung setzte, lehnte sie sich zurück und schloß die Augen, Berta sah zum Fenster hinaus; sie fühlte sich recht müde von dem vielen Herumgehen, ein leichtes Unbehagen stieg in ihr auf, sie hätte diesen Tag anders verbringen können, ruhiger, vergnügter. Die kühle Aufnahme und das langweilige Mittagessen bei ihrer Cousine fiel ihr ein. Es war doch recht traurig, daß sie gar keine Bekannten mehr in Wien hatte. Wie eine Fremde war sie in dieser Stadt herumgeirrt, in der sie sechsundzwanzig Jahre gelebt hatte. Warum? Und warum hatte sie heute früh den Wagen nicht halten lassen, als sie jene Gestalt gesehen, die Ähnlichkeit mit Emil Lindbach zu haben schien? Freilich sie hätte nicht nachlaufen können, nicht nachrufen, – aber wenn er es wirklich gewesen wäre, wenn er sie erkannt, wenn er sich gefreut hätte, sie wiederzusehen? Und sie wären miteinander herumspaziert und hätten einander von der langen Zeit erzählt, die sie durchlebt, ohne voneinander zu wissen, und sie wären miteinander in ein vornehmes Restaurant gegangen, zu Mittag speisen, und einige hätten ihn natürlich gekannt, und sie hörte ganz genau, wie sich die Leute darüber unterhielten, wer »sie« eigentlich wäre. Sie sah auch schön aus, das neue Kleid war schon fertig, und die Kellner bedienten sie mit großer Höflichkeit, besonders ein kleiner Junge, der den Wein brachte, – aber das war eigentlich ihr Neffe, der selbstverständlich hier Kellnerjunge geworden war, statt zu studieren. Plötzlich traten in den Saal Herr und Frau Doktor Martin, sie hielten einander so innig umschlungen, als wenn sie ganz allein wären, da stand Emil auf, nahm den Geigenbogen, der neben ihm lag, und hob ihn gebieterisch, worauf der Kellner das Ehepaar Martin zur Tür hinausjagte. Darüber mußte Berta lachen, viel zu laut, denn sie hatte schon ganz verlernt, wie man sich in einem vornehmen Restaurant benimmt. Aber es ist ja gar nicht vornehm, es ist einfach die Gaststube »Zum roten Apfel«, und die Militärkapelle spielt irgendwo, ohne daß man sie sieht. Das ist nämlich eine Kunst des Herrn Rupius, daß Militärkapellen spielen können, ohne daß man sie sieht. Jetzt aber kommt gleich ihre Nummer dran. Hier ist das Klavier, – aber sie hat ja gewiß das Klavierspielen längst verlernt, sie wird lieber entfliehen, damit man sie nicht zwingt. Und gleich ist sie auf dem Bahnhof, Frau Rupius erwartet sie schon und sagt: Es ist höchste Zeit, und sie gibt ihr ein großes Buch in die Hand, das ist nämlich die Fahrkarte. Doch Frau Rupius fährt gar nicht weg, sie setzt sich auf eine Bank, ißt Kirschen und spuckt die Kerne auf den Stationschef, der sich darüber sehr freut. Berta steigt ins Kupee, – Gott sei Dank, daß Klingemann schon da ist! er winkt ihr mit gekniffenen Augen zu und sagt: Wissen Sie, was das für ein Leichenzug ist? Und Berta sieht, daß auf dem anderen Gleise ein Leichenwagen steht. Sie erinnert sich nun, daß der Hauptmann gestorben ist, mit dem die Tabaktrafikantin den Herrn Klingemann betrogen hat, – natürlich: darum war heute das Konzert im »Roten Apfel«. Plötzlich bläst ihr Herr Klingemann auf die Augen, lacht, daß es dröhnt, Berta schlägt die Augen auf – da saust eben ein Zug am Fenster vorbei. Sie schüttelt sich. – Was für wirre Träume! Und fing es nicht sehr schön an? Sie versucht, sich zu besinnen. Ja, Emil spielte eine Rolle . . . aber sie weiß nicht mehr, welche.

Die Dämmerung bricht langsam herein. Der Zug fährt die Donau entlang. Frau Rupius schläft und lächelt, vielleicht auch stellt sie sich nur schlafend; der leise Verdacht in Berta kommt von neuem, und ein Neid gegen das Unbekannte, Geheimnisvolle, das Frau Rupius erlebt, steigt in ihr auf. Sie möchte auch etwas erleben. Sie wünscht, daß jetzt irgend jemand neben ihr säße, seinen Arm an den ihren gedrängt, – sie möchte wieder dasselbe empfinden wie damals, als sie mit Emil am Wienufer stand, und ihr die Sinne beinah vergehen wollten, und sie sich nach einem Kinde sehnte . . . Ah, warum ist sie so allein, so arm, so im Dunkeln? Sie möchte den Geliebten ihrer Jugend anflehen: Küß mich nur noch einmal wie damals, ich möchte glücklich sein!

Es ist dunkel, Berta sieht in die Nacht hinaus.

Noch heute, bevor sie schlafen geht, wird sie die kleine Tasche vom Boden holen, in der die Briefe ihrer Eltern und Emils aufbewahrt sind. Sie sehnt sich, daheim zu sein. Es ist ihr, als sei eine Frage in ihrer Seele aufgewacht, auf die zu Hause die Antwort wartet.

Als Berta am späten Abend in ihr Zimmer trat, kam ihr der Einfall, noch jetzt allein auf den Boden hinaufzugehen und die Tasche herunterzuholen, beinahe abenteuerlich vor. Sie fürchtete, daß man im Hause ihre nächtige Wanderung bemerken und sie für verrückt halten möchte. Sie konnte es ja morgen ohne Aufsehen, in größter Bequemlichkeit tun, und so schlief sie mit der Empfindung eines Kindes ein, dem für den folgenden Tag ein Ausflug aufs Land versprochen ist.

Am nächsten Vormittag hatte sie mancherlei zu tun; häusliche Beschäftigungen und die Klavierlektionen nahmen den Vormittag in Anspruch. Ihrer Schwägerin mußte sie von ihrer Wiener Reise berichten. Sie erzählte, daß sie mit ihrer Cousine nachmittags spazieren gegangen wäre, und stellte die Sache so dar, als hätte sie auf Ersuchen der Cousine der Frau Rupius abgeschrieben.

Erst nachmittags ging sie auf den Dachboden und holte die verstaubte Reisetasche herunter, die neben einem Koffer und zwei Kisten lag – alles zusammen von einem alten, rotgeblümten, zerschlissenen Kaffeetuch überdeckt. Berta wußte, daß sie sie das letztemal aufgeschlossen, um Briefschaften aufzubewahren, die ihre Eltern hinterlassen hatten. Als sie die Tasche in ihrem Zimmer öffnete, erblickte sie auch vor allem eine Anzahl von Briefen ihrer Brüder und andere mit unbekannten Schriftzügen; dann fand sie ein wohlgesichtetes Päckchen, die spärlichen Briefe ihrer Eltern an sie enthaltend; zwei Haushaltungsbücher ihrer Mutter, ein kleines Heft aus ihrer eigenen Schulzeit, darin sie Stundenpläne und Aufgaben eingezeichnet, dann einige Damenspenden von den Bällen, die sie als junges Mädchen besucht, und endlich, in blaues Seidenpapier gewickelt, das an einigen Stellen eingerissen war, Emils Briefe. Nun wußte sie sich auch auf den Tag zu besinnen, da sie diese das letztemal in der Hand gehabt, ohne sie zu lesen; das war, als ihr Vater schon krank gelegen und sie tagelang gar nicht aus dem Haus gekommen war. Sie legte das Päckchen beiseite. Sie wollte zuerst alles andere sehen, was hier noch aufbewahrt und worauf sie sehr neugierig war. Ganz lose lag eine Anzahl von Briefen auf dem Grund der Tasche, einige im Kuvert, andere ohne Hülle; sie blickte wahllos den einen und den anderen an. Es waren Briefe von alten Freundinnen, ein paar von ihrer Cousine, und hier einer von dem Arzte, der sich seinerzeit um sie beworben; er enthielt die Bitte um den ersten Walzer auf dem Medizinerkränzchen. Und hier – was war denn das? Ja, das war der anonyme Brief, den ihr einer ins Konservatorium geschickt. Sie nahm ihn zur Hand: »Mein Fräulein! Ich hatte gestern wieder das Glück, Sie auf Ihrem täglichen Weg zu bewundern, ich weiß nicht, ob auch ich das Glück hatte, von Ihnen bemerkt zu werden.« Nein, dieses Glück hatte er nicht gehabt. Dann kamen noch drei Seiten, auf denen sie angeschwärmt wurde; kein Wunsch, kein kühnes Wort. Auch hatte sie nie wieder etwas von dem Schreiber gehört. Und hier ein Brief, mit zwei Initialen unterschrieben: M. G. – Das war dieser Unverschämte gewesen, der sie auf der Straße angesprochen und ihr in diesem Brief Anträge gestellt hatte – ja, welche denn nur? Ah, hier war die Stelle, die ihr damals das Blut in den Kopf getrieben: »Seit ich Sie gesehen, seit Sie Ihren strengen und doch so verheißenden Blick auf mich gerichtet hielten, hab' ich nur mehr einen Traum, eine Sehnsucht: diese Augen küssen zu dürfen!« – Sie hatte natürlich nicht geantwortet; es war die Zeit gewesen, in welcher sie Emil liebte. Ja, sie hatte sogar daran gedacht, ihm diesen Brief zu zeigen, aber die Angst vor seiner Eifersucht hielt sie zurück. Nie hatte Emil von M. G. etwas erfahren. – Und das weiche Band, das ihr jetzt in die Hände geriet –? Eine Schleife . . . Aber sie wußte nicht, woran sie die erinnern sollte. Und hier wieder ein kleines Tanzalbum, wo die Namen ihrer Tänzer eingetragen waren. Sie versuchte, sich der Personen zu erinnern, aber vergeblich. Und dabei war ja gerade auf diesem Ball einer gewesen, der ihr so glühende Worte gesagt hatte wie nie ein anderer. Es war ihr, als tauchte der plötzlich wie ein Sieger auf unter den vielen Schatten, die sie umschwebten. Ja, das war schon zu der Zeit gewesen, da Emil und sie einander seltener sahen. Wie sonderbar war das . . . oder hatte sie es nur geträumt? Dieser Glühende drückte sie während des Tanzes an sich, – und sie wehrte sich gar nicht, und fühlte seine Lippen auf ihrem Haar, und es war unglaublich schön . . . Ja, und weiter? – Sie hatte ihn nie wiedergesehen. Es war ihr plötzlich, als hätte sie in jener Zeit doch vieles und Seltsames erlebt, und wie in ein Staunen versank sie, daß alle diese Erinnerungen so lang in der alten Reisetasche und in ihrer Seele geschlafen hatten . . . Doch nein! Manchmal hatte sie an alle diese Dinge gedacht: an Leute, die ihr den Hof gemacht, an den anonymen Brief, an den glühenden Tänzer, an die Spaziergänge mit Emil, – aber als wenn es weiter nichts Besonderes, als wenn es eben die Vergangenheit wäre, die Jugend, die jedem Mädchen beschieden ist und aus der sie in das stille Frauenleben eingeht. Heute aber schien ihr, als wären diese Erinnerungen zugleich uneingelöste Versprechungen, als lägen in jenen fernen Erlebnissen verkümmerte Schicksale, ja als wäre irgendein Betrug an ihr verübt worden, seit lang, von dem Tage an, da sie geheiratet, bis zum heutigen Tag, und als wäre sie zu spät darauf gekommen, stünde nun da und könnte nichts mehr tun. Doch wie war denn das? ... An alle diese Nichtigkeiten dachte sie, und hier neben ihr lag noch immer, in Seidenpapier eingewickelt, der Schatz, um dessentwillen sie ja in der alten Tasche herumgekramt, die Briefe des einzigen, den sie geliebt hatte, die Briefe aus der Zeit, da sie glücklich gewesen. Wie viele mochten sie heute darum beneiden, daß gerade dieser sie einmal geliebt, – anders, besser, keuscher sie als alle anderen nach ihr. Und sie fühlte sich am tiefsten betrogen, weil sie, die seine Frau hätte sein können, wenn ... wenn ... Ihre Gedanken stockten.

Rasch, wie um sich von Zweifel, ja von Angst zu befreien, riß sie das Seidenpapier herab und griff nach den Briefen. Und sie las, las einen nach dem anderen. Die kurzen und die langen, die kleinen Zettel mit den flüchtigen Worten: »Morgen Abend sieben Uhr, mein Schatz!« oder: »Liebste, nur einen Kuß, bevor ich schlafen gehe!« und die seitenlangen, von der Reise aus geschrieben, wenn er im Sommer mit seinen Kollegen Fußwanderungen machte, oder andere, in denen er ihr abends seinen Eindruck von einem Konzert, gleich nach dem Nachhausekommen, mitzuteilen sich gedrängt fühlte; dann die endlosen, wo er Zukunftspläne entwickelte: wie sie zusammen durch Spanien und Amerika reisen wollten, berühmt und glücklich ... las sie alle, alle, einen nach dem anderen, wie von einem unauslöschlichen Durst gepeinigt – las sie vom ersten, mit welchem er ein paar Notenhefte begleitet, bis zum letzten, der zweieinhalb Jahre später datiert war und nichts enthielt als einen Gruß aus Salzburg – und als sie zu Ende war, ließ sie die Hände sinken und starrte auf die herumliegenden Blätter. Warum war dies der letzte Brief? Wie hatte es geendet? Wie hatte es enden können? Wie war es möglich, daß diese große Liebe schwinden konnte? Es war nie zu einem Bruch, nie zu einer Auseinandersetzung gekommen, und irgend einmal war es aus gewesen. Wann? ... sie wußte es nicht. Denn damals, als jene Karte aus Salzburg kam, hatte sie ihn noch geliebt, im Herbst hatte sie ihn noch gesehen, – ja im nächsten Winter darauf schien alles noch einmal aufzublühen. Sie erinnerte sich gewisser Spaziergänge auf knirschendem Schnee, Arm in Arm, bei der Karlskirche; – wann aber war es das letztemal gewesen? Sie hatten ja niemals Abschied voneinander genommen ... Sie verstand es nicht. Wie hatte sie so leicht auf ein Glück verzichten können, das zu halten doch in ihrer Macht gewesen wäre? Wie hatte sie aufgehört, ihn zu lieben? Hatte die dumpfe Alltäglichkeit, die zu Hause auf ihr gelastet, von dem Augenblick an, da sie das Konservatorium verlassen, wie ihren Ehrgeiz so auch ihr Fühlen eingeschläfert? Hatten die unzufriedenen Bemerkungen ihrer Eltern über den aussichtslosen Verkehr mit dem blutjungen Violinspieler so ernüchternd auf sie gewirkt? Und jetzt fiel ihr ein, daß er auch noch später einmal einen Besuch bei ihnen abgestattet, nachdem sie ihn monatelang nicht gesehen, und sie im Vorzimmer geküßt hatte. Ja, das war das letztemal gewesen. Und nun besann sie sich auch, wie sie damals gespürt, daß seine Beziehungen zu den Frauen andere geworden sein, daß er Dinge erlebt haben mußte, von denen sie nichts wissen durfte, – aber sie hatte darüber keinen Schmerz empfunden. Und sie fragte sich: wie wäre alles geworden, wenn sie damals kein so tugendhaftes Mädchen gewesen, wenn sie das Leben so leicht genommen hätte wie andere? Eine Kollegin fiel ihr ein, mit der sie den Verkehr aufgegeben, weil sie ein Verhältnis mit einem Schauspielschüler gehabt hatte. Und sie erinnerte sich wieder jenes kühnen Wortes von Emil, als er mit ihr an seinem Fenster vorüberging, und jener Sehnsucht, während sie am Wienufer standen. Unbegreiflich erschien ihr, daß jenes Wort damals nicht lebhafter in ihr nachgewirkt hatte, daß jene Sehnsucht nur einmal und auf so kurze Zeit in ihr erwacht war. Mit einer Art von ratlosem Staunen dachte sie an die Zeit jener unbeirrten Jungfräulichkeit, und mit plötzlichem, peinvollem Schamgefühl, das ihr das Blut in die Schläfen jagte, an die kühle Bereitwilligkeit, mit der sie sich einem Manne hingegeben, den sie nie geliebt hatte. Und das Bewußtsein, daß das ganze Glück, das sie als Frau genossen, darin enthalten war, in den Armen jenes Ungeliebten zu liegen, durchschauerte sie das erstemal in seinem ganzen Jammer. Das also war für sie das Leben gewesen, das ersehnte, geheimnisvolle Glück? ... Und ein dumpfer Unwille begann in ihr zu wühlen, der sich gegen alle möglichen Dinge und Menschen wandte, gegen Tote und Lebendige. Sie zürnte ihrem verstorbenen Mann, ihren hingeschiedenen Eltern, ärgerte sich über die Leute, unter denen sie hier lebte und unter deren Augen sie sich nichts hätte erlauben dürfen; sie kränkte sich über Frau Rupius, die nicht so freundlich gegen sie war, daß sie an ihr einen Halt hätte finden können, sie haßte Klingemann, weil er häßlich und widerwärtig war und sie doch begehrte, und endlich wallte es heftig in ihr auf gegen den Geliebten ihrer Jugend, weil er nicht frecher gewesen, weil er ihr das letzte Glück vorenthalten und ihr nichts zurückgelassen hatte als Erinnerungen voll Duft, aber voll Qual. Da saß sie nun in ihrem einsamen Zimmer, unter den vergilbten Denkzeichen einer nutzlos und freudlos verbrachten Jugend, hart an der Grenze einer Zeit, da es keine Hoffnungen und keine Wünsche mehr gibt – unter den Händen war ihr das Dasein zerronnen, und sie war durstig und arm.

Sie packte die Briefe und alles Übrige zusammen, warf sie zerknüllt in die Tasche, versperrte diese und trat ans Fenster. – Der Abend war nah. Eine weiche Luft kam von den Weingeländen zu ihr gezogen; vor ihren Augen flimmerte es von ungeweinten Tränen der Erbitterung, nicht des Schmerzes. Was sollte sie nun tun? Sie, die Tage, Nächte, Monate, Jahre ohne Erwartung, ohne Angst sich in der Zukunft hatte dehnen sehen, schauerte vor der Leere des Abends, der vor ihr lag.

Es war die Stunde, um die sie sonst von ihrem Spaziergang heimzukehren pflegte; heute hatte sie das Kindermädchen mit ihrem Buben fortgeschickt, – sie sehnte sich nicht einmal nach ihm, ja für einen Augenblick fiel es selbst auf dieses Kind wie ein Strahl von dem Zorn, den sie gegen die ganze Menschheit und ihr Schicksal fühlte, und in ihrer ungeheuren Unzufriedenheit wurde sie von Neid gepackt auf viele Leute, die ihr sonst gar nicht beneidenswert erschienen waren. Sie beneidete Frau Doktor Martin um die Zärtlichkeit ihres Gatten; die Tabaktrafikantin, die von Herrn Klingemann und von dem Hauptmann geliebt wurde; ihre Schwägerin, weil sie schon alt, Elly, weil sie noch jung war; sie beneidete das Dienstmädchen, das drüben auf einem Holzbalken mit einem Soldaten saß und das sie lachen hörte. Sie hielt es zu Hause nicht länger aus, nahm Strohhut und Schirm und eilte auf die Straße. Da wurde ihr etwas wohler. In ihrem Zimmer hatte sie sich unglücklich gefühlt, jetzt war sie nur mehr verdrießlich.

In der Hauptstraße begegnete ihr Herr und Frau Mahlmann, deren Kindern sie Klavierunterricht gab. Die Frau wußte schon, daß Berta gestern bei einer Schneiderin in Wien ein Kleid bestellt hatte, und dieser Umstand wurde jetzt von ihr mit großer Wichtigkeit behandelt. Später traf Berta ihren Schwager, der ihr aus der Kastanienallee entgegenkam und ihr sagte: »Du warst ja gestern in Wien, was hast du denn dort gemacht? Hast du ein Abenteuer gehabt?«

»Wie?« fragte Berta und sah ihn ganz erschrocken an, als wäre sie ertappt worden.

»Nein? nicht? Du warst ja mit Frau Rupius, gewiß sind euch alle Herren nachgelaufen.«

»Was fällt dir denn ein, Schwager? Frau Rupius benimmt sich tadellos; sie ist eine der feinsten Damen die ich kenne.«

»Ja, ja, ich sage nichts gegen Frau Rupius und sage nichts gegen dich.«

Sie sah ihm ins Gesicht; in seinen Augen war ein Glanz wie manchmal, wenn er ein bißchen zu viel getrunken hatte. Sie mußte daran denken, daß irgendwer einmal prophezeit hatte, Herrn Garlan würde der Schlag treffen.

»Ich muß auch nächstens einmal wieder in die Stadt,« sagte er, »ja; ich bin seit dem Aschermittwoch nicht mehr drin gewesen, will wieder einmal einige von meinen Kunden besuchen. Ihr könnt mich nächstens einmal mitnehmen, Frau Rupius und du.«

»Mit Vergnügen,« sagte Berta. »Ich muß nächstens doch wieder hinein, um zu probieren.«

Garlan lachte. »Ja, da kannst du mich mitnehmen, wenn du probierst.« Er ging näher neben ihr als notwendig. Es war seine Art, sich immer an sie heranzudrängen, und auch seine Späße war sie gewohnt; aber heute war ihr alles das besonders zuwider. Es ärgerte sie sehr, daß gerade dieser Mensch stets in einer so verdächtigenden Weise über Frau Rupius sprach.

»Setzen wir uns,« sagte Herr Garlan, »wenn es dir recht ist.« Sie ruhten beide auf einer Bank aus, Garlan nahm die Zeitung aus der Tasche.

»Ah,« sagte Berta unwillkürlich.

»Willst du sie haben?« fragte Garlan.

»Hat sie deine Frau schon gelesen?«

»Ach was,« sagte Garlan wegwerfend. »Willst du sie haben?«

»Wenn du sie entbehren kannst.«

»Für dich mit Vergnügen. Wir können sie ja auch zusammen lesen.« Er rückte näher an Berta heran und blätterte auf.

Herr und Frau Martin kamen Arm in Arm und blieben stehen.

»Nun, schon wieder zurück von der großen Reise?« fragte Herr Martin.

»Ach ja, Sie waren in Wien,« sagte Frau Martin, indem sie sich an ihren Gatten schmiegte. »Und mit Frau Rupius?« fügte sie bei, als wenn das eine Verschärfung bedeutete.

Jetzt mußte Berta wieder von ihrer neuen Toilette berichten. Sie tat es schon ein bißchen mechanisch, aber sie fühlte doch, daß sie seit langer Zeit nicht so interessant gewesen war wie heute. Klingemann kam vorüber, grüßte mit spöttischer Höflichkeit und wandte sich nach Berta mit einem Blick um, in welchem sein Bedauern ausgedrückt schien, daß sie mit solchen Leuten verkehren müßten. Es war Berta, als hätte sie heute die Gabe, in den Blicken der Menschen zu lesen.

Es begann zu dunkeln. Man machte sich gemeinschaftlich auf den Rückweg. Berta wurde plötzlich besorgt, weil sie ihren Buben nicht getroffen hatte. Sie ging vorn mit Frau Martin. Diese lenkte das Gespräch auf Frau Rupius. Sie wollte durchaus herausbekommen, ob Berta nicht irgend etwas bemerkt hätte.

»Aber was denn, Frau Martin? Ich habe Frau Rupius zu ihrem Bruder begleitet und sie von dort wieder abgeholt.«

»Und sind Sie überzeugt, daß Frau Rupius die ganze Zeit bei ihrem Bruder war?«

»Ich weiß wirklich nicht, was man Frau Rupius zumutet! Wo sollte sie denn gewesen sein?«

»Nun,« sagte Frau Martin, »Sie sind wirklich naiv – oder stellen Sie sich nur so? Vergessen Sie denn ganz . . .« Und jetzt flüsterte sie Frau Berta eine Bemerkung zu, über die diese ganz rot wurde. Nie hatte sie von einer Frau einen solchen Ausdruck vernommen. Sie war entrüstet. »Frau Martin,« sagte sie, »auch ich bin noch keine alte Frau, und Sie sehen, daß man sehr gut so leben kann.«

Frau Martin wurde etwas verlegen. »Nun ja, nun ja,« sagte sie, »Sie müssen eben denken, daß ich ein bißchen verwöhnt bin.«

Berta fürchtete, daß ihr Frau Martin noch nähere Aufschlüsse geben könnte, und war sehr froh, daß man eben an die Straßenecke gekommen war, wo sie sich verabschieden durfte.

»Berta!« rief ihr ihr Schwager nach, »deine Zeitung!« Berta wandte sich rasch um und nahm das Blatt. Dann eilte sie nach Hause. Ihr Bub erwartete sie schon am Fenster. Sie ging rasch hinauf. Sie umarmte und küßte ihn, als hätte sie ihn wochenlang nicht gesehen. Sie fühlte, daß sie ganz in der Liebe zu ihrem Kind aufging, was sie zugleich mit Stolz erfüllte. Sie ließ sich von ihm erzählen, wie er den Nachmittag verbracht, wo er gewesen, mit wem er gespielt, teilte ihm sein Nachtmahl vor, entkleidete ihn, brachte ihn zu Bett und war zufrieden mit sich. Wie an einen Fieberanfall dachte sie an ihren Zustand vom heutigen Nachmittag, da sie in alten Briefen gewühlt, ihr Schicksal verflucht und sogar die Tabaktrafikantin beneidet hatte. Sie aß mit gutem Appetit und legte sich früh zu Bett. Bevor sie aber einschlief, wollte sie noch die Zeitung lesen; sie streckte sich aus, knüllte den weichen Polster zusammen, damit ihr Kopf höher läge, und brachte das Blatt der Kerze so nah als möglich. Sie durchflog wie gewöhnlich zuerst die Theater- und Kunstnachrichten. Aber auch die »Kleinen Anzeigen« hatten seit dem Wiener Ausflug neues Interesse für sie bekommen, sowie der Lokalbericht. Schon begannen ihr die Lider zu sinken, als sie mit einemmal unter den Personalnachrichten den Namen Emil Lindbach entdeckte. Sie öffnete die Augen weit, setzte sich im Bett auf und las: »Der königlich bayrische Kammervirtuose Emil Lindbach, über dessen große Erfolge am spanischen Hofe wir kürzlich zu berichten in der Lage waren, ist von der Königin von Spanien durch Verleihung des Erlöserordens ausgezeichnet worden.«

Ein Lächeln ging über ihr Gesicht. Sie freute sich. Emil Lindbach hatte den Erlöserorden bekommen ... ja ... derselbe, dessen Briefe sie heute gelesen, ... derselbe, der sie geküßt, – derselbe, der ihr einmal geschrieben, er würde nie eine andere anbeten als sie ... ja, Emil – der einzige Mensch von allen auf der Erde, der sie eigentlich noch etwas anging – außer ihrem Buben natürlich. Es war ihr, als stände diese Notiz nur für sie in der Zeitung, ja als hätte Emil dieses Mittel gewählt, um sich mit ihr zu verständigen. Ob nicht doch er es war, den sie gestern von weitem, von rückwärts gesehen? Sie kam sich mit einemmale ihm so nah vor, sie lächelte noch immer und flüsterte vor sich hin: »Herr Emil Lindbach, königlich bayrischer Kammervirtuose ... ich gratuliere Ihnen ...« Ihre Lippen blieben halb offen. Eine Idee war ihr plötzlich gekommen. Sie stand rasch auf, nahm ihren Schlafrock um, ging mit dem Licht vom Nachtkästchen ins Nebenzimmer, setzte sich an den Tisch und schrieb folgende Zeilen mühelos, als stände irgendwer neben ihr, der ihr diktierte:

»Lieber Emil!

Eben lese ich in der Zeitung, daß Du von der Königin von Spanien durch die Verleihung des Erlöserordens ausgezeichnet wurdest. Ich weiß nicht, ob Du Dich noch meiner erinnerst« – sie lächelte, als sie diese Worte niederschrieb – »aber ich will doch diese Gelegenheit nicht vorübergehen lassen, ohne Dir zu Deinen vielen Erfolgen zu gratulieren, von denen ich mit Vergnügen so oft lese. Ich lebe in der kleinen Stadt, wo mich das Schicksal hin verschlagen hat, sehr zufrieden; es geht mir ganz gut. Du würdest durch ein paar Antwortzeilen sehr glücklich machen

Deine alte Freundin Berta.

PS. Viele Grüße auch von meinem kleinen Fritz (fünf Jahre).«

Sie war zu Ende. Einen Augenblick fragte sie sich, ob sie erwähnen sollte, daß sie Witwe wäre; aber das, wenn er es nicht wußte, ging ja mit Deutlichkeit aus ihrem Brief hervor. Sie überlas ihn noch einmal und nickte befriedigt. Sie schrieb die Adresse. »Herrn Emil Lindbach, kgl. bayr. Kammer-Virtuosen, Besitzer des Erlöser-Ordens . . .« Sollte sie das schreiben? Er hatte gewiß noch viele andere. »Wien . . .« Aber wo wohnte er denn jetzt? Doch das war gleichgültig bei einem so berühmten Namen. Und dann, diese Ungenauigkeit in der Adressierung zeigte auch, daß sie selbst der ganzen Sache nicht gar so viel Wert beilegte; kam der Brief an, nun, um so besser. Es war auch eine Art, das Schicksal zu versuchen . . . ja – wie sollte sie aber mit Bestimmtheit wissen, ob der Brief angekommen war? Die Antwort konnte doch auch ausbleiben, wenn . . . Nein, nein, gewiß nicht! Er wird ihr doch danken. – So, nun zu Bett. Sie hielt den Brief in der Hand. Nein, sie konnte sich jetzt nicht schlafen legen, sie war wieder ganz wach; und überdies, wenn sie den Brief erst morgen früh aufgäbe, so konnte er erst mit dem Mittagszug fort, und Emil erhielt ihn übermorgen. Das war endlos lang. Eben hat sie zu ihm gesprochen, und erst in sechsunddreißig Stunden soll er es hören . . .? Wenn sie jetzt noch zur Post . . . nein, auf den Bahnhof ginge? Dann könnte er den Brief morgen um zehn Uhr haben. Er schläft ja gewiß sehr lang, man wird ihm den Brief mit dem Frühstück ins Zimmer bringen, schon morgen früh . . . Ja, so muß es geschehen! Sie kleidete sich rasch wieder an. Sie eilte über die Treppe hinunter – es war noch nicht spät, – rasch durch die Hauptstraße zum Bahnhof, den Brief in den gelben Kasten, und wieder zurück. Als sie in ihrem Zimmer stand, neben dem aufgewühlten Bett, und sie die Zeitung auf dem Boden liegen, die Kerze flackern sah, schien es ihr, als kehrte sie von einem seltsamen Abenteuer zurück; sie blieb noch lange auf dem Bettrand sitzen, durchs Fenster in die helle Sternennacht schauend, und war ganz erfüllt von unbestimmten, freundlichen Erwartungen. –

»Meine liebe Berta!

Ich kann dir gar nicht sagen, wie sehr ich mich über Deinen Brief gefreut habe. Denkst Du denn wirklich noch an mich? Wie komisch, daß gerade ein Orden der Anlaß für mich sein muß, wieder einmal was von Dir zu hören! Na, immerhin, so hat wenigstens auch ein Orden einmal einen Sinn gehabt. Also danke herzlich für die Gratulation. Im übrigen, kommst du nicht einmal nach Wien? Es ist doch nicht gar so weit. Ich möcht' mich riesig freuen, Dich wiederzusehen. Also komm' bald! Von Herzen Dein alter

Emil.«

Berta saß beim Frühstück, ihr Bub neben ihr, plaudernd, ohne daß sie auf ihn hörte, und dieser Brief lag vor ihr auf dem Tisch. Es war wie ein Wunder. Vorgestern nachts hatte sie den ihren auf die Post gegeben, und heute früh war dieser schon da. Emil hatte keinen Tag, nein, keine Stunde vergehen lassen! Und so herzlich hatte er ihr geschrieben, als wären sie gestern von einander gegangen. Sie sah zum Fenster hinaus. Was für ein herrlicher Morgen! Draußen sangen die Vögel, und von den Hügeln kam der Duft des Frühsommers herangeweht. Berta las den Brief wieder und wieder. Dann nahm sie den Buben, hob ihn in die Höhe und küßte ihn ab. Sie war glücklich, wie seit lang nicht. Während sie sich ankleidete, überlegte sie. Heute war Donnerstag, Montag sollte sie wieder nach Wien, probieren; das wären vier lange Tage; gerade so lang wie von dem Tag an, da sie bei ihrem Schwager zu Mittag speiste, bis heute – und was da alles dazwischen lag! Nein, sie mußte Emil früher sehen. Sie konnte ja schon morgen hineinfahren und ein paar Tage in der Stadt bleiben. Was aber sollte sie hier den Leuten sagen? . . . Ah, sie wird schon eine Ausrede finden! – Das Wichtigere ist, in welcher Weise sie ihm antworten und wo sie ihn wiedersehen sollte . . . Sie kann ihm nicht schreiben: Ich komme und bitte dich, mir zu sagen, wo ich dich sehen kann . . . Am Ende antwortet er ihr:

Komm zu mir . . . nein, nein, nein! Das beste ist, sie stellt ihn einer Tatsache gegenüber. Sie wird ihm schreiben: Ich komme an dem und dem Tage nach Wien und bin da und dort zu finden . . . Oh, wenn sie nur jemand hätte, mit dem sie über alles das reden könnte . . . Sie dachte an Frau Rupius – sie hatte eine wahre Sehnsucht, ihr das mitzuteilen. Zugleich hatte sie die Empfindung, als käme sie dadurch dieser Frau näher und könnte ihre Achtung gewinnen. Sie fühlte, daß sie viel mehr geworden, seit dieser Brief an sie gelangt war. Jetzt merkte sie auch, daß sie sich sehr gefürchtet hatte; Emil konnte ja ein ganz anderer geworden sein, eingebildet, unnatürlich, verwöhnt – wie eben berühmte Männer manchmal sein sollen. Aber von all dem war ja keine Spur; es war die gleiche, starklinige, rasche Schrift, der gleiche warme Ton, wie in jenen Briefen von früher. Und was er seither auch erlebt haben mochte – nun, hatte sie nicht auch vieles erlebt, und war jetzt nicht alles wie ausgelöscht? – Vor dem Fortgehen las sie Emils Brief noch einmal. Er wurde immer lebendiger, sie hörte den Tonfall der Worte, und jenes abschließende »Komm bald« rief nach ihr, wie in zärtlicher Sehnsucht. Sie steckte den Brief in ihr Mieder und erinnerte sich, daß sie dasselbe als junges Mädchen öfters mit seinen kleinen Zetteln getan, und daß sie die leise Berührung mit einem angenehmen Schauer erfüllt hatte.

Sie ging zuerst zu Mahlmanns, wo sie die Zwillinge unterrichtete. Sehr häufig taten ihr die Fingerübungen, die sie da anhören mußte, geradezu weh, und sie schlug die Kleinen ärgerlich auf die Hände, wenn sie danebengriffen. Heute war sie ohne jede Strenge. Als Frau Mahlmann ins Zimmer trat, dick und freundlich wie immer, und sich erkundigte, ob Berta zufrieden sei, lobte Berta die Kleinen, und wie in einer plötzlichen Erleuchtung setzte sie hinzu: »Nun werd' ich ihnen ein paar Tage freigeben können.«

»Frei? Wieso denn, liebe Frau Garlan?«

»Ja, Frau Mahlmann, es wird mir nichts anderes übrigbleiben. Denken Sie, wie ich neulich in Wien war, hat mich meine Cousine so dringend aufgefordert, doch einmal ein paar Tage bei ihr zu wohnen.«

»Freilich, freilich,« sagte Frau Mahlmann.

Berta wurde immer mutiger und log weiter mit einer Art von Vergnügen über ihre eigene Frechheit. »Ich wollte es mir eigentlich auf den Juni lassen. Aber da kommt heute ein Brief von ihr,

ihr Mann verreist, sie ist so allein und gerade jetzt« – sie fühlte den Brief knistern, hatte eine unbeschreibliche Lust, ihn hervorzuziehen, unterließ es aber doch – »und ich denke, daß ich vielleicht die Gelegenheit benütze . . .«

»No freilich,« sagte Frau Mahlmann und faßte Berta bei beiden Händen, »wenn ich eine Cousine in Wien hätt', ich möcht' alle vierzehn Tag' acht Tag' bei ihr wohnen.«

Berta strahlte. Ihr war, als räumte eine unsichtbare Hand die Hindernisse aus dem Weg; alles ging so leicht. Nun ja, wem war sie schließlich Rechenschaft schuldig? Plötzlich aber durchzuckte sie die Befürchtung, ob ihr Schwager wirklich auch nach Wien wollte. Alles verwirrte sich wieder, Gefahren tauchten auf, und selbst unter dem gutmütigen Lächeln der Frau Mahlmann lauerte der Verdacht . . . Ah, sie mußte unbedingt Frau Rupius ins Vertrauen ziehen! Gleich nach der Lektion nahm sie den Weg zu ihr.

Erst als sie Frau Rupius in einer weißen Morgentoilette auf dem Sofa sitzen fand und den erstaunten Blick bemerkte, der sie empfing, fiel Berta das Sonderbare ihres frühen Besuches auf, und sie sagte mit erkünstelter Heiterkeit: »Guten Morgen! Früh komm' ich heut, nicht wahr?«

Frau Rupius blieb ernst, sie hatte nicht das Lächeln wie sonst. »Ich freue mich sehr, Sie zu sehen. Die Stunde gilt mir gleich.« Dann sah sie sie fragend an, und Berta wußte nicht, was sie sagen sollte; dabei ärgerte sie sich über die kindische Befangenheit, die sie dieser Frau gegenüber nicht los werden konnte. »Ich wollte Sie fragen,« sagte sie endlich, »wie Ihnen unser Ausflug bekommen ist.«

»Ganz gut,« sagte Frau Rupius etwas hart. Aber mit einmal veränderten sich ihre Züge, und sie setzte mit übergroßer Freundlichkeit hinzu: »Eigentlich wär' es an mir gewesen, Sie zu fragen. Ich bin ja diese Ausflüge gewohnt.« Sie schaute durchs Fenster, während sie das sagte, und Berta folgte unwillkürlich ihren Blikken, die auf die andere Seite des Marktplatzes wanderten, zu einem offenen Fenster mit Blumenstöcken. Es war ganz still, die Ruhe eines Sommertags über einer schlafenden Stadt. Berta hätte sich am liebsten neben Frau Rupius gesetzt, sich von ihr auf die Stirne küssen und segnen lassen; aber zugleich hatte sie Mitleid mit ihr. Alles das war ihr selbst rätselhaft. Wozu war sie nun eigentlich hierher gekommen? Was sollte sie ihr denn sagen? »Ich werde morgen nach Wien fahren, meinen Jugendgeliebten wiedersehen« . . . ? Was ging das alles Frau Rupius an? Interessierte sie es denn auch nur im mindesten? Sie saß da, wie von irgend etwas Undurchdringlichem umgeben, man konnte nicht zu ihr. – *Sie* konnte nicht zu ihr, das war es. Gewiß gab es ein Wort, mit dem man sich den Zugang zu ihr eröffnen konnte, nur daß Berta es nicht kannte.

»Was macht denn Ihr Kleiner?« fragte Frau Rupius, ohne den Blick von den Blumenstöcken zu wenden.

»Es geht ihm gut wie immer; er ist sehr brav. Es ist ein unendlich gutes Kind.« Sie legte eine absichtliche Zärtlichkeit in dieses Wort, als wäre Frau Rupius vielleicht dadurch zu gewinnen.

»Ja, ja,« sagte diese, und im Ton lag etwa: es ist schon gut, darum hab' ich Sie nicht gefragt. Dann setzte sie hinzu: »Haben Sie ein verläßliches Kindermädchen?« Berta war einigermaßen erstaunt über diese Frage und erwiderte: »Mein Mädchen hat ja noch vielerlei anderes zu tun, aber ich kann mich nicht über sie beklagen; sie kocht auch sehr gut.«

Nach einem kurzen Schweigen sagte Frau Rupius ganz trocken: »So einen Buben zu haben, das muß ein großes Glück sein.«

»Es ist ja mein einziges,« sagte Berta überlaut. Es war eine Antwort, die sie schon oft gegeben, aber heute wußte sie, daß sie nicht ganz aufrichtig war. Sie fühlte das Blatt Papier ihre Haut berühren, und beinah erschreckt sah sie ein, daß sie es auch als Glück empfand, diesen Brief erhalten zu haben. Zugleich fiel ihr ein, daß die Frau, die ihr gegenübersaß, kein Kind und auch nicht die Aussicht hatte, eines zu bekommen, und so hätte Berta gern wieder zurückgenommen, was sie gesagt. Ja, sie war nah daran, nach einem Wort der Einschränkung zu suchen, aber als könnte Frau Rupius in ihre Seele schauen und keine Lüge dürfte vor ihr bestehen, sagte sie gleich: »Ihr einziges Glück? Sagen Sie: ein großes, das ist auch nicht wenig. Ich beneide Sie manchmal darum, obzwar ich eigentlich glaube, daß schon das Leben an und für sich Ihnen Freude macht.«

»Ich lebe ja so einsam, so . . .«

Anna lächelte. »Nun ja, ich habe es nicht so gemeint; ich meine: daß die Sonne scheint, daß wir jetzt so schönes Wetter haben, das macht Sie auch froh.«

»O ja, sehr!« erwiderte Berta mit Beflissenheit. »Ich bin in meiner Laune überhaupt von der Witterung abhängig. Wie das Gewitter vor ein paar Tagen war, da bin ich vollkommen niedergedrückt gewesen, und dann, als es vorbei war –«

Frau Rupius unterbrach sie. »Das ist ja bei jedem Menschen so.«

Berta wurde kleinlaut; sie fühlte es: für diese Frau war sie nicht klug genug, sie konnte immer nur so hin und her reden wie die anderen Frauen in der kleinen Stadt. Es war ihr, als hätte Frau Rupius jetzt eine Prüfung mit ihr veranstaltet, die sie nicht bestanden hatte, und mit einemmal bekam sie eine große Angst vor dem Wiedersehen mit Emil. Wie würde sie sich dem gegenüber anstellen? Wie war sie in diesem sechsjährigen engen Leben verschüchtert und hilflos geworden!

Frau Rupius stand auf. Der weiße Morgenrock wallte um sie, sie sah größer und schöner aus als sonst, und Berta mußte an eine Schauspielerin denken, die sie vor sehr langer Zeit auf der Bühne gesehen und die ganz ähnlich ausgeschaut hatte. Sie dachte: Wär' ich doch wie sie, dann wäre mir nicht bang! und zugleich fiel ihr ein, daß diese wunderschöne Frau mit einem kranken Mann verheiratet war. – Ob die Leute nicht doch recht hatten? Aber von hier aus konnte sie wieder nicht weiter; auf welche Weise die Leute recht haben sollten, konnte sie sich nicht vorstellen. Und in diesem Augenblick kam eine Ahnung über sie von der Schwere des Schicksals, das über diese Frau verhängt war, ob sie es nun trüge oder sich dagegen wehrte. Doch als hätte Anna wieder in den Gedanken Bertas gelesen und duldete nicht, daß sie in dieser Weise sich in ihr Vertrauen einschliche, löste sich plötzlich der unheimliche Ernst ihres Gesichts, und sie sagte harmlos: »Denken Sie, daß mein Mann jetzt noch schläft. Er hat die Gewohnheit angenommen, bis tief in die Nacht hinein wach zu bleiben, zu lesen und Stiche anzuschauen, und dann schläft er bis zum hellen Mittag. Im übrigen, das ist ganz Gewohnheitssache; als ich noch in Wien lebte, war ich eine unglaubliche Langschläferin.« Und nun begann sie von ihren Mädchenjahren zu plaudern, heiter und mit einer Zutraulichkeit, wie sie Berta nie früher an ihr bemerkt. Sie erzählte von ihrem Vater, der Offizier im Generalstab gewesen, von ihrer Mutter, die als ganz junge Frau gestorben war, von dem kleinen Haus mit Garten, in dem sie als Kind gespielt hatte. Jetzt erst erfuhr Berta, daß Frau Rupius ihren Mann schon als Knaben kennen gelernt, daß er mit den Seinen im angrenzenden Haus gewohnt und daß sie sich schon als Kinder verlobt hatten. Es war für Berta, als wenn die ganze Jugend dieser Frau wie sonnenbestrahlt auftauchte, eine Jugend voll Glück und voll Hoffnung, und es schien ihr, als hätte auch die Stimme der Frau Rupius einen frischeren Klang, da sie nun von den Reisen erzählte, die sie in früherer Zeit mit ihrem Manne unternommen. Berta ließ sie nur immer weiterreden und scheute sich, sie anzurufen, als wäre sie eine Mondsüchtige, die über Dachfirste wandelt. Aber während Frau Rupius von einer vergangenen Zeit sprach, als deren besondere Schönheit immer die Seligkeit des Geliebtwerdens durchschimmerte, begann es in Bertas Seele mitzubeben, von der Hoffnung eigenen Glücks, das sie noch nicht erlebt. Und während Frau Rupius von Fußwanderungen erzählte, – durch die Schweiz und Tirol – die sie einmal mit ihrem Gatten unternommen, sah Berta sich selbst an der Seite Emils auf gleichen Wegen wandeln, und eine so ungeheure Sehnsucht erfüllte sie, daß sie am liebsten gleich aufgestanden, nach Wien gefahren wäre, ihn suchen, in seine Arme stürzen, endlich einmal die Wonnen erleben, die ihr bisher versagt geblieben waren.

Ihre Gedanken irrten so weit, daß sie nicht bemerkte, wie Frau Rupius längst wieder schwieg, auf dem Sofa saß und mit starren Augen zu den Blumenstöcken des Hauses gegenüber sah. Die große Stille weckte Berta auf; das ganze Zimmer schien ihr wie erfüllt von etwas Geheimnisvollem, in dem Vergangenes und Zukünftiges sonderbar ineinander spielten. Sie fühlte einen unbegreiflichen Zusammenhang zwischen sich und dieser Frau. Sie stand auf, reichte ihr die Hand, und, als wäre es ganz selbstverständlich, küßten sich die beiden Frauen zum Abschied, wie alte Freundinnen. Bei der Türe sagte Berta: »Ich fahre morgen wieder nach Wien auf einige Tage.« Sie lächelte dabei wie eine Braut.

Von Frau Rupius ging sie zu ihrer Schwägerin. Ihr Neffe saß schon am Klavier und phantasierte sehr wild auf den Tasten; er tat, als bemerkte er ihr Eintreten nicht, und ging in Fingerübungen über, die er mit gemacht steifer Gelenkhaltung spielte.

»Wir werden heute vierhändig spielen,« sagte Berta und suchte den Band mit den Schubertschen Märschen hervor. Sie hörte sich selbst gar nicht zu und merkte kaum, wie ihr Neffe beim Pedalgreifen ihren Fuß berührte. Indes kam Elly herein und küßte die Tante. »Ja, richtig,« sagte der Neffe, »das hab' ich ganz vergessen.« Und, immer weiterspielend, näherte er seinen Mund der Wange Bertas.

Die Schwägerin trat ein, mit dem Schlüsselbund klappernd und tiefe Schwermut in dem blassen, verschwommenen Gesicht.

»Ich habe die Brigitte entlassen,« sagte sie tonlos. »Es war nicht mehr auszuhalten.«

»Soll ich dir ein Mädchen aus Wien versorgen?« sagte Berta mit einer Leichtigkeit, über die sie selbst staunte. Und nun erzählte sie die Lüge von der Einladung der Cousine ein zweites Mal, mit noch größerer Sicherheit und bereits ein wenig ausgeschmückt. Die innere Freude, die sie selbst während ihrer Erzählung verspürte, steigerte zugleich ihren Mut. Selbst die Möglichkeit, daß ihr Schwager sich ihr anschließen könnte, schreckte sie nicht mehr. Auch fühlte sie, daß sie durch die Art, in der er sich ihr zu nähern pflegte, im Vorteil ihm gegenüber war.

»Wie lang denkst du denn in der Stadt zu bleiben?« fragte die Schwägerin.

»Zwei, drei Tage, länger gewiß nicht. Und weißt du, Montag hätt' ich jedenfalls hinein müssen – zur Schneiderin.«

Richard klimperte auf dem Piano, aber Elly stand, mit beiden Armen auf das Klavier gestützt, und sah ihre Tante mit beinahe angstvollen Blicken an. Berta rief unwillkürlich aus: »Was hast du denn?«

Elly fragte: »Warum denn?«

Berta sagte: »Du siehst mich so komisch an, als wenn du – ja, als wenn's dir nicht recht wäre, daß du zwei Tage keine Klavierstunde hast.«

»Nein,« erwiderte Elly und lächelte, »das ist es nicht. Aber ... nein, ich kann's nicht sagen.«

»Was denn?« fragte Berta.

»Nein, bitte, ich kann's wirklich nicht sagen.« Sie umhalste die Tante wie flehend.

»Elly,« sagte die Mutter, »ich dulde nicht, daß du Geheimnisse hast.« Sie setzte sich nieder, als wenn sie aufs tiefste gekränkt und sehr ermüdet wäre.

»Nun, Elly,« sagte Berta, von einer unbestimmten Angst erfüllt, »wenn ich dich schon bitte ...«

»Aber du darfst mich nicht auslachen, Tante.«

»Gewiß nicht.«

»Siehst du, Tante, schon das letztemal, wie du fort warst, hab' ich mich so gefürchtet, – ich weiß ja, es ist dumm ... wegen ... wegen der vielen Wagen in den Straßen ...«

Berta atmete wie erleichtert auf und streichelte die Wangen Ellys. »Ich werde schon achtgeben, du kannst ganz ruhig sein.«

Die Mutter schüttelte den Kopf. »Ich fürchte,« sagte sie, »Elly wird sehr überspannt.«

Bevor Berta sich entfernte, wurde noch verabredet, daß sie zum Abendessen kommen sollte und daß sie ihren Kleinen während der Dauer ihrer Abwesenheit zu den Verwandten ins Haus geben sollte.

Nach Tisch setzte sich Berta an den Schreibtisch, las den Brief Emils noch einigemal und entwarf ihre Antwort.

»Mein lieber Emil!

Es ist sehr liebenswürdig von Dir, mir so bald zu antworten. Ich war ganz glücklich« – sie strich »ganz glücklich« wieder aus und setzte dafür »sehr erfreut, als ich Deine lieben Zeilen erhielt. Wie vieles hat sich verändert, seit wir uns nicht gesehen haben! Du bist seitdem ein berühmter Virtuose geworden, was für mich niemals einem Zweifel unterlag« – Sie hielt inne und strich den ganzen Satz wieder aus. »Auch ich teile Deinen Wunsch, mich bald wiederzusehen« . . . nein, das war ja ein Unsinn! Also: »Auch mir wäre es riesig angenehm, wenn ich Dich wieder einmal sprechen könnte.« – Jetzt fiel ihr etwas Vortreffliches ein, und sie schrieb mit vielem Vergnügen: »Es ist eigentlich sonderbar, daß wir uns so lange nicht begegnet sind, da ich gar nicht selten nach Wien komme, so zum Beispiel Ende dieser Woche.« . . . Jetzt ließ sie die Feder sinken und dachte nach. Sie war entschlossen, morgen Nachmittag nach Wien zu fahren, in einem Hotel abzusteigen und dort zu schlafen, um am nächsten Tag ganz frisch zu sein und schon ein paar Stunden Wiener Luft geatmet zu haben, ehe sie mit ihm zusammentraf. Nun galt es noch, den Ort festzustellen. Der war leicht gefunden. »Deinem freundlichen Wunsche gemäß teile ich Dir mit, daß ich Samstag vormittag um elf Uhr« . . . nein, das war nicht das rechte! Es war so geschäftsmäßig und doch wieder zu bereitwillig. Sie schrieb: »Willst Du Deine alte Freundin schon bei dieser Gelegenheit wiedersehen, so bemühe Dich am Samstag Vormittag elf Uhr ins kunsthistorische Museum zu den Niederländern.« Sie kam sich ziemlich großartig vor, als sie das niederschrieb, und alles Verdächtige schien damit weggewischt. Sie überlas ihr Konzept. Es erschien ihr etwas trocken, aber schließlich enthielt es das Notwendigste, und sie hatte sich nichts vergeben; alles andere würde sich im Museum finden, bei den Niederländern. Sie schrieb den Entwurf ins Reine, unterzeichnete, kuvertierte und eilte auf die sonnige Straße hinunter, um den Brief in den nächsten Kasten zu werfen. Wieder zu Hause, warf sie ihr Kleid ab, nahm einen Schlafrock um, setzte sich auf den Diwan und blätterte in einem Roman von Gerstäcker, den sie schon zehnmal gelesen. Aber sie vermochte kein Wort zu fassen. Anfangs versuchte sie, die Gedanken, die sie bedrängten, von sich abzuweisen, aber es half nichts. Sie schämte sich vor sich selbst, aber immer wieder träumte sie sich in Emils Armen. Warum denn nur? Daran hatte sie doch noch gar nicht gedacht! Nein ... daran wird sie auch nie denken ... sie ist keine solche Frau ... Nein, sie kann nicht die Geliebte von jemandem werden – und nun gar diesmal ... Ja, vielleicht, wenn sie noch einmal nach Wien kommt und wieder und wieder ... nun ja, viel später – vielleicht. Und im übrigen: er wird es ja auch gar nicht wagen, davon zu reden, es nur anzudeuten ... Aber es half nichts, sie konnte nichts anderes mehr denken. Immer zudringlicher kamen ihre Träume, und endlich gab sie den Kampf auf, lehnte träg in der Ecke des Diwans, ließ das heruntergeglittene Buch auf dem Boden liegen und schloß die Augen.

Als sie sich nach einer Stunde wieder erhob, schien ihr eine ganze Nacht vergangen zu sein, insbesondere der Besuch bei Frau Rupius lag weit zurück. Wieder wunderte sie sich über diese Regellosigkeit der Stunden; wahrhaftig, sie waren länger und kürzer, wie es ihnen beliebte. Sie kleidete sich an, um mit Fritz spazieren zu gehen. Sie war in der müd gleichgültigen Stimmung, wie sie nach ungewohntem Nachmittagsschlaf zu kommen pflegt, in der man kaum die Fähigkeit hat, sich ganz auf sich selbst zu besinnen, in der einem das Gewöhnliche seltsam, aber wie auf jemand anderen bezogen, vorkommt. Sie empfand es zum erstenmal als sonderbar, daß der Bub, den sie jetzt in sein Gewand steckte, ihr eigenes Kind war, das sie von einem empfangen, der längst begraben war, und das sie unter Schmerzen geboren. Irgend etwas in ihr sagte ihr, daß sie heut wieder einmal auf den Friedhof gehen müßte. Sie hatte aber nicht die Empfindung, als hätte sie ein Unrecht gutzumachen, sondern als müßte sie jemanden, dem sie sich ohne triftigen Grund entfremdet, höflicherweise wieder einmal besuchen. Sie wählte den Weg durch die Kastanienallee. Hier drückte die Hitze heute besonders schwer. Erst als sie in die Sonne trat, wehte ein leichter Hauch, und vom Friedhof her schien das Laub der Bäume durch leichtes Neigen sie zu begrüßen. Als sie mit dem Buben durch die Friedhoftür eintrat, kam es ihr kühl, ja erfrischend entgegen. In einer milden, beinah süßen Müdigkeit spazierte sie durch die große Mittelallee, ließ den Buben voranlaufen und kümmerte sich nicht, wie er hinter einem Grabstein ihrem Blick auf Sekunden entschwand, was sie sonst nie leiden mochte. Vor dem Grabe ihres Mannes blieb sie stehen, schaute aber nicht auf das Blumenbeet herunter, wie es sonst ihre Art war, sondern an dem Marmor vorbei, weg über die Mauer, in den blauen Himmel. Sie fühlte keine Träne im Auge, keine Rührung, kein Grauen; sie dachte eigentlich nicht daran, daß sie über Tote hingeschritten war, und daß hier unter ihr einer in Staub zerfiel, der sie einmal in den Armen gehalten hatte.

Plötzlich hörte sie Schritte hinter sich auf dem Kies, eilige, wie sie sie sonst an diesem Ort nicht zu hören gewohnt war, – beinah verletzt wandte sie sich um. Klingemann stand vor ihr, hielt seinen Strohhut, der durch ein Band an einem Rockknopf befestigt war, grüßend in der Hand und neigte sich tief vor Berta.

»Nein, was für ein sonderbarer Zufall,« sagte diese.

»Das eben nicht, gnädige Frau; ich sah Sie von der Straße aus, an Ihrer Art zu gehen hab' ich Sie erkannt.« Er sprach sehr laut, und Berta sagte fast unwillkürlich: »Sst!« Auf Klingemanns Antlitz erschien sofort ein höhnisches Lächeln, und er sagte zwischen den Zähnen: »Er wacht nicht auf.« Berta war über diese Bemerkung so entrüstet, daß sie gar nicht nach einer Antwort suchte, sondern sich wegwandte, nach Fritz rief und sich entfernen wollte. Aber Klingemann faßte ihre Hand und flüsterte, indem er zu Boden sah: »Bleiben Sie.« Berta machte die Augen weit auf; sie begriff das nicht. Plötzlich blickte Klingemann wieder vom Boden auf und bohrte seine Augen in die Bertas. Dann sagte er: »Ich liebe Sie nämlich!« Berta stieß einen leisen Schrei aus. Klingemann ließ ihre Hand los und setzte in ganz leichtem Gesprächston hinzu: »Das kommt Ihnen wohl etwas verwunderlich vor?«

»Es ist unerhört, es ist unerhört!« Sie wollte wieder gehen und rief: »Fritz!«

Klingemann sprach, jetzt in bittendem Tone: »Bleiben Sie! Wenn Sie mich jetzt allein lassen, Berta . . .«

Berta hatte ihre Besinnung wiedergefunden. Sie sagte heftig: »Nennen Sie mich nicht Berta! Wer hat Ihnen dazu das Recht gegeben? Ich habe keine Lust, weiter mit Ihnen zu reden . . . Und gar hier,« setzte sie hinzu mit einem Blick nach unten, der den Toten gleichsam um Entschuldigung bat. Indes war Fritz auch herzugekommen. Klingemann schien sehr enttäuscht. »Gnädige Frau,« sagte er und folgte Berta, die, den Kleinen an der Hand führend, sich langsam entfernte, »ich fühle mein Unrecht, ich hätte anders anfangen und erst am Schlusse einer wohlgesetzten Rede das sagen sollen, wodurch ich Sie nun erschreckt zu haben scheine.«

Berta sah ihn nicht an, sondern sagte, als wenn sie zu sich selbst spräche: »Ich hätte es nicht für möglich gehalten; ich dachte, ein gebildeter Mensch . . .« Sie waren an der Friedhofstür. Klingemann sah noch einmal zurück, und in seinem Blick lag das Bedauern, daß er seine Szene am Grabe nicht hatte zu Ende spielen können; aber, immer an der Seite Bertas, den Hut in der Hand und das Band, an dem er befestigt war, um den Finger drehend, sprach er weiter: »Ich kann nun nichts anderes tun, als wiederholen, daß ich Sie liebe, daß Sie mich in meinen Träumen verfolgen – mit einem Wort: Sie müssen mein werden.« Wieder blieb Berta wie entsetzt stehen.

»Sie werden diese Bemerkung vielleicht frech finden, aber nehmen wir die Dinge, wie sie sind: Sie . . .« er machte eine lange Pause – »sind allein, ich nicht minder –«

Berta starrte Klingemann ins Gesicht.

»Ich weiß, woran Sie denken,« sagte Klingemann. »Alles das hat nichts zu bedeuten, alles das ist im Augenblick aus, wo Sie es befehlen. Eine dunkle Ahnung sagt mir, daß wir zwei sehr gut füreinander passen, ja wenn mich nicht alles trügt, dürfte das Blut in Ihren Adern, gnädige Frau, nicht weniger heiß fließen, als . . .« Der Blick, der ihn jetzt aus Bertas Auge traf, war so erfüllt von Zorn und Ekel, daß Klingemann den Satz nicht vollenden konnte. Er begann daher einen andern. »Ach, was ist das eigentlich für ein Leben, das ich jetzt führe! Es ist eben schon sehr lange Zeit verflossen, seit ich von einer edlen Frau, wie Sie es sind, geliebt worden. Ich verstehe ja Ihr Zögern oder vielmehr Ihre Ablehnung. Zum Teufel noch einmal, es gehört schon ein bißchen Courage dazu, sich mit einem so verlotterten Kerl, wie ich einer bin . . . Obzwar es vielleicht nicht einmal so arg ist – Ah, wenn ich eine menschliche Seele, eine gütige, weibliche Seele« – er betonte »Seele« – »fände . . . Ja, gnädige Frau, mir war es so wenig an der Wiege gesungen als Ihnen, daß ich in einem solchen Nest verkümmern und versauern werde. Sie dürfen's mir nicht übelnehmen, wenn ich . . . wenn ich –« Die Worte begannen ihm zu versagen, seit er nahezu die Wahrheit sprach. Berta sah ihn an. Er kam ihr jetzt ein bißchen lächerlich, beinah bedauernswert und recht alt vor, und sie wunderte sich, daß dieser Mann noch den Mut hatte, nicht etwa um sie anzuhalten – nein, sogar einfach um ihre Gunst zu werben.

Und doch, zu ihrem eigenen Staunen und zu ihrer Beschämung, überströmte es sie, auch aus diesen ungebührlichen Worten eines Menschen, der ihr lächerlich erschien, wie mit einer Welle von Verlangen; denn wie diese Worte schon verklungen waren, hörte sie sie im Geiste wieder – aber wie aus dem Mund eines anderen, der in Wien ihrer harrte; – und sie empfand, daß sie diesem nicht widerstehen könnte. Klingemann redete noch immer weiter, er sprach davon, daß sein Dasein ein verfehltes, aber der Rettung würdiges wäre; die Frauen hätten ihn auf dem Gewissen, und eine Frau müßte ihn wieder emporziehen. Schon als Student war er mit einer durchgegangen, und damit fing das Elend an. Er redete von seinen ungebändigten Sinnen, und Berta mußte lächeln; dabei schämte sie sich der Sachverständigkeit, die ihr selbst in diesem Lächeln zu liegen schien. Beim Haustor sagte Klingemann: »Ich werde heute Abend vor Ihrem Fenster auf und ab gehen. Werden Sie Klavier spielen?«

»Ich weiß nicht.«

»Ich werd' es als Zeichen nehmen.« Damit ging er.

Am Abend saß sie wie so oft am Tisch von Schwager und Schwägerin, zwischen Richard und Elly. Man sprach von ihrer bevorstehenden Reise nach Wien, als handelte es sich tatsächlich um nichts anderes als um den Besuch bei der Cousine, um das Probieren bei der Schneiderin und um einige Besorgungen, welche sie für den Haushalt der Schwägerin zu übernehmen versprochen. Gegen Ende des Nachtmahls, während der Schwager seine Pfeife rauchte, Richard ihm aus der Zeitung vorlas, die Mutter strickte und Elly, ganz nah neben Berta gerückt, ihren Kinderkopf an ihre Brust lehnte, erschien sich Berta wie eine abgefeimte Lügnerin. Hier saß sie, die Witwe eines braven Mannes, im Familienkreise, der sich ihrer so treu angenommen, an der Seite eines jungen Mädchens, das wie zu einer älteren Freundin zu ihr aufblickte, sie, bisher selbst eine brave Frau, die ihr Leben anständig und in Arbeit hingebracht, nur für ihren kleinen Sohn gelebt hatte, – und war sie jetzt nicht im Begriff, alles das hinzuwerfen, diese trefflichen Leute zu belügen und sich in ein Abenteuer zu stürzen, dessen Ende sie nicht absehen konnte? Denn was war in den letzten Tagen aus ihr geworden, von welchen Träumen war sie verfolgt, wie schien ihr ganzes Dasein nur mehr dem einen Augenblick entgegenzustreben, da sie wieder in den Armen eines

Mannes liegen durfte? Wenn sie nur daran dachte, überlief sie der unsagbare Schauer, unter dem sie sich willenlos, wie einer fremden Macht verfallen, vorkam. Und während die Worte, die Richard las, eintönig an ihr Ohr schlugen und ihre Finger mit den Locken Ellys spielten, lehnte sie sich ein letztes Mal auf, schwor sich zu, daß sie standhaft sein, daß sie nichts anderes wollte, als Emil wiedersehen, und daß sie, wie alle braven Frauen, die sie kannte, wie ihre längst verstorbene Mutter, wie ihre Cousine in Wien, wie Frau Mahlmann, wie Frau Martin, wie ihre Schwägerin und wie ... ja, wie gewiß auch Frau Rupius nur dem angehören wollte, der sie zu seiner Gattin machte. Wie sie aber daran dachte, durchfuhr es sie wie ein Blitz: wenn er selbst ... wenn Emil ... Aber sie hatte Angst vor diesem Gedanken, sie wies ihn von sich. Nicht mit so kühnen Träumen durfte sie zu diesem Rendezvous fahren. Er, der große Künstler, und sie, eine arme Witwe mit einem Kind ... Nein, nein! – Sie wird ihn noch einmal wiedersehen ... ja, im Museum, bei den Niederländern ... einmal und zugleich das letztemal, und sie wird es ihm auch sagen, daß sie nichts anderes wollte, als ihn noch einmal sehen. Mit einer lächelnden Genugtuung stellt sie sich sein etwas enttäuschtes Gesicht vor, und sie legt, wie zur Vorübung, ihr Gesicht in ernste Falten und weiß schon die Worte, die sie ihm sagen wird: O nein, Emil, wenn du das glaubst ... Aber sie darf diese Worte nicht in allzu hartem Tone sagen, damit er nicht wie damals ... vor zwölf Jahren! ... schon nach dem ersten Versuch einhält; er soll sie ein zweites, er soll sie ein drittes Mal – ach Gott, er soll sie eben so lange bitten, bis sie nachgibt ... Denn sie fühlt es, hier, inmitten aller dieser guten, anständigen, tugendhaften Leute, zu denen sie dann freilich nicht mehr zählen wird, – sie wird nachgeben, sobald er es verlangt. Sie fährt nur nach Wien, um seine Geliebte zu werden und nachher, wenn's sein muß, zu sterben.

Am anderen Nachmittag reiste Berta ab. Es war sehr heiß, die Sonne brannte auf die ledernen Sitze, Berta hatte das Fenster geöffnet und den gelben Vorhang vorgezogen, der aber immer im Luftzug hin- und herflatterte. Sie war allein. Aber sie dachte kaum an den Ort, an den sie fuhr, an den Menschen, den sie wiedersehen wollte, an das, was ihr bevorstehen mochte, – sondern nur an die seltsamen Worte, die sie eben, eine Stunde vor ihrer Abreise vernommen. Sie hätte sie gern vergessen, wenigstens für die nächsten Tage. Warum hatte sie nur diese paar

Stunden zwischen Mittagessen und Abfahrt nicht zu Hause bleiben können? Welche Unruhe trieb sie, an dem glühend heißen Nachmittag aus ihrem Zimmer auf die Straße, auf den Markt, und hieß sie an der Wohnung Rupius' vorbeigehen? Da saß er auf dem Balkon, die Augen auf das strahlend weiße Pflaster gerichtet, und über die Knie, wie immer, den grauen Plaid gebreitet, dessen Enden zwischen den Gitterstäben des Balkons herabhingen; vor ihm das kleine Tischchen mit der Flasche Wasser und dem Glas. Als er Berta gewahrte, richteten seine Augen sich auf sie, als bäte er sie um etwas, und sie merkte, wie er sie durch eine leichte Kopfbewegung zu sich rief. Warum folgte sie ihm? Warum nahm sie es nicht einfach als Gruß, dankte und ging ihres Wegs? Wie sie aber, seinem Wink gehorchend, dem Haustor sich zuwandte, sah sie, wie ein Lächeln des Danks über seine Lippen glitt, und das gleiche fand sie noch auf seinem Antlitz, als sie durch das kühle, dunkle gehaltene Zimmer zu ihm auf den Balkon trat, seine entgegengestreckte Hand nahm und sich an die andere Seite des Tischchens ihm gegenüber setzte.

»Wie geht's Ihnen?« fragte sie.

Er erwiderte anfangs nichts, dann merkte sie an Bewegungen in seinem Gesicht, daß er reden wollte, aber es war, als könnte er kein Wort herausbringen; endlich stieß er hervor, die ersten Worte überlaut: »Sie will mich . . .« dann, als sei er selbst von dem beinahe schreienden Ton erschrocken, ganz leise: »verlassen. Meine Frau will mich verlassen.«

Berta sah unwillkürlich um sich.

Rupius hob die Hände wie beruhigend. »Sie hört uns nicht. Sie ist in ihrem Zimmer; sie schläft.«

Berta wurde verlegen, sie stammelte: »Woher wissen Sie . . .? Das ist ja nicht möglich!«

»Fortreisen will sie – fortreisen, auf einige Zeit, wie sie sagt . . . auf einige Zeit . . . verstehen Sie mich?«

»Nun ja, wahrscheinlich zu ihrem Bruder.«

»Auf immer will sie fort . . . auf immer! Natürlich wird sie mir nicht sagen: Leb' wohl, du wirst mich nie wiedersehen! Daher sagt sie: Ich möcht ein wenig reisen, ich brauche Erholung, ich will auf einige Wochen an einen See, möchte schwimmen, brauche Luftveränderung! Sie sagt mir natürlich nicht: Ich ertrag' es nicht länger, ich bin jung und blühend und gesund, und du bist lahm und wirst bald sterben, und mich graut vor deiner Krankheit und vor dem Ekelhaften, das noch kommen wird, eh es zu

Ende ist. Darum sagt sie mir: Ich will nur auf einige Wochen fort, dann komm' ich wieder zurück, dann bleib' ich bei dir.«

Bertas schmerzliche Bewegtheit ging in ihrer Verlegenheit auf; sie konnte nichts erwidern, als: »Sie irren sich bestimmt.«

Rupius zog den Plaid, der herabgleiten wollte, hastig über die Knie; ihn schien zu frösteln. Während er weitersprach, zog er den Plaid immer höher hinauf und hielt ihn endlich mit beiden Händen vor die Brust gepreßt. »Ich hab' es kommen sehen, jahrelang hab' ich diesen Moment kommen sehen. Und denken Sie, was das für eine Existenz ist: einem solchen Moment entgegensehen und wehrlos sein und schweigen müssen! Warum sehen Sie mich so an?«

»O nein,« sagte Berta und blickte auf den Marktplatz hinab.

»Nun, ich bitte Sie um Entschuldigung, daß ich davon spreche. Ich hatte nicht die Absicht; aber als ich Sie vorbeigehen sah – nun, ich dank' Ihnen sehr, daß Sie mich anhören.«

»Aber bitte,« sagte Berta und streckte ihm unwillkürlich die Hand entgegen. Da er sie nicht bemerkte, ließ sie sie auf dem Tisch liegen.

»Nun ist es vorbei,« sagte Rupius. »Jetzt kommt die Einsamkeit und alles Furchtbare.«

»Aber hat Ihre Frau ... sie liebt Sie doch! ... Ich bin ganz überzeugt, Sie machen sich unnötige Sorgen. Und wär' es nicht das Einfachste, Herr Rupius, Sie bäten Ihre Frau, daß sie auf diese Reise verzichte?«

»Bitten ...?« sagte Rupius fast hoheitsvoll. »Hab' ich überhaupt das Recht dazu? Diese ganzen sechs oder sieben Jahre waren nur eine Gnade, die sie mir erwiesen. Überlegen Sie gefälligst. In diesen ganzen sieben Jahren ist kein Wort der Klage über ihre Lippen gekommen, daß sie ihre Jugend verloren hat.«

»Sie hat Sie lieb,« sagte Berta mit Entschiedenheit, »und darauf kommt es an.«

Rupius sah sie lange an. »Ich weiß, was Sie sagen wollen und sich zu sagen nicht getrauen. Aber Ihr Mann, gnädige Frau, liegt tief im Grab, schläft nicht Nacht für Nacht an Ihrer Seite.« Er schaute auf mit einem Blick, der wie eine Verwünschung zum Himmel fuhr.

Die Zeit rückte vor; Berta dachte an ihren Zug. »Wann soll denn Ihre Frau reisen?«

»Darüber ist noch nicht gesprochen worden. – Aber ich halte Sie wohl auf?«

»Nein, gewiß nicht, Herr Rupius, nur... Hat es Ihnen Anna nicht gesagt? Ich fahre nämlich heute nach Wien.« Sie wurde glühend rot. Er sah sie wieder lange an. Es schien ihr, als wüßte er alles.

»Wann kommen Sie wieder?« fragte er trocken.

»In zwei bis drei Tagen.« Sie hätte ihm gern gesagt, daß er sich irrte, daß sie nicht zu einem Menschen reiste, den sie liebte, daß alle diese Dinge, um die er sich kränkte, etwas Schmutziges und Niedriges wären, worauf es den Frauen eigentlich gar nicht ankäme, – aber es war ihr nicht gegeben, dafür die rechten Worte zu finden.

»Wenn Sie in zwei bis drei Tagen wiederkommen, finden Sie meine Frau wohl noch hier. Also adieu und unterhalten Sie sich gut.«

Sie hatte gefühlt, wie sein Blick ihr folgte, während sie durch das dunkel verhängte Zimmer und über den Marktplatz ging. Und auch jetzt, im Kupee, fühlte sie diesen Blick, und immer noch hörte sie jene Worte klingen, in denen ihr das Bewußtsein eines ungeheuern Unglücks zu liegen schien, das sie bisher gar nicht verstanden. Das Peinvolle dieser Erinnerung erschien stärker als die Erwartung alles Freudigen, das ihr bevorstehen mochte, und je näher sie der großen Stadt kam, um so schwerer wurde ihr ums Herz. Während sie an den einsamen Abend dachte, der heute vor ihr lag, war ihr, als führe sie in die Fremde, ins Ungewisse, ohne Hoffnung. Der Brief, den sie noch immer im Mieder trug, hatte seinen Zauber verloren, er war nichts als ein knisterndes Stück beschriebenes Papier, dessen Ecken einzureißen begannen. Sie versuchte sich das Aussehen Emils vorzustellen. Gesichter, die eine leichte Ähnlichkeit mit dem seinen hatten, tauchten auf, manchmal glaubte sie schon das rechte zu halten, doch verschwamm es gleich. Sie begann zu zweifeln, ob sie recht getan, schon heute zu reisen. Warum hatte sie nicht wenigstens bis Montag gewartet? So aber mußte sie sich's eingestehen: sie fuhr nach Wien, zu einem Rendezvous mit einem jungen Mann, den sie seit zehn Jahren nicht mehr gesprochen und der vielleicht eine ganz andere erwartete, als die ihm morgen entgegenkam. Ja, das war es, was sie unruhig machte; jetzt wußte sie's. Dieser Brief, der ihrer zarten Haut schon ein bißchen weh tat, war an die zwanzigjährige Berta gerichtet, denn Emil konnte ja nicht wissen, wie sie jetzt aussah. Und wenn sie auch selbst sich sagen mußte, daß ihr Antlitz die Linien ihrer Mädchenjahre und daß ihre Gestalt, nur in größerer Fülle, die Umrisse ihrer Jugend bewahrt hatte, würde er nicht trotz alledem sehen, was ein Jahrzehnt an ihr verändert, wohl auch zerstört hatte, ohne daß sie selbst es gemerkt?

Klosterneuburg. Viele helle Stimmen, das Geräusch von rasch laufenden Schritten drang an ihr Ohr. Sie sah hinaus. Eine Menge von Schuljungen drängte heran, stieg mit Lachen und Geschrei in die Waggons. Jetzt mußte Berta daran denken, wie ihre Brüder als Kinder von Landpartien nach Hause gekommen waren, und plötzlich stand ihr das blaugemalte Zimmer vor Augen, in dem die Buben damals geschlafen hatten. Es lief wie ein Schauer über sie, als ihr bewußt ward, wie alles Vergangene in die Winde gestreut war, wie die Menschen, denen sie das Dasein verdankt, gestorben, die, mit denen sie jahrelang unter einem Dach gewohnt, verschollen, wie Beziehungen gelöst waren, die für die Dauer gegründet schienen. Wie unverläßlich, wie sterblich war alles! Und er . . . er hatte ihr geschrieben, als wenn in diesen zehn Jahren sich nichts verändert hätte, als wenn dazwischen nicht Begräbnisse, Geburten, Schmerzen, Krankheiten, Sorgen und – für ihn wenigstens – soviel Glück und Ruhm gelegen wäre. Sie schüttelte unwillkürlich den Kopf. Wie eine Verwirrung über soviel Unbegreifliches kam es über sie. Und selbst das Sausen des Zuges, der sie da mittrug zu Erlebnissen, die sie nicht kannte, schien ihr ein Gesang von merkwürdiger Traurigkeit. Sie dachte an die Zeit zurück, die noch gar nicht ferne war, die kaum Tage hinter ihr lag, in der sie ruhig und zufrieden gewesen und ihr Dasein ohne Wünsche, ohne Bedauern und ohne Staunen hingenommen. Wie war das nur alles über sie gekommen? Sie faßte es nicht.

Immer schneller schien der Zug seinem Ziele zuzueilen. Schon stieg der Dunst der großen Stadt wie aus der Tiefe empor. Das Herz begann ihr zu klopfen. Es war ihr, als werde sie erwartet, von irgend etwas Unbestimmtem, das sie nicht hätte nennen können, von irgend etwas Hundertarmigem, das bereit war, sie zu umfassen; jedes Haus, an dem sie vorüberfuhr, wußte, daß sie kam, die Abendsonne auf den Dächern glänzte ihr entgegen, und als der Zug jetzt in die Halle einfuhr, fühlte sie sich mit einemmal geborgen. Jetzt erst empfand sie, daß sie in Wien, in ihrem Wien war, in der Stadt ihrer Jugend, ihrer Träume, in der Heimat! Hatte sie denn bisher gar nicht daran gedacht? Sie kam nicht vom Hause, – nein, jetzt war sie zu Hause angelangt. Der Lärm auf dem Bahnhof erfüllte sie mit Wohlbehagen, das Gewühl der Wagen und Menschen freute sie, alles Traurige war von ihr abgefallen. – Hier stand sie, Berta Garlan, jung und hübsch, an einem warmen Maiabend in Wien, am Franz-Josefs-Bahnhof, frei, niemandem Rechenschaft schuldig, und morgen früh wird sie den Einzigen wiedersehen, den sie je geliebt, – den Geliebten, der sie gerufen hat.

In einem kleinen Hotel nahe dem Bahnhof stieg sie ab. Sie hatte sich vorgenommen, eines von den weniger vornehmen zu wählen, einerseits aus Sparsamkeit, dann aus einer gewissen Scheu vor eleganten Kellnern und Portiers. Sie bekam ein Zimmer im dritten Stock angewiesen, mit einem Fenster auf die Gasse, das Stubenmädchen schloß es, als die Fremde eintrat, brachte frisches Wasser, der Hausknecht stellte ihren Koffer neben den Ofen, und der Kellner legte ihr den Meldzettel vor, den Berta sogleich und sicher mit dem Stolz des guten Gewissens ausfüllte.

Ein Gefühl von äußerer Freiheit, das sie lang nicht gekannt, umfing sie; nichts von den täglichen kleinen Sorgen des Haushaltes, keine Verpflichtung, mit Verwandten und Bekannten zu reden; heute Abend hätte sie tun können, was sie wollte. Als sie umgekleidet war, öffnete sie das Fenster. Sie hatte schon die Kerzen anzünden müssen, aber draußen war es noch nicht ganz dunkel. Sie stützte die Ellbogen aufs Fensterbrett und blickte hinunter. Wieder erinnerte sie sich ihrer Kinderzeit, da sie oft abends zum Fenster hinuntergeschaut, manchmal mit einem ihrer Brüder, der den Arm um ihre Schultern geschlungen hatte. Sie dachte jetzt auch ihrer Eltern, mit so lebhafter Rührung, daß ihr die Tränen nahe waren. Unten brannten schon die Laternen. Nun mußte sie doch irgend etwas unternehmen. Morgen um diese Zeit, fiel ihr ein ... Sie konnte sich's nicht vorstellen. In diesem Augenblick fuhr eben ein Fiaker unten vorbei, in dem ein Herr mit einer Dame saß. Wenn es nach ihrem Wunsch ginge, so müßten sie morgen zusammen aufs Land fahren – ja, das wäre das Schönste. Irgendwo draußen in einem stillen Gartenrestaurant, auf dem Tisch ein Windlicht, und er mit ihr Hand in Hand, wie ein junges verliebtes Paar, und dann wieder zurück, – und dann .... Nein, sie wollte lieber nicht weiter denken! Wo mag er jetzt sein? Ist er jetzt allein? Oder spricht er jetzt eben mit jemandem? Und mit wem? Mit einem Mann – mit einer Frau? Mit einem Mädchen? Im übrigen, was geht sie das an? Vorläufig geht sie das gar nichts an. So wenig es ihn kümmert, daß Herr Klingemann ihr gestern ein Liebesgeständnis gemacht hat, daß ihr Neffe, der freche Bub, sie zuweilen küßt, und daß sie für Herrn

Rupius eine große Verehrung hegt. Morgen wird sie ihn schon fragen – ja. Über all diese Dinge muß sie Gewißheit haben, ehe sie . . . . . nun, ehe sie mit ihm abends aufs Land fährt.

Fort also – aber wohin? An der Türe blieb sie unschlüssig stehen. Sie konnte nichts anderes tun, als ein bißchen spazieren gehen und nachtmahlen . . . . aber wo? – Eine Dame allein. . . . Nein, sie wird hier auf ihrem Zimmer speisen und früh zu Bette gehen, um morgen gut ausgeschlafen, frisch, jung und hübsch zu sein. Sie sperrte ab und begab sich auf die Straße.

Sie wandte sich der innern Stadt zu. Sie ging sehr rasch, denn es war ihr unangenehm, abends allein zu gehen. Bald war sie auf dem Ring und ging an der Universität vorbei bis zum Rathaus. Aber das ziellose Herumlaufen machte ihr gar kein Vergnügen. Sie empfand Langweile und Hunger, setzte sich in einen Pferdebahnwagen und fuhr zurück. Sie hatte keine rechte Lust, ihr Zimmer aufzusuchen. Schon von der Straße aus hatte sie gesehen, daß der Speisesaal des Hotels kaum erleuchtet und offenbar leer war. Dort speiste sie zu Nacht, wurde gleich müde und schläfrig, ging mit Mühe die drei Treppen auf ihr Zimmer hinauf, und während sie sich, auf dem Bett sitzend, die Schuhe aufschnürte, hörte sie es von einem nahen Kirchturm zehn Uhr schlagen.

Als sie in der Frühe erwachte, eilte sie vor allem zum Fenster und zog die Rouleaus auf, mit einer großen Sehnsucht, das Licht des Tages und die Stadt zu sehen. Es war ein sonniger Morgen und die Luft so frisch als wäre sie, wie aus tausend Quellen, von den Wäldern und Hügeln in die Gassen der Stadt herabgeflossen. Auf Berta wirkte die Schönheit des Morgens wie ein gutes Zeichen; sie wunderte sich über die sonderbare, dumpfe Art, in der sie den gestrigen Abend verbracht, – als hätte sie gar nicht recht gewußt, warum sie nach Wien gekommen. Sie fühlte, was sie so froh stimmte: die Gewißheit, nicht mehr durch den Schlaf einer ganzen Nacht von der ersehnten Stunde getrennt zu sein. Mit einemmal verstand sie gar nicht mehr, daß sie neulich schon in Wien gewesen, ohne nur den Versuch zu wagen, Emil zu sehen. Ja, endlich wunderte sie sich, daß sie diese Möglichkeit wochen-, monate-, vielleicht jahrelang grundlos hinausgeschoben. Daß sie in dieser ganzen Zeit kaum an ihn gedacht hatte, fiel ihr anfangs nicht ein, aber als ihr das zu Bewußtsein kam, staunte sie darüber am meisten.

Nun waren nur mehr vier Stunden zu überstehen, und dann sah sie ihn wieder. Sie legte sich nochmals ins Bett, lag zuerst mit offenen Augen da und flüsterte vor sich hin, als wollte sie sich an dem Wort berauschen: Komm bald! Sie hörte ihn selbst das Wort sprechen, nicht mehr fern, – nein, so als wenn er mit ihr im gleichen Raume wäre, seine Lippen hauchten es an den ihren: Komm bald! sagte er, aber es hieß: Sei mein! sei mein! Und sie öffnete ihre Arme, als müßte sie sich vorbereiten, wie man einen Geliebten ans Herz drückt, und sie sagte: Ich liebe dich! und hauchte einen Kuß in die Luft.

Endlich erhob sie sich und kleidete sich an. Sie hatte diesmal ein einfaches graues Kleid in englischem Schnitt mitgenommen, das ihr nach allgemeinem Ausspruch sehr gut stand, und war mit sich ganz zufrieden, als sie ihre Toilette beendigt hatte. Sie sah wohl nicht aus wie eine vornehme Dame aus Wien, aber doch auch nicht wie eine vornehme Dame aus der Provinz; am ehesten, schien ihr, wie eine Gouvernante in einem gräflichen oder fürstlichen Hause. Ja, in der Tat, sie hatte etwas Fräuleinhaftes; niemand hätte sie für eine Frau, für die Mutter eines fünfjährigen Knaben gehalten. Freilich dachte sie mit einem leichten Seufzer, sie hatte immer eher gelebt wie ein junges Mädchen. Aber darum war ihr heut auch zumut wie einer Braut.

Neun Uhr. Noch zwei lange Stunden. Was sollte sie bis dahin tun? Sie ließ sich Kaffee bringen, setzte sich an den Tisch, schlürfte langsam die Tasse aus. Es hatte keinen Sinn, länger zu Haus zu bleiben. Lieber gleich hinaus ins Freie.

Sie spazierte eine Weile in den Gassen der Vorstadt herum und empfand das Streichen der Luft um ihre Wangen wie ein besonderes Vergnügen. Was mochte jetzt ihr Bub machen? Wahrscheinlich spielte Elly mit ihm. Berta schlug den Weg nach dem Volksgarten ein; sie freute sich darauf, in den Alleen spazieren zu gehen, in denen sie vor vielen Jahren als Kind gespielt. Durch das Tor gegenüber dem Burgtheater betrat sie den Garten. Um diese frühe Stunde war er spärlich besucht. Kinder spielten auf dem Kies, auf den Bänken saßen Bonnen und Kindermädchen, ganz kleine Mädchen liefen über die Stufen des Theseus-Tempels und unter seinen Säulengängen herum. In den schattigen Alleen ergingen sich meist ältere Leute; junge Männer, die aus großen Heften zu studieren schienen, Damen, die in Büchern lasen, hatten unter kühlen Bäumen Platz genommen. Berta setzte sich auf eine Bank und sah zwei kleinen Mädchen zu, die über eine Schnur sprangen, wie sie es als Kind – ihr schien es, ganz an der gleichen Stelle – so oft getan. Sanfter Wind strich durch das Laub, von weitem hörte sie das Rufen und Lachen von Kindern, die Fangen spielten; das kam immer näher; jetzt liefen sie alle an ihr vorbei. Ein junger Herr in einem langen Gehrock ging langsam an ihr vorüber und wandte sich am Ende der Allee noch einmal nach ihr um, was sie angenehm berührte. Dann kam ein sehr junges Paar vorbei, sie mit einer Notenrolle in der Hand, nett, aber etwas auffallend angezogen, er glattrasiert, mit lichtem Sommeranzug und Zylinder. Berta erschien sich sehr erfahren, da sie in ihm einen angehenden Schauspieler, in ihr eine Musikschülerin mit Sicherheit zu erkennen glaubte. Es war sehr behaglich, hier zu sitzen, nichts zu tun zu haben, allein zu sein und die Menschen so an sich vorbeigehen, laufen, spielen zu lassen. Ja, das wäre schön, in Wien leben und machen können, was man will. Nun, wer weiß, wie sich alles fügen, was die nächste Stunde bringen, wie heut Abend der Ausblick ins Dasein vor ihr liegen wird. Was zwingt sie denn eigentlich, in der entsetzlichen, kleinen Stadt zu leben? So wie sie sich dort durch Lektionen ihr Einkommen verbessert, so könnte sie's doch auch hier tun. Ja, warum nicht? Hier werden die Lektionen auch besser bezahlt, und ... Ah, was für ein Einfall! ... Wenn er ihr zu Hilfe käme, wenn er, der berühmte Musiker, sie empfähle? Von ihm brauchte es doch gewiß nur ein Wort. Wenn sie mit ihm darüber spräche? Und wäre es nicht auch sehr vorteilhaft im Hinblick auf ihren Buben? In wenig Jahren muß er auf ein Gymnasium, und die sind hier doch gewiß besser als daheim. Nein, es ist gar nicht möglich, daß sie ihr ganzes Leben in der kleinen Stadt verbringt, – in absehbarer Zeit muß sie nach Wien! Ja, auch wenn sie sich hier einschränken muß, und – und ... Vergeblich versucht sie die kühnen Gedanken zurückzudrängen, die nun herangestürmt kommen ... Wenn sie Emil gefällt, wenn er sie wieder ... wenn er sie noch immer liebt .... wenn er sie zur Frau begehrt –? Wenn sie nur ein wenig klug ist, wenn sie sich nichts vergibt, wenn sie es versteht, ihn zu fesseln – Sie schämt sich ein wenig ihrer Schlauheit ... aber ist es denn so schlimm, daß sie daran denkt; da sie ihn ja liebt? Da sie nie einen andern geliebt hat, als ihn? Und gibt ihr nicht der ganze Ton seines Briefs ein Recht, daran zu denken? Und wie ihr jetzt einfällt, daß sie ihm, dem diese Hoffnungen zustreben, in einigen Minuten gegenübertreten soll, flimmert es ihr vor den Augen. Sie steht auf, sie schwankt beinah. Dort am Ausgang des Gartens gegen den Burgplatz sieht sie das junge Paar verschwinden, das früher an ihr vorübergegangen ist; sie nimmt den gleichen Weg.

Drüben sieht sie die Kuppel des Museums ragen und glänzen. Sie will langsam gehen, um nicht allzu erregt oder gar atemlos zu erscheinen, wenn er sie erblickt. Noch einmal durchschießt es sie wie eine Furcht: – wenn er nicht kommt? Aber wie es immer sei: sie wird diesmal Wien nicht verlassen, ohne ihn gesehen zu haben. Ob es nicht sogar besser wäre, wenn er heute nicht hinkäme? Sie ist jetzt so verwirrt . . . wenn sie irgend etwas Dummes, Ungeschicktes sagte . . .? Vom nächsten Augenblick hängt so viel ab – ihre ganze Zukunft vielleicht . . . Das Museum liegt vor ihr. Nun über die Stufen, durch den Eingang, und sie steht in der großen, kühlen Vorhalle, sieht die mächtige Treppe vor sich, und dort, wo sie sich nach rechts und links scheidet, das ungeheure Marmorstandbild des Theseus, der den Minotauros erschlägt. Langsam steigt sie hinauf, blickt um sich, wird ruhiger. Die Pracht ringsum nimmt sie gefangen. Sie schaut in die Höhe, zu den Galerieen, die im Innern der Kuppel mit goldenen Geländern laufen, – sie hält inne. Hier eine Tür, darüber in goldenen Lettern: Niederländische Schule. Jetzt zuckt ein Stich durch ihr Herz. Die Flucht der Säle liegt vor ihr. Sie sieht da und dort Leute vor den Bildern stehen. Sie tritt in den ersten Saal, betrachtet das erste Bild, das gleich am Eingang hängt, mit Aufmerksamkeit. Die Mappe des Herrn Rupius fällt ihr ein. Und jetzt hört sie die Worte: »Guten Morgen, Berta.«

Es ist seine Stimme. Sie wendet sich um. Er steht vor ihr, jung, schlank, vornehm, etwas blaß, mit einem Lächeln, das nicht ganz ohne Spott scheint, und nickt ihr zu, indem er zugleich ihre Hand nimmt und eine Weile in der seinen behält. Er ist's, und es ist gerade, als wenn sie einander gestern das letztemal gesprochen hätten. »Grüß dich Gott, Emil,« sagt sie, und beide schauen einander an. In seinem Blick ist mancherlei: Vergnügen, Liebenswürdigkeit und irgend etwas Prüfendes. All das fühlt sie sehr genau, während sie ihn mit Augen anschaut, in denen nichts ist als lauteres Glück.

»Also wie geht's dir denn?« fragt er.

»Gut.«

»Komisch frag' ich eigentlich, nach acht oder neun Jahren. Es ist dir wahrscheinlich sehr verschieden ergangen.«

»Das ist schon wahr: Du weißt ja, daß mein Mann vor drei Jahren gestorben ist.« Sie fühlt sich verpflichtet, ein betrübtes Gesicht zu machen.

»Ja, das weiß ich; auch daß du einen Buben hast, weiß ich. Wer hat's mir denn nur erzählt?«

»Wer?«

»Na, es wird mir schon einfallen. Aber daß du dich für Bilder interessierst, ist mir neu.«

Sie lächelt. »Es war auch wirklich nicht wegen der Bilder allein. Aber für gar so dumm darfst du mich nicht halten. Ich interessier' mich schon für Bilder.«

»Ja, ich auch. Wenn ich die Wahrheit sagen soll: lieber als alles andere möcht' ich doch ein Maler sein.«

»Du könntest doch mit dem ganz zufrieden sein, was du erreicht hast.«

»Na, das ist nicht so mit einem Wort zu erledigen. Es ist mir ja ganz angenehm, daß ich schön Violin spielen kann, aber was bleibt davon übrig? Ich meine, wenn ich einmal tot bin, – höchstens mein Name auf kurze Zeit. Das « seine Augen wiesen auf das Bild, vor dem sie standen – »das ist doch was anderes.«

»Du bist schrecklich ehrgeizig.«

Er sah sie an, aber ohne sich um sie zu kümmern. »Ehrgeiz? Na, so einfach ist das nicht. – Aber lassen wir das. Sonderbare Idee, theoretische Gespräche über Kunst zu führen, wenn man sich hundert Jahre lang nicht gesehen hat! Also red' doch was, Berta! Was machst du denn immer? Wie lebst du denn? Und was ist dir eigentlich eingefallen, mir zu dem dummen Orden zu gratulieren?«

Sie lächelte wieder. »Ich hab' dir wieder einmal schreiben wollen. Und hauptsächlich: ich hab' wieder einmal was von dir hören wollen. Wirklich sehr lieb, daß du mir gleich geantwortet hast.«

»Gar nicht lieb, mein Kind. Ich hab' mich so gefreut, wie plötzlich dein Brief – ich habe deine Schrift sofort erkannt. Du hast nämlich noch immer die Schulmädchenschrift, wie . . . na, sagen wir: einst, obwohl ich solche Worte nicht gut leiden kann.«

»Warum denn?« fragte sie etwas erstaunt.

Er schaute sie an, dann sagte er rasch: »Also wie lebst du? Du mußt dich doch für gewöhnlich sehr langweilen.«

»Dazu hab' ich nicht viel Zeit,« erwidert sie ernst, »ich gebe nämlich Lektionen.«

»Oh!« sagte er mit einem Ton so unverhältnismäßigen Bedauerns, daß sie sich veranlaßt fühlte, rasch hinzuzusetzen:

»Oh, nicht grad, weil ich's dringend brauche, – immerhin es kommt mir schon zustatten, denn . . .« Sie fühlt, daß sie am besten tut, ganz aufrichtig mit ihm zu sein: »Von dem wenigen, was ich hab', könnt' ich kaum leben.«

»Worin unterrichtest du denn eigentlich?«

»Worin? Hab' ich dir nicht gesagt, daß ich Klavierlektionen gebe?«

»Klavier? So? Ja richtig ... Du warst sehr talentiert. Wenn du damals nicht ausgetreten wärst .... Siehst du, eine von den großen Pianistinnen wärst du ja nicht geworden, aber für gewisse Dinge hast du eine ganz ausgesprochene Begabung gehabt. Zum Beispiel, Chopin und die kleinen Sachen von Schumann hast du sehr hübsch gespielt.«

»Du erinnerst dich noch?«

»Im übrigen, du hast doch das bessere Teil erwählt.«

»Wieso?«

»Nun, wenn man nicht das Ganze beherrscht, so ist es schon besser, man nimmt einen Mann und kriegt Kinder.«

»Ich hab' nur eins.«

Er lachte. »Erzähl' mir was von dem einen. Und überhaupt von deiner ganzen Existenz.« Sie nahmen in einem kleinen Saal vor den Rembrandts auf dem Divan Platz.

»Was soll ich dir von mir erzählen? Das ist gar nicht interessant. Erzähl' mir du lieber von dir.« Sie sah ihn mit Bewunderung an. »Dir ist es ja großartig gegangen, du bist ja so berühmt.« Er zuckte ganz leicht, wie unzufrieden, mit der Unterlippe.

»Nun ja,« sagte sie unbeirrt, »erst neulich hab' ich dein Bild in einer illustrierten Zeitung gesehen.«

»Ja, ja,« sagte er ungeduldig.

»Ich hab's aber immer gewußt,« setzte sie fort. »Erinnerst du dich noch, wie du damals bei der Schlußprüfung das Mendelssohn-Konzert gespielt hast, da haben's schon alle gesagt.«

»Ich bitte dich, mein liebes Kind, wir werden uns doch nicht gegenseitig Komplimente machen! Was war dein verstorbener Mann eigentlich für ein Mensch?«

»Ein braver, ja ein edler Mensch.«

»Weißt du übrigens, daß ich deinem Vater etwa acht Tage vor seinem Tode begegnet bin?«

»So?«

»Das weißt du nicht?«

»Er hat bestimmt nichts davon erzählt.«

»Wir sind vielleicht eine Viertelstunde auf der Straße miteinander gestanden. Ich kam damals gerade von meiner ersten Konzertreise zurück.«

»Kein Wort hat er mir erzählt – aber kein Wort!« Sie sagte es beinahe zornig, als hätte ihr Vater damals etwas verabsäumt, was ihr künftiges Leben hätte anders gestalten können. »Aber warum bist du damals nicht zu uns gekommen? Wie kommt das überhaupt, daß du plötzlich ausbliebst, schon lang vorher?«

»Plötzlich? Allmählich.« Er sah sie lang an, und diesmal glitten seine Augen über ihren ganzen Körper herab, so daß sie unwillkürlich ihre Füße unters Kleid und die Arme näher an ihren Leib zog, wie um sich zu verteidigen.

»Also wie kam das eigentlich mit deiner Heirat?«

Sie erzählte die ganze Geschichte, Emil hörte ihr scheinbar aufmerksam zu, doch während sie noch weiter sprach und sitzen blieb, stand er auf und sah durchs Fenster ins Freie. Als sie mit einer Bemerkung über die Gutherzigkeit ihrer Verwandten geendet, sagte er: »Wollen wir uns jetzt nicht, da wir nun einmal da sind, ein paar Bilder anschauen?« Sie gingen langsam durch die Säle, da und dort vor einem Bild verweilend. Berta sagte manchmal: »Schön, wunderschön!« Er nickte dann nur mit dem Kopf. Es schien ihr, als wenn er ganz vergäße, daß er mit ihr hier sei. Sie empfand eine leichte Eifersucht auf das Interesse, das ihm die Gemälde einflößten. Plötzlich fand sie sich vor einem der Bilder, das sie aus der Mappe des Herrn Rupius kannte. Während Emil vorüber wollte, blieb sie stehen und begrüßte das Bild wie einen alten Bekannten. »Wunderschön! Emil!« rief sie. »Nicht wahr, schön ist das? Überhaupt hab' ich die Bilder von Falckenborgh sehr gern.«

Er blickte sie etwas befremdet an.

Sie wurde verlegen und versuchte weiter zu reden: . . . . »weil so ungeheuer viel, – weil die ganze Welt . . . .« Sie fühlte, daß sie unehrlich war, ja, daß sie jemanden bestähle, der sich nicht wehren konnte, und setzte daher, wie reuig, hinzu: »Nämlich ein Herr bei uns in der Stadt hat ein Album, oder vielmehr eine Mappe mit Stichen, und daher kenn' ich dieses Bild. Ein gewisser Rupius; er ist schwer krank, denk' dir, ganz gelähmt.« Sie erschien sich verpflichtet, Emil das alles mitzuteilen, denn ihr war, als fragten seine Augen ununterbrochen.

Jetzt sagte er lächelnd: »Das wäre auch ein Kapitel. Es gibt ja bei euch gewiß auch Herren,« er setzte leiser hinzu, als schämte er sich ein wenig des unzarten Scherzes, »die nicht gelähmt sind.«

Ihr war es, als müßte sie den armen Herrn Rupius in Schutz nehmen, und sie sagte: »Er ist ein sehr unglücklicher Mensch.«

Sie erinnerte sich, wie sie gestern bei ihm auf dem Balkon gesessen, und großes Mitleid ergriff sie.

Aber Emil, der seinem eigenen Gedankengang folgte, sagte: »Ja, das möcht' ich eigentlich gern wissen, was du erlebt hast.«

»Du weißt's ja.«

»Ich meine, seit dem Tod deines Mannes.«

Sie verstand jetzt, was er meinte, und war ein wenig verletzt. »Ich lebe nur für meinen Buben,« sagte sie bestimmt. »Ich lasse mir nicht den Hof machen. Ich bin sehr anständig.«

Er mußte über die komisch ernste Art lachen, in der sie dieses Geständnis ihrer Tugend ablegte. Sie fühlte auch gleich, daß sie das hätte anders ausdrücken sollen, und so lachte sie mit.

»Wie lange bleibst du denn in Wien?« fragte Emil.

»Bis morgen oder übermorgen.«

»So kurz? Und wo wohnst du denn eigentlich?«

»Bei meiner Cousine«, erwiderte sie. Irgend etwas hielt sie davon ab, zu erwähnen, daß sie in einem Hotel abgestiegen wäre. Aber sie ärgerte sich gleich über diese dumme Lüge und wollte sich verbessern. Doch Emil sagte rasch:

»Du wirst wohl für mich auch ein wenig Zeit übrig haben, hoff' ich.«

»O ja.«

»Also da könnten wir ja gleich etwas besprechen.« Er sah auf die Uhr. »Oh!«

»Mußt du fort?« fragte sie.

»Ja, ich sollte eigentlich schon um zwölf . . .«

Ein heftiges Unbehagen überfiel sie, daß sie so bald wieder allein sein sollte, und sie sagte: »Ich habe Zeit, soviel du willst. Natürlich darf es nicht zu spät sein.«

»Ist deine Cousine so streng?«

»Aber –« sagte sie, »diesmal wohn' ich ja gar nicht bei ihr.«

Er sah sie verwundert an.

Sie wurde rot. »Nur sonst . . . ich meine, manchmal . . . weißt du, sie hat so viel Familie . . .«

»Also du wohnst im Hotel,« sagte er etwas ungeduldig. »Nun, da bist du ja niemandem Rechenschaft schuldig, und wir können den Abend ganz gemütlich miteinander verbringen.«

»Aber sehr gern. Ich möchte keineswegs zu spät . . . auch im Hotel möcht' ich nicht zu spät . . .«

»Aber nein, wir werden einfach nachtmahlen und um zehn kannst du schon lange im Bett liegen.«

Sie schritten langsam die große Stiege hinab. »Also wenn's dir recht ist,« sagte Emil, »treffen wir uns um sieben Uhr.«

Sie wollte erwidern: »So spät?«, doch sie unterdrückte es, da sie ihres Vorsatzes gedachte, sich nichts zu vergeben. »Ja, um sieben.«

»Und zwar ... wo? .... Im Freien, denk' ich? Da können wir dann noch immer hin, wohin es uns beliebt, da liegt sozusagen das Leben vor uns ... ja.« Er schien ihr jetzt auffallend zerstreut. Sie gingen durch die Vorhalle. Am Ausgang blieben sie stehen. »Um sieben also – bei der Elisabethbrücke.«

»Ja, schön; um sieben bei der Elisabethbrücke.«

Vor ihnen lag im Mittagssonnenglanz der Platz mit dem Maria-Theresien-Denkmal. Es war warm, aber ein sehr heftiger Wind hatte sich erhoben. Es kam Berta vor, als wenn Emil sie prüfend betrachtete. Zugleich schien er ihr kühl und fremd, ein ganz anderer als drin vor den Bildern. Jetzt sprach er: »Nun wollen wir uns Adieu sagen.«

Sie fühlte sich wie unglücklich, daß er sie verlassen wollte. »Willst du mich nicht ... oder kann ich dich nicht ein Stück begleiten?«

»Ach nein,« sagte er. »Außerdem stürmt es so. Nebeneinandergehen und den Hut halten müssen, daß er nicht davonfliegt, ist ein mäßiges Vergnügen. Überhaupt redet sich's nicht gut auf der Straße, und dann muß ich mich auch so beeilen ... aber darf ich dich vielleicht zu einem Wagen bringen?«

»Nein, nein, ich gehe zu Fuß.«

»Kann man auch tun. Also grüß' dich Gott und auf Wiedersehen heute Abend.« Er reichte ihr die Hand und eilte rasch über den Platz davon. Sie sah ihm lang nach; er hatte den Hut abgenommen und hielt ihn in der Hand, während der Wind in seinen Haaren wühlte. Er ging über den Ring, dann durchs Burgtor und verschwand ihren Blicken.

Unwillkürlich war sie ihm sehr langsam nachgegangen. Warum war er plötzlich so kühl geworden? Warum hatte er sich so rasch entfernt? Warum wollte er nicht von ihr begleitet sein? Schämte er sich ihrer? Sie schaute an sich herunter, ob sie nicht doch vielleicht provinzmäßig und lächerlich angezogen sei. O nein! Und überdies hatte sie an der Art, wie die Leute sie ansahen, bemerken können, daß sie nicht lächerlich, sondern sehr hübsch aussah. Also warum dieser plötzliche Abschied? Sie besann sich der Zeit von früher, und es kam ihr vor, als hätte er damals auch diese sonderbare Weise gehabt, ganz unvermutet ein Gespräch abzubrechen, indem er plötzlich wie entrückt war und sich in seinem ganzen Wesen eine Ungeduld aussprach, die er nicht meistern konnte. Ja, gewiß, das war damals auch so gewesen. Vielleicht minder auffallend als jetzt. Sie erinnerte sich auch, daß sie damals zuweilen über seine Launenhaftigkeit gescherzt und seine »Künstlernatur« dafür verantwortlich gemacht hatte. Und seitdem war er ein größerer Künstler und gewiß noch zerstreuter und unberechenbarer geworden.

Die Mittagsglocken tönten von vielen Türmen, der Wind wurde immer heftiger, Staub flog ihr in die Augen. Sie hatte eine ganze Ewigkeit vor sich, mit der sie nichts anzufangen wußte. Warum wollte er sie denn erst um sieben sehen? Unbewußt hatte sie darauf gerechnet, er würde den ganzen Tag mit ihr verbringen. Was hatte er denn zu tun? Mußte er sich vielleicht für sein Konzert vorbereiten? Und sie stellte sich ihn vor, die Violine in der Hand, an einen Schrank, oder ans Piano gelehnt, so wie er ihr vor vielen Jahren bei ihr zu Hause vorgespielt. Ja, das wäre schön, jetzt auch dabei sein zu können, in seinem Zimmer sitzen, auf dem Sofa, während er spielte, oder ihn auf dem Klavier zu begleiten. Wäre sie wohl zu ihm gekommen, wenn er sie gebeten? Warum hat er es nicht getan? Nein, das konnte er doch nicht in der ersten Stunde des Wiedersehens .... Aber abends – wird er sie heute Abend bitten? Und wird sie ihm folgen? Und wenn sie ihm folgt, wird sie ihm irgend etwas anderes verweigern können, um das er sie bitten wird? Er hat ja eine Art, alles so harmlos auszudrücken. Wie er nur über diese ganzen zehn Jahre weggekommen ist! – Hat er nicht mit ihr gesprochen, als hätten sie einander in der Zwischenzeit täglich gesehen? »Guten Morgen, Berta. Wie geht's dir denn?« Ungefähr wie man fragt, wenn man am Abend vorher »Gute Nacht!« und »Auf Wiedersehen!« gesagt hat. Und was hat er seither alles erlebt! – Und wer weiß, wer heut Nachmittag auf dem Divan sitzt in seinem Zimmer, während er am Klavier lehnt und spielt .... Ah nein! daran will sie nicht denken. Wenn sie es wirklich ausdenkt, muß sie da nicht einfach wieder nach Hause reisen?

Sie ging am Gitter des Volksgartens vorüber und konnte die Allee sehen, in der sie vor einer Stunde gesessen und durch die jetzt Wolken von Staub fegten. Also das, wonach sie sich so sehr gesehnt, war vorüber, – sie hatte ihn wiedergesehen. War es so schön gewesen, wie sie sich erwartet? Hat sie irgend etwas

Besonderes gefühlt, während er an ihrer Seite gegangen, sein Arm den ihren gestreift? – Nein. Hat sie sein Abschied verstimmt? – Vielleicht. Möchte sie wieder fort, ohne ihn wiederzusehen? – Um Gotteswillen, nein! Es durchfährt sie wie ein Schreck bei diesem Gedanken. Ist denn ihr Leben nicht seit einigen Tagen wie erfüllt von ihm? Und haben die ganzen Jahre, die hinter ihr lagen, überhaupt einen andern Sinn gehabt, als sie wieder zur rechten Zeit ihm entgegen zu führen? – Ah, wenn sie nur etwas mehr Erfahrung hätte, wenn sie etwas lebensklüger wäre! Sie möchte die Fähigkeit haben, sich selbst einen bestimmten Weg vorzuzeichnen. Sie fragt sich, was das Vernünftigere wäre: zurückhaltend oder hingebend zu sein. Sie möchte wissen, was sie heute Abend tun darf, tun soll, womit sie ihn sicher gewinnen könnte. Sie fühlt, daß sie ihn durch alles erringen, daß sie ihn auch durch alles verlieren kann. Aber sie weiß auch, daß ihr alles Nachsinnen nichts hilft und daß sie tun wird, was er will.

Sie ist vor der Votivkirche, wo die vielen Straßen sich kreuzen. Hier bläst der Wind ganz unerträglich. Es wird Zeit zum Mittagessen. Aber sie will heute nicht in ihr kleines Hotel zurück. Sie wendet sich gegen die innere Stadt. Es fällt ihr plötzlich ein, daß sie ihrer Cousine begegnen könnte, aber das ist ihr ganz gleichgültig. Oder wenn gar ihr Schwager ihr nachgefahren wäre? Auch dieser Gedanke stört sie nicht im geringsten. Sie hat ein Gefühl des Verfügungsrechtes über ihre Person und ihre Zeit, wie nie zuvor. Sie schlendert gemächlich durch die Straßen, vergnügt sich damit, die Auslagen zu betrachten. Auf dem Stephansplatze hat sie den Einfall, auf eine Weile in die Kirche zu treten. In dem dämmrigen, kühlen Riesenraum überkommt sie ein tiefes Wohlgefühl. Sie ist niemals fromm gewesen, doch in Gotteshäuser tritt sie nie ohne Andacht, und ohne ihre Gebete in eine bestimmte Form zu kleiden, hat sie doch stets irgend eine Art gesucht, ihre Wünsche zum Himmel empor zu senden. Sie wandelt in der Kirche zuerst umher wie eine Fremde, die einen schönen Bau besichtigt. Vor einem kleinen Altar in einer Seitenkapelle setzt sie sich auf eine Bank.

Der Tag ihrer Trauung fiel ihr ein, und sie sah sich mit ihrem verstorbenen Mann vor dem Priester stehen, – aber das war so unendlich weit und berührte ihre Seele so wenig, als wenn sie an ganz fremde Menschen dächte. Doch plötzlich, wie ein Bild in einer Zauberlaterne sich ändert, sah sie statt ihres Mannes Emil an ihrer Seite, und so gänzlich ohne Mithilfe ihres Willens schien dieses Bild dazustehen, daß es ihr wie eine Ahnung, ja wie eine vom Himmel gesandte Vorhersage scheinen wollte. Unwillkürlich faltete sie die Hände und sagte leise: »Laß es so werden.« Und als käme ihrem Wunsche dadurch noch bessere Kraft, blieb sie auf der Bank eine Weile sitzen und versuchte, das Bild festzuhalten. Nach einigen Minuten trat sie wieder auf die Straße, wo das volle Licht und der Lärm sie als etwas so Neues, lang nicht Erlebtes anmutete, als hätte sie ganze Stunden in der Kirche verbracht. Sie fühlte sich ruhig und wie von Hoffnungen umschwebt.

In einem vornehmen Hotelrestaurant in der Kärnthnerstraße speiste sie zu Mittag. Sie war gar nicht befangen und fand es recht kindisch, daß sie nicht lieber in einem Gasthof ersten Ranges abgestiegen war. Wieder zu Hause in ihrem Zimmer angelangt, kleidete sie sich aus; sie war durch die ungewohnt reichliche Mahlzeit und den genossenen Wein in einen solchen Zustand von Mattigkeit geraten, daß sie sich auf dem Divan ausstreckte und einschlief. Erst um fünf Uhr erwachte sie. Sie hatte keine rechte Lust, sich zu erheben. Sonst um diese Stunde .... Was täte sie jetzt wohl, wenn sie nicht nach Wien gereist wäre? Wenn er ihr nicht geantwortet – wenn sie ihm nicht geschrieben? Wenn er keinen Orden bekommen? Wenn sie nie sein Bild in einer illustrierten Zeitung gesehen? Wenn nichts sein Dasein ihr ins Gedächtnis zurückgerufen hätte? Wenn er ein kleiner, unbekannter Geiger in irgend einem Vorstadt-Orchester geworden wäre? Was für sonderbare Gedanken! Liebt sie ihn denn, weil er berühmt ist? Was bedeutet ihr das alles? Ja, interessiert sie sich denn überhaupt für sein Violinspiel? ... Wär es ihr nicht lieber, wenn er nicht berühmt und bewundert wäre? – Gewiß, da würde sie sich ihm viel näher, viel verwandter fühlen, da hätte sie nicht diese Unsicherheit ihm gegenüber, und auch er wäre anders zu ihr. – Er ist ja auch jetzt sehr liebenswürdig und doch ... jetzt kommt es ihr zu Bewußtsein ... irgend etwas ist heute zwischen ihnen gewesen und hat sie getrennt. Ja, und das ist nichts anderes, als daß er ein Mensch ist, den die ganze Welt kennt, und sie nichts als eine kleine dumme Frau aus der Provinz. Und sie sieht ihn plötzlich vor sich, wie er im Saal vor den Rembrandts gestanden und zum Fenster hinausgeschaut, während sie erzählt hat; wie er ihr kaum Adieu gesagt, und wie er von ihr fortgegangen, ja geradezu geflohen war. Aber hatte sie denn selbst irgend etwas empfunden wie für jemanden, den man liebt? Ist sie glücklich gewesen, während er zu ihr sprach? Hat sie sich gesehnt, ihn zu küssen, während er neben ihr stand? . . . Nichts von alledem. Und jetzt – freut sie sich auf den Abend, der kommt? Freut sie sich, ihn in zwei Stunden wiederzusehen? Und wenn sie sich durch einen Wunsch hinversetzen könnte, wohin sie will, wäre sie jetzt vielleicht nicht lieber daheim, bei ihrem Buben, ginge mit ihm zwischen den Weingeländen spazieren ohne Angst, ohne Aufregung, mit gutem Gewissen, als brave Mutter, als anständige Frau, statt hier in dem ungemütlichen Hotelzimmer auf einem schlechten Divan zu liegen und unruhig und doch ohne Sehnsucht die nächsten Stunden zu erwarten? Sie denkt an die Zeit, die noch so nahe ist, da sie sich um nichts gekümmert, als um ihren Buben, um die Wirtschaft und um ihre Lektionen – ist sie da nicht zufrieden, beinahe glücklich gewesen? . . . Sie schaut um sich. Das kahle Hotelzimmer mit den häßlich blau und weiß gemalten Wänden, den Staub- und Schmutzflecken oben an der Decke, dem Schrank mit der halboffenen Türe ist ihr sehr widerwärtig. Nein, das ist nichts für sie! Auch an das Mittagessen in dem vornehmen Hotel denkt sie jetzt mit Unbehagen zurück, ebenso an ihr Umherlaufen in der Stadt, an ihr Müdewerden, an den Wind und den Staub; es ist ihr, als ob sie herumvagabundiert wäre. Und jetzt fällt ihr noch etwas ein: wenn sich zu Hause irgend was ereignet! – Ihr Kleiner kann Fieber bekommen, man telegraphiert nach Wien an ihre Cousine, oder man kommt gar sie suchen, und man findet sie nicht, und es stellt sich heraus, daß sie gelogen hat, wie irgend eine schlechte Person, die eben Ursache dazu hat . . . . Entsetzlich! wie steht sie da! Vor ihrer Schwägerin, vor dem Schwager, vor Elly, vor ihrem erwachsenen Neffen, . . . vor der ganzen Stadt, die es ja gleich erfahren wird, . . . vor Herrn Rupius! – Nein, wahrhaftig, sie ist nicht geschaffen für solche Dinge! Wie kindisch, wie ungeschickt hat sie es doch angefangen, so daß es nur des kleinsten Zufalls braucht, um sie zu verraten. Ja, hatte sie sich denn das alles gar nicht überlegt? War sie nur von der Idee besessen gewesen, ihn wiederzusehen, und hatte sie dafür alles aufs Spiel gesetzt . . . . ihren guten Ruf, ja ihre ganze Zukunft?! – Denn wer weiß, ob nicht die Familie sich von ihr lossagt und sie ihre Lektionen verliert, wenn alles herauskommt? . . . . Alles . . . Aber was kommt denn heraus? Was ist denn geschehen? Was hat sie sich vorzuwerfen? – Und mit dem beglückenden Gefühl reinen Gewissens darf sie sich antworten: Nichts. Und sie kann ja noch heute . . . gleich jetzt mit dem Sieben-Uhr-Zug

Wien verlassen, um zehn wieder daheim sein in ihrer Wohnung, in ihrem traulichen Zimmer, bei ihrem geliebten Buben ... Ja, das kann sie; allerdings ist ihr Bub nicht zu Haus, ... aber sie könnte ihn holen lassen ... Nein, sie wird es nicht tun, sie wird nicht zurückfahren, ... nein, dazu liegt kein Anlaß vor – morgen früh ist's auch noch nicht zu spät. Sie wird eben heute Abend von Emil Abschied nehmen, ... sie wird ihm gleich mitteilen, daß sie morgen früh wieder nach Hause fährt, daß sie überhaupt nur gekommen ist, ihm einmal die Hand zu drücken .. ja, so ist es am besten. Oh, er kann sie auch bis zu ihrem Hotel begleiten, ach Gott, auch mit ihr nachtmahlen, in einem Gartenrestaurant, ... und sie wird von ihm gehen, wie sie gekommen .... Und überdies, aus seinem Benehmen wird sie ersehen, wie er sich eigentlich zu ihr stellt; sie wird sehr zurückhaltend sein, sogar kühl, und es wird ihr sehr leicht ankommen, denn sie fühlt sich vollkommen ruhig. Es ist ihr, als wären alle Wünsche wieder eingeschlafen, und sie fühlt es wie ihre Bestimmung, eine anständige Frau zu bleiben. Sie hat als junges Mädchen den Versuchungen widerstanden, ihrem Gatten ist sie treu gewesen, ihre ganze Witwenzeit war bisher ohne Anfechtungen verlaufen, ... nun, kurz und gut, wenn er sie zu seiner Frau nehmen will, wird sie sehr froh darüber sein, aber jeden kühneren Antrag wird sie mit derselben Strenge abweisen wie .... wie .... vor zwölf Jahren, als er ihr hinter der Paulanerkirche sein Fenster gezeigt hat.

Sie steht auf, sie dehnt sich, reckt die Hände, geht zum Fenster. Der Himmel ist trübe geworden, vom Gebirg her ziehen Wolken, aber der Sturm hat sich gelegt. Sie macht sich zum Fortgehen bereit.

Kaum war Berta ein paar Schritte vom Hotel entfernt, begann es zu regnen. Unter dem aufgespannten Schirm kam sie sich gegen unerwünschte Begegnungen geschützt vor. In der Luft verbreitete sich ein angenehmer Geruch, als sänke mit dem Regen ein Duft der nahen Wälder über die Stadt. Berta überließ sich ganz dem Vergnügen des Spazierengehens, selbst das Ziel ihres Weges schwebte ihr nur wie im Nebel vor. Sie war von der Fülle wechselnder Empfindungen endlich so müde geworden, daß sie gar nichts mehr empfand. Sie war ohne Angst, ohne Hoffnung, ohne Vorsatz. Sie ging wieder an den Gärten vorbei über den Ring und freute sich des feuchten Fliederdufts. Heute Vormittag hatte sie gar nicht bemerkt, daß alles in violetten Blüten prangte. Ein Einfall brachte ein Lächeln auf ihre Lippen: sie trat in eine Blumenhandlung und kaufte ein kleines Veilchenbukett. Während sie die Veilchen an den Mund führte, kam eine große Zärtlichkeit über sie; sie dachte: jetzt um sieben geht der Zug nach Hause ab, und sie freute sich, als hätte sie jemanden überlistet. Sie ging langsam quer über die Brücke und erinnerte sich, wie sie sie vor wenigen Tagen überschritten, um in die Gegend seiner früheren Wohnung zu kommen und jenes Fenster wiederzusehen. Hier ist das Menschengewühl groß, zwei Ströme, der eine von der Vorstadt in die Stadt, von der Stadt in die Vorstadt der andere, fluten durcheinander, Wagen aller Art fahren vorbei, Klingeln, Pfeifen, Rufen der Kutscher ertönt, Berta versucht stehen zu bleiben, wird aber vorwärts geschoben. Plötzlich hört sie ganz neben sich einen Pfiff. Ein Wagen hält, ein Kopf beugt sich zum Fenster heraus .... er ist es. Er winkt sie mit den Augen herbei; einige Leute werden sofort aufmerksam und haben große Lust zu hören, was der junge Mann der Dame, die an seinen Wagen herantritt, zu sagen hat. Er spricht ganz leise:

»Willst du einsteigen?«

»Einsteigen ...?«

»Nun ja, es regnet doch.«

»Ich möcht' eigentlich lieber zu Fuß gehen.«

»Wie du willst.« Emil steigt rasch aus, bezahlt den Kutscher, und Berta merkt mit einigem Schreck, daß etwa ein halbes Dutzend Menschen ringsum sehr gespannt sind, wie sich diese merkwürdigen Vorgänge weiter entwickeln werden. Emil sagt zu Berta: »Komm.« Rasch übersetzen beide die Straße und entgehen so dem ganzen Gewühl. Jetzt spazieren sie langsam längs des Wienbetts in einer wenig belebten Straße weiter.

»Du hast ja nicht einmal einen Schirm, Emil!«

»Willst du mich nicht unter den deinen nehmen? Wart', so geht das nicht.« Er nimmt ihr den Schirm aus der Hand, hält ihn über sie beide und schiebt seinen Arm unter den ihren. Jetzt fühlt sie, es ist *sein* Arm, und freut sich sehr.

»Mit dem Land ist's leider nichts,« sagt er.

»Schade.«

»Also was hast du den ganzen Tag gemacht?«

Sie erzählt ihm von dem vornehmen Restaurant, in dem sie gespeist hat.

»Ja, warum hab' ich denn das nicht gewußt? Ich dachte, du bist bei deiner Cousine zu Mittag; wir hätten ja so gut zusammen frühstücken können!«

»Du hast ja so viel zu tun gehabt,« sagt sie, und ist ein wenig stolz, daß sie diesen leichten Ton des Spottes findet.

»Nun ja, nachmittags allerdings; eine halbe Oper hab' ich mir anhören müssen.«

»Wieso denn?«

»Es war ein junger Komponist bei mir, – übrigens ein sehr talentierter Mensch.«

Sie ist sehr froh; also in dieser Weise verbringt er seine Nachmittage.

Er blieb stehen, und ohne ihren Arm auszulassen, blickte er ihr ins Gesicht. »Weißt du, daß du eigentlich viel hübscher geworden bist? Ja, in allem Ernst! Aber jetzt erzähl' mir einmal aufrichtig, wie du auf die Idee gekommen bist, mir zu schreiben.«

»Ich hab' dir's ja gesagt.«

»Hast du denn in der ganzen Zeit an mich gedacht?«

»Sehr viel.«

»Auch während du verheiratet warst?«

»Gewiß, ich habe immer an dich gedacht. Und du?«

»Oft, sehr oft.«

»Aber . . .«

»Nun, was?«

»Du bist eben ein Mann.«

»Ja, – aber was meinst du damit?«

»Du hast gewiß viele lieb gehabt.«

»Lieb gehabt . . . lieb gehabt . . . O ja, auch.«

»Aber ich,« sagte sie lebhaft, als bräche die Wahrheit übermächtig aus ihr hervor, »ich habe niemanden geliebt als dich.«

Er nahm ihre Hand und führte sie an seine Lippen. Dann sagte er: »Das lassen wir doch lieber dahingestellt.«

»Ich hab' dir auch Veilchen mitgebracht.«

Er lächelte. »Sollen die mir's beweisen? Du hast das so gesagt, als hättest du nichts anderes getan, seit wir uns nicht gesehen, als Veilchen für mich gepflückt oder wenigstens gekauft. Übrigens, danke schön. Warum hast du denn nicht in den Wagen einsteigen wollen?«

»Ja, das Spazierengehen ist doch so hübsch.«

»Aber auf die Dauer . . . Wir nachtmahlen doch miteinander?«

»Ja recht gern. – Hier ist zum Beispiel ein Gasthaus,« setzte sie eilig hinzu.

Sie gingen jetzt durch stillere Gassen. Es dämmerte.

Er lachte. »Ah nein, das wollen wir uns doch ein bißchen gemütlicher einrichten.«

Sie schaute zu Boden. Dann sagte sie: »Wir müssen uns doch nicht an einen Tisch zu fremden Leuten setzen.«

»Gewiß nicht. Wir werden sogar irgendwohin gehen, wo gar keine andern sind.«

»Was fällt dir ein!« sagte sie. »Das tu' ich nicht.«

Er zuckte die Achseln. »Ganz wie du willst. Hast du schon Appetit?«

»Nein, gar nicht.«

Sie schwiegen beide. Dann sagte er: »Werd' ich nicht einmal deinen Buben kennen lernen?«

»Gewiß,« entgegnete sie erfreut. »Wann du willst.« Sie begann von ihm zu erzählen und kam dann auf ihre Familie zu sprechen. Emil warf zuweilen eine Frage dazwischen und bald wußte er alles, was in der kleinen Stadt vorging, bis zu den Bemühungen Klingemanns, von denen Berta lachend, aber mit einer gewissen Befriedigung berichtete.

Die Laternen brannten, auf dem feuchten Pflaster spiegelte das Licht.

»Liebes Kind, wir können ja nicht die ganze Nacht auf der Straße herumlaufen,« sagte Emil plötzlich.

»Ja ... ich kann doch nicht mit dir in ein Restaurant ... Denke nur, wenn ich zufällig meine Cousine treffe oder sonstwen.«

»Sei unbesorgt, es wird uns niemand sehen.« Rasch trat er in einen Torweg und schloß den Schirm.

»Was willst du denn?« Sie sah in einen großen Garten. Nahe den Mauern, von denen aus schützende Segelleinwand gespannt war, saßen Leute an gedeckten Tischen.

»Da, meinst du?«

»Nein. Komm nur.« Gleich rechts vom Tor befand sich eine kleine Tür, die angelehnt war. »Hier herein.«

Sie befanden sich in einem schmalen, beleuchteten Gang, an dessen beiden Seiten je eine Reihe von Türen lief. Ein Kellner grüßte, schritt voraus, an allen Türen vorbei, die letzte öffnete er, ließ die Gäste eintreten und schloß hinter ihnen wieder zu. In der Mitte des kleinen Zimmers stand ein Tischchen mit drei Gedecken, an der Wand ein blau-samtenes Sofa, gegenüber hing ein goldgerahmter, ovaler Spiegel, vor welchem Berta ihren Hut abnahm und auf dessen Glas sie die Namen »Irma« und »Rudi« eingekritzt sah. Zugleich sah sie im Spiegel, daß Emil hinter sie trat. Er legte seine Hände an ihre Wangen, beugte ihren Kopf nach rückwärts zu sich und küßte sie auf die Lippen. Dann wandte er sich ab, ohne zu reden, und klingelte. Ein sehr junger Kellner trat sofort ein, als wenn er vor der Tür gewartet. Nachdem der seinen Auftrag entgegengenommen hatte, ging er, und Emil setzte sich. »Nun, Berta?« Sie wandte sich ihm zu, er faßte leicht ihre Hand und ließ sie auch noch nicht los, als Berta schon in der Sofaecke neben ihm Platz genommen. Unwillkürlich berührte sie mit ihrer andern Hand seine Haare.

Ein älterer Kellner trat ein, und Emil stellte das Menu zusammen. Berta war mit allem einverstanden. Als der Kellner verschwunden war, sagte Emil: »Muß man da nicht fragen: warum erst heut?«

»Wie meinst du das?«

»Warum hast du mir nicht längst geschrieben?«

»Ja . . . hättest du früher deinen Orden bekommen!«

Er hielt ihre Hand in der seinen und küßte sie.

»Du kommst ja so oft nach Wien.«

»O nein.«

Er sah auf. »Du hast mir doch so was Ähnliches geschrieben?«

Sie erinnerte sich jetzt und wurde rot. »Nun ja, . . . manchmal . . . Erst am Montag bin ich da gewesen.«

Der Kellner brachte Sardinen und Kaviar und ging.

»Nun,« sagte Emil, »es ist wahrscheinlich gerade die rechte Zeit.«

»Inwiefern?«

»Daß wir einander wieder begegnet sind.«

»O, ich hab' mich oft nach dir gesehnt.«

Er schien nachzusinnen. Dann sagte er: »Und daß es damals so war und nicht anders, ist vielleicht auch gut. Gerade deswegen ist die Erinnerung so wunderschön.«

»Ja, wunderschön.«

Sie schwiegen beide. Dann sagte sie: »Erinnerst du dich . . .« Und nun begann sie von der fernen Zeit zu reden, von den Spaziergängen im Stadtpark, und von seinem ersten Auftreten im Konservatorium. Er nickte zu alldem, hielt seinen Arm auf der Lehne des Sofas und berührte leicht die Haare, die sich ihr im Nacken kräuselten. Zuweilen warf er ein Wort dazwischen. Auch er erinnerte sich; er wußte sogar noch von einem Ausflug, an einem Sonntag Vormittag in die Praterauen, den sie selbst vergessen hatte.

»Und weißt du noch,« sagte Berta, »wie wir uns ...« sie zögerte, es auszusprechen, »einmal beinah verlobt haben?«

»Ja,« sagte er. »Und wer weiß ...« Er wollte vielleicht sagen: es wäre das Beste für mich gewesen, wenn ich dich geheiratet hätte – aber er sagte es nicht.

Emil bestellte Champagner.

»Es ist noch nicht lang,« sagte Berta, »daß ich das letztemal Champagner getrunken; vor einem halben Jahr, als der fünfzigste Geburtstag meines Schwagers gefeiert wurde.« Sie dachte an die Gesellschaften bei ihrem Schwager, und es schien ihr wunderbar, wie weit das alles war: die ganze kleine Stadt und alle, die dort lebten. Der junge Kellner brachte den Eiskübel mit dem Wein. In diesem Augenblick fiel es Berta ein, daß Emil gewiß hier schon manchmal mit anderen Frauen gewesen war. Aber es war ihr ziemlich gleichgültig.

Sie stießen mit den Gläsern an und tranken. Emil umschlang Berta und küßte sie. Dieser Kuß erinnerte sie an etwas ... Woran denn nur? ... An die Küsse von einst, da sie ein junges Mädchen war? ... An die Küsse ihres Mannes? .... Nein ... Und plötzlich fiel es ihr ein: geradeso hatte ihr kleiner Neffe sie neulich geküßt.

Der Kellner brachte Obst und Backwerk. Emil legte für Berta einige Datteln und Trauben auf den Teller.

»Warum sprichst du nichts?« fragte Berta. »Warum läßt du immer nur mich reden? Und du könntest doch soviel erzählen!«

»Ich ..?« Er schlürfte langsam den Wein.

»Nun ja, von deinen Reisen.«

»Ach Gott, es ist eine Stadt wie die andere. Du darfst ja nicht vergessen, daß ich nur selten zu meinem Vergnügen reise.«

»Ja, natürlich.« Sie hatte die ganze Zeit nicht daran gedacht, daß es der berühmte Geigenvirtuose Emil Lindbach war, mit dem sie hier saß, und sie fühlte sich verpflichtet zu sagen: »Nächstens spielst du ja hier. Ich möchte dich gern wieder hören.«

Er erwiderte trocken: »Niemand auf der Welt wird dich daran hindern.«

Es ging ihr durch den Sinn, daß es ihr eigentlich viel lieber wäre, ihn nicht im Konzert, sondern für sich allein zu hören. Fast hätte sie's ausgesprochen, da fiel ihr aber ein, daß das nichts anderes hieße, als: ich will zu dir. – Und wer weiß, vielleicht ist sie sehr bald bei ihm. – Ihr wird so leicht, wie immer, wenn sie etwas Wein getrunken hat ... Doch nein, es ist anders als sonst; –

nicht der sanfte Rausch, in dem sie nur ein wenig heiter wird, es ist besser, schöner. Und nicht die paar Tropfen Wein machen das, das macht die Berührung dieser lieben Hand, die ihr über Stirn und Haare streicht. Er hat sich neben sie gesetzt und zieht ihren Kopf an seine Schultern. So möchte sie einmal schlummern . . . ja, wahrhaftig, nichts anderes möchte sie . . . . Jetzt hört sie ihn flüstern: »Schatz . . .« Sie zittert leise. Warum erst heute? Hätte sie das nicht alles früher haben können? Was hatte das überhaupt für einen Sinn, so zu leben wie sie? . . . Das, was sie jetzt tat, war doch nichts Böses . . . Und wie süß war es, den Atem eines jungen Mannes über den Augenlidern zu fühlen . . . . Nein, nein – nicht eines jungen Mannes . . . eines Geliebten. . . . Sie hatte die Augen geschlossen. Sie versuchte gar nicht, sie wieder zu öffnen, wollte gar nicht wissen, wo sie war, mit wem sie war. . . . Wer ist's denn nur? . . . Richard? . . . Nein . . . schläft sie denn ein? . . . Sie ist hier mit Emil . . . Mit wem? . . . . Wer ist denn dieser Emil? . . . Wie schwer das ist, sich darüber klar zu werden! . . . Dieser Hauch über ihren Lidern, ist der Atem ihres Jugendgeliebten – und zugleich der eines berühmten Künstlers, der nächstens ein Konzert gibt . . . und zugleich eines Menschen, den sie viele tausend Tage nicht gesehen hat . . . und zugleich der eines Herrn, mit dem sie allein im Restaurant sitzt und der jetzt mit ihr machen kann, was er will. . . . Sie fühlt seinen Kuß auf den Augen. . . . Wie zärtlich er ist . . . und wie schön. . . . Wie sieht er denn nur aus? . . . . Sie braucht nur die Augen zu öffnen, und sähe ihn ganz genau . . . . Aber sie will ihn lieber sich vorstellen, ohne ihn zu sehen. . . . Nein, wie komisch – das ist ja gar nicht sein Gesicht! . . . Das ist ja das des jungen Kellners, der eben hinausgegangen . . . Wie sieht denn nur Emil aus? . . . So –? . . . Nein, nein, das ist ja Richard . . . Aber fort . . fort . . . Ist sie denn so gemein, daß sie an lauter andere Männer denkt, während sie . . . mit ihm . . . . Wenn sie nur die Augen öffnen könnte! . . . Ah! – Sie bewegt sich heftig, so daß sie Emil beinahe fortstößt, – jetzt reißt sie die Augen weit auf.

Emil sieht sie lächelnd an und fragt: »Hast du mich lieb?«

Sie zieht ihn an sich und küßt ihn selbst, zum ersten Male heut küßt sie ihn selbst, und zugleich fühlt sie, daß sie jetzt etwas tut, was einem Vorsatz von heut morgen widerspricht . . . Was wollte sie nur? – Sich nichts vergeben, sich versagen . . . Ja, gewiß war irgendein Moment, in dem sie das wollte, aber warum? Sie hat ihn ja lieb, und der Augenblick ist da, den sie seit Tagen erwartet,

– nein, seit Jahren! – Noch immer ruhen ihre Lippen aufeinander. ... Ah, sie möchte in seinen Armen ... sie möchte ganz die Seine sein! – Er soll nichts mehr reden ... er soll sie mit sich nehmen .... er wird es fühlen, daß ihn keine andere so lieben kann wie sie .....

Emil steht auf, geht in dem kleinen Zimmer ein paarmal hin und her. Sie setzt das Glas wieder an den Mund. Emil sagt leise: »Nicht mehr, Berta.« Ja, er hat recht, – was tut sie denn? will sie sich denn berauschen? Braucht es das? Sie ist ja niemandem Rechenschaft schuldig, sie ist frei, sie ist jung, sie will auch endlich einmal glücklich sein!

»Wollen wir nicht gehen?« sagt Emil. Berta nickt. Er hilft ihr beim Anlegen der Jacke, sie steht beim Spiegel und steckt die Nadel durch den Hut. Sie gehen. Vor der Tür steht der junge Kellner und grüßt. Ein Wagen hält vor dem Tor, Berta steigt ein; sie hört nicht, was Emil dem Kutscher sagt. Emil setzt sich zu ihr. Beide schweigen, eng aneinander gedrängt. Der Wagen rollt fort, lang, lang – Wo mag denn Emil nur wohnen? Vielleicht auch läßt er den Kutscher absichtlich einen Umweg machen, weil er weiß, wie angenehm es ist, so zusammen durch die Nacht zu fahren. – Der Wagen hält. Emil steigt aus. »Gib mir deinen Schirm,« sagt er. Sie reicht ihn aus dem Wagen, er spannt ihn auf. Sie steigt aus; sie stehen beide unter dem Schirm, auf den der Regen niederprasselt. – Ist das die Gasse, in der er wohnt? – Das Tor öffnet sich; sie treten in den Flur, Emil nimmt dem Portier die Kerze aus der Hand. Eine schöne, breite Stiege. Im ersten Stock schließt Emil eine Tür auf. Sie treten ein, durch einen Vorraum, in einen Salon. Emil entzündet mit der Kerze, die er in der Hand hält, zwei andere auf dem Tisch, dann tritt er zu Berta, führt sie, die noch an der Tür wie wartend stand, weiter herein, nimmt ihr die Nadel aus dem Hut und legt den Hut auf den Tisch. Im unbestimmten Licht der zwei schwach brennenden Kerzen sieht Berta nur, daß an der Wand ein paar kolorierte Bilder hängen, – die Porträts der Majestäten, wie ihr scheint, – daß an der einen Wand ein breiter Divan mit einem persischen Teppich steht und nah dem Fenster ein kleines Pianino mit einer Anzahl eingerahmter Photographien auf dem Deckel. – Darüber hängt ein Bild, das sie aber nicht zu erkennen vermag. Dort drüben fallen rote Portieren herab zu Seiten einer Tür, die halb offen steht, – irgend etwas Weißes leuchtet durch die breite Spalte herein. Sie kann die Frage nicht länger zurückhalten: »Wohnst du hier?«

»Wie du siehst.«

Sie blickt vor sich hin. Auf dem Tische steht eine Karaffe mit Likör und zwei Gläschen, ein kleiner Aufsatz mit Obst und Backwerk.

»Ist das dein Studierzimmer?« Ihre Augen suchen unwillkürlich nach einem Pult, wie es Geigenspieler brauchen. Er führt sie, den Arm um ihre Taille, vor das Pianino; dort setzt er sich hin, zieht sie auf seine Knie. »Ich will's dir nur lieber gestehen,« sagt er dann einfach und beinahe trocken, »ich wohne eigentlich nicht hier. Nur unseretwegen ... hab' ich ... für einige Zeit ... ich hab' es für vernünftig gehalten ... Wien ist nämlich eine Kleinstadt, und ich wollte dich nicht nachts in meine Wohnung bringen.«

Sie sieht es ein, und doch ist es ihr nicht ganz recht. Sie blickt auf. Jetzt kann sie die Konturen des Bildes über dem Pianino wahrnehmen: es ist eine nackte Frauengestalt. Berta hat ein merkwürdige Lust, das Bild ganz genau zu sehen. »Was ist das?« fragt sie.

»Kein Kunstwerk«, antwortet Emil. Er brennt ein Zündhölzchen an und leuchtet damit in die Höhe. Sie merkt, daß es ein ganz miserables Bild ist, aber es ist ihr zugleich, als sähe das gemalte Weib mit lachenden, frechen Augen auf sie herab, und sie ist froh, wie das Zündhölzchen verlischt.

»Du könntest mir jetzt eigentlich«, sagt Emil, »auf dem Klavier etwas vorspielen.« Sie wundert sich, daß er so kühl ist. Weiß er denn nicht, daß sie bei ihm ist ..? .. Aber fühlt denn sie selbst etwas Besonderes? ... Nein ... eine sonderbare Traurigkeit scheint hier aus allen Ecken zu quellen ... Warum hat er sie nicht lieber in seine Wohnung genommen? .. Was mag das für ein Haus sein? .. Sie bedauert jetzt, daß sie nicht mehr Wein getrunken hat ... Sie möchte nicht so nüchtern sein ..

»Nun, willst du mir nicht vorspielen?« sagt Emil. »Denke, wie lang ich dich nicht gehört habe.«

Sie setzt sich und greift einen Akkord. »Ich hab' ja alles verlernt.«

»Versuch's nur.« Sie spielt ganz leise das Albumblatt von Schumann, und sie erinnert sich, wie sie vor wenig Tagen daheim spät abends phantasiert hat und Klingemann vor dem Fenster auf und ab spaziert ist; auch an das Gerücht von dem lasziven Bild in seinem Zimmer muß sie denken. Und unwillkürlich blickt sie wieder zu der nackten Frau über dem Pianino auf, die jetzt ins Leere schaut.

Emil hat sich einen Stuhl neben den ihren gerückt. Er zieht sie an sich und küßt sie, während ihre Finger immer weiter spielen und endlich ruhig auf den Tasten liegen bleiben. Berta hört, wie der Regen an die Fensterscheiben schlägt, und ein Gefühl von Zuhausesein kommt über sie.

Jetzt ist ihr, als wenn Emil sie in die Höhe trüge; ohne sie aus den Armen zu lassen, war er aufgestanden und führt sie langsam. Sie fühlt, wie ihr rechter Arm an der Portiere streift . . . die Augen hält sie geschlossen. . . . Über ihren Haaren fühlt sie Emils kühlen Atem . . .

Als sie auf die Straße traten, hatte der Regen aufgehört, aber in der Luft war eine wunderbare Milde und Feuchtigkeit. Die meisten Laternen waren schon ausgelöscht, erst dort an der Straßenecke brannte wieder eine. Da auch der Himmel noch mit Wolken bedeckt war, lag eine tiefe Dunkelheit auf dem Weg. Emil hatte Berta den Arm gereicht, sie gingen schweigend. Eine Turmuhr schlug: eins. Berta wunderte sich. Sie hatte den Morgen nahe geglaubt; aber sie freute sich nun, in der weichen, stillen Luft, an seinen Arm gelehnt, stumm durch die Nacht zu wandeln, denn sie liebte ihn sehr.

Sie traten auf einen freien Platz; vor ihnen lag die Karlskirche.

Emil rief einen Kutscher an, der, auf dem Trittbrett seines offenen Wagens sitzend, eingeschlafen war. »Es ist so schön«, sagte Emil, »wir können noch ein bißchen spazieren fahren, eh ich dich in dein Hotel bringe – ja?«

Der Wagen setzte sich in Bewegung. Emil hatte den Hut abgenommen, sie legte ihn auf ihren Schoß; auch das tat ihr wohl. Sie betrachtete Emil von der Seite, seine Augen schienen ins Weite zu schauen. »Woran denkst du?«

»Ich . . ? Um die Wahrheit zu sagen, denk' ich an eine Melodie aus der Oper, die mir dieser Mensch Nachmittag vorgespielt hat. Aber es wird eine andere daraus.«

»An Melodien denkst du jetzt . . .?« sagte Berta lächelnd, aber mit einem leichten Vorwurf. –

Wieder ein Schweigen. Der Wagen fuhr langsam über die menschenleere Ringstraße, vorbei an Oper, Museum, Volksgarten.

»Emil?«

»Was willst du, mein Schatz?«

»Wann werd' ich dich endlich wieder spielen hören?«

»Ich spiele ja dieser Tage in einem Konzert.« Er sagte es, als wenn es ein Spaß wäre.

»Nein, Emil, – du, für mich allein. Das wirst du doch einmal tun . . ja? Ich bitte dich.«

»Ja, ja.«

»Es läge mir soviel daran. Ich möchte, daß du weißt: es ist niemand da als ich, die dich hört.«

»Nun ja. Aber lassen wir das doch jetzt.« Er sagte es so bestimmt, als nähme er irgend etwas vor ihr in Schutz. Sie verstand nicht, weshalb ihm das, worum sie ihn gebeten, unangenehm sein könnte, und fuhr fort: »Es bleibt doch dabei: morgen Nachmittag um fünf bei dir?«

»Ja. Ich bin neugierig, ob es dir bei mir gefallen wird.«

»O gewiß. Sicher ist es bei dir schöner als da, wo wir waren. Und bleiben wir den Abend zusammen? – Weißt du, ich meine nur, ob ich nicht für meine Cousine . . . . .«

»Aber lieber Schatz, machen wir doch lieber kein Programm.« Dabei legte er den Arm um ihren Nacken, als wollte er ihr so die Zärtlichkeit geben, die nicht im Ton seiner Worte lag.

»Emil!«

»Nun?«

»Morgen wollen wir die Kreutzersonate zusammen spielen – das Andante wenigstens.«

»Aber liebes Kind, lassen wir doch endlich die Musik. Ich glaub' schon, daß du dich riesig dafür interessierst.« Er sagte es wieder in jener unbestimmten Art, von der sie nicht wußte, ob sie spöttisch oder ehrlich gemeint war; aber sie wagte nicht zu fragen. Dabei sehnte sie sich in diesem Augenblick so sehr, ihn Violine spielen zu hören, daß es beinahe wie ein Schmerz war.

»Ah, da sind wir ja in deiner Nähe!« rief Emil. Und als ob er ganz vergessen hätte, daß er noch eine Spazierfahrt mit ihr machen wollte, rief er dem Kutscher die Adresse des Hotels zu.

»Emil –«

»Nun, Liebste?«

»Hast du mich noch lieb?«

Statt jeder Antwort drückte er sie an sich und küßte sie auf die Lippen.

»Sag' mir, Emil –«

»Was denn?«

»Aber du hast ja nicht gern, wenn man dich viel fragt . . .«

»Frag' nur, mein Kind.«

»Was wirst du . . . was pflegst du denn Vormittags zu tun?«

»O, das ist höchst verschieden. Morgen zum Beispiel, spiel' ich in der Lerchenfelder Kirche ein Violinsolo in einer Messe von Haydn.«

»Wirklich? Da kann ich dich ja schon morgen früh hören?«

»Wenn's dir Spaß macht. Aber es ist wirklich nicht der Müh' wert ... Das heißt, die Messe ist natürlich sehr schön.«

»Wie kommst du eigentlich dazu, in der Lerchenfelder Kirche zu spielen?«

»Es ist ... eine Gefälligkeit von mir.«

»Für wen?«

»Für .... nun, für Haydn selbstverständlich.«

In Berta zuckte irgend etwas schmerzlich zusammen. In diesem Augenblick fühlte sie, daß es mit dieser Mitwirkung in der Lerchenfelder Kirche eine besondere Bewandtnis haben müßte. Vielleicht sang irgendeine mit, die ... Ja, was wußte sie schließlich? ... Aber sie wird hingehen, ganz bestimmt ... sie kann ihn keiner andern lassen! – Er gehört ihr, ihr allein ... er hat es ihr auch gesagt ... und sie wird verstehen, ihn festzuhalten ... Sie hat ja so unendlich viel Zärtlichkeit ... sie hat ja alle aufgespart für ihn allein ... sie wird ihn ganz damit umhüllen ... er wird sich nach keiner andern mehr sehnen ... Sie wird nach Wien übersiedeln, jeden Tag bei ihm sein, immer bei ihm sein.

»Emil –«

»Was hast du denn, Schatz?« Er wandte sich zu ihr, sah sie wie besorgt an.

»Hast du mich lieb? – O Gott, da sind wir schon!«

»So?« fragte Emil verwundert.

»Ja – dort, siehst du – dort wohne ich. Also bitte, Emil, sag' mir noch einmal –«

»Ja, morgen um fünf, mein Schatz. Ich freu' mich sehr.«

»Nein, nicht ... Ob du –«

Der Wagen hielt, Emil wartete an Bertas Seite, bis der Portier aufsperren kam, dann küßte er ihr ganz förmlich die Hand, sagte »Auf Wiedersehen, gnädige Frau« und fuhr davon.

In dieser Nacht schlief sie fest und tief.

Das Licht des Morgens war um sie, als sie erwachte. Der gestrige Abend fiel ihr ein, und sie war sehr froh, daß irgend etwas, das sie sich so schwer, beinah düster vorgestellt hatte, als etwas ganz Leichtes und Heiteres hinter ihr lag. Und dann war sie stolz in der Erinnerung an ihre Küsse, die gar nichts von der Schüchternheit eines ersten Abenteuers an sich gehabt hatten. Von Reue verspürte sie nicht das Geringste, obwohl ihr einfiel, daß es üblich ist, nach Dingen, wie sie sie erlebt, Reue zu empfinden. Auch Worte wie: Sünde, Liebesverhältnis fuhren ihr durch den Kopf, ohne verweilen zu können, da ihnen aller Sinn zu fehlen schien. Sie glaubte sicher zu sein, daß sie Emils Zärtlichkeit ganz wie eine liebesgewohnte Frau erwidert hatte, und war sehr glücklich, daß alles, was bei andern Frauen aus der Erfahrung trunkner Nächte, bei ihr nur aus der Tiefe ihrer Empfindungen gekommen war. Es schien ihr, als hätte sie gestern Abend eine Gabe an sich entdeckt, von der sie bisher nichts geahnt, und ganz leise regte sich das Bedauern, sie früher nicht ausgenützt zu haben. Sie erinnerte sich einer Frage Emils nach ihrer Vergangenheit, durch die sie nicht so verletzt war, als sie es hätte sein müssen, und jetzt in der Erinnerung kam ihr das gleiche Lächeln auf die Lippen, mit dem sie ihm die Wahrheit geschworen, an die er nicht hatte glauben wollen. Dann dachte sie an das nächste Wiedersehen mit ihm, stellte sich vor, wie er sie empfangen und durch die Zimmer geleiten würde. Der Einfall kam ihr, daß sie sich ganz so benehmen wollte, als wäre noch gar nichts geschehen. Nicht einmal in ihren Augen dürfte er die Erinnerung an den gestrigen Abend lesen; er sollte sie ganz von neuem erobern, um sie werben müssen, – nicht allein mit Worten, nein, auch mit seiner Musik ... Ja, ... wollte sie ihn nicht schon heute Vormittag hören? ... Natürlich! – in der Kirche ... Und sie besann sich der plötzlichen Eifersucht, die sie gestern Abend erfaßt hatte ... Ja, warum nur? ... Das kam ihr jetzt so komisch vor, – Eifersucht auf eine Sängerin, die vielleicht in der Messe mitsang, oder auf eine andere Unbekannte. Aber hingehen wollte sie jedenfalls. – Ah, wie schön wird das sein, im Dämmer der Kirche zu stehen, ungesehen von ihm, ihn nicht sehend, und nur sein Spiel zu hören, das vom Chor herunterschwebt. Und es ist ihr, als freue sie sich einer neuen Zärtlichkeit entgegen, die ihr von ihm werden soll, ohne daß er es ahnt.

Langsam steht sie auf, kleidet sich an. Ein leiser Gedanke an zuhause schwebt in ihr auf, aber er ist ganz ohne Kraft. Es macht ihr sogar Mühe, ihn zu denken. Auch darüber fühlt sie keine Reue, auch darauf ist sie eher stolz. Sie fühlt sich ganz als Emils Geschöpf, alles, was vor ihm da war, scheint ausgelöscht. Wenn er von ihr verlangen möchte: lebe ein Jahr, lebe diesen Sommer mit mir, dann aber mußt du sterben, – sie würde es tun.

Die aufgelösten Haare fallen ihr über die Schultern. Erinnerungen kommen ihr, die sie beinahe taumeln machen ... O Gott, warum alles das so spät, so spät? – Aber noch ist eine lange Zeit vor ihr, – noch fünf, noch zehn Jahre kann sie schön bleiben ... oh, auch noch länger für ihn, wenn sie zusammen bleiben, denn er würde ja mit ihr zusammen altern. Und wieder fliegt ihr jene Hoffnung durch den Sinn: wenn er sie zu seiner Frau machte, wenn sie zusammen wohnten, zusammen reisten, zusammen schliefen, Nacht für Nacht? – Aber jetzt beginnt sie sich ein wenig zu schämen. Warum denn immer und immer diese Gedanken? Zusammen leben heißt doch auch anderes – gemeinschaftliche Sorgen haben, über alle Dinge miteinander reden können? Ja, seine Freundin will sie sein vor allem! Und das, vor allem das will sie ihm heute sagen. Heute muß er endlich erzählen, über sich erzählen, sein ganzes Leben vor ihr ausbreiten, von dem Augenblick, da sie sich vor zwölf Jahren getrennt, bis ... und mit Staunen muß sie weiter denken: – bis gestern früh .... Gestern früh hat sie ihn zum erstenmal wiedergesehen, und in diesem einen Tag ist sie so völlig sein geworden, daß sie nichts mehr anderes denken kann als ihn, daß sie kaum mehr eine Mutter ist, ... nein, nichts als seine Geliebte.

Sie trat in den hellen Sommertag hinaus. Es fiel ihr auf, daß ihr mehr Menschen begegneten als sonst, daß die meisten Geschäfte geschlossen waren. – Richtig, Sonntag! Sie hatte gar nicht daran gedacht. Nun machte sie auch das froh. Bald begegnete ihr ein sehr schlanker Herr, der den Überzieher offen trug und an dessen Seite ein junges Mädchen mit sehr dunklen, lachenden Augen ging. Berta mußte denken: ein Paar wie dieses sind wohl auch wir ... Und sie stellte es sich schön vor, nicht nur im Dunkel der Nacht, sondern auch so wie diese beiden auf heller Straße, Arm in Arm, mit lachenden, glücklichen Augen umher zu wandeln. Manchmal, wenn ein Herr ihr im Vorbeigehen ins Gesicht sah, war ihr, als verstünde sie wie etwas Neues die Sprache der Blicke. Einer, der sie mit einem gewissen Ernst betrachtete, schien zu sagen: Na, du bist auch geradeso wie die andern! Dann kamen zwei junge Leute, die zu reden aufhörten, als sie sie sahen. Ihr war, als wüßten die ganz gewiß, was heut nachts geschehen war. Wieder ein anderer schien große Eile zu haben, sah sie flüchtig von der Seite an und seine Augen sagten: Was gehst du da so großartig herum wie eine brave Frau? Gestern Abend bist du mit einem von uns im Bett gelegen. Dieses »Einer von uns« hörte sie innerlich ganz deutlich, und sie mußte das erstemal in ihrem Leben bei allen Männern, die vorübergingen, denken, daß sie Männer, bei allen Frauen, daß sie Frauen waren, daß sie einander begehrten und daß sie einander fanden, wenn sie wollten. Und sie hatte das Gefühl, als ob sie noch gestern um diese Zeit eine Ausgeschlossene gewesen wäre, vor der alle anderen Geheimnisse hatten, während sie jetzt mit zu ihnen gehörte und mitreden durfte. Sie versuchte, sich auf die erste Zeit nach ihrer Hochzeit zu besinnen, und sie erinnerte sich, daß sie nichts empfunden hatte, als einige Enttäuschung und Beschämung. Ganz dunkel tauchte etwas in ihr auf, wovon sie nicht wußte, ob sie es einmal gelesen oder gehört, nämlich der Satz: es ist ja doch immer dasselbe. Und sie kam sich viel klüger vor als die oder der, der das gesagt oder geschrieben.

Jetzt merkte sie, daß sie den gleichen Weg ging wie gestern. Ihr Auge fiel auf eine Plakatsäule mit der Ankündigung des Konzertes, bei dem auch Emil mitwirken sollte. Mit Behagen blieb sie davor stehen. Ein Herr stand neben ihr. Sie lächelte und dachte: Wenn er wüßte, daß jetzt meine Augen gerade auf dem Namen desjenigen Menschen ruhen, der gestern Nacht mein Geliebter war.... Sie war plötzlich sehr stolz. Was sie getan hatte, dünkte sie etwas Besonderes. Sie konnte sich kaum vorstellen, daß andere Frauen den gleichen Mut besäßen. Sie ging wieder durch den Volksgarten, in dem heute mehr Menschen waren als gestern. Wieder sah sie Kinder, die spielten, Gouvernanten und Kindermädchen, die plauderten, lasen, strickten. Ein sehr alter Herr fiel ihr auf, der sich auf eine Bank in der Sonne gesetzt hatte, sie ansah, den Kopf schüttelte und sie mit harten und unerbittlichen Augen verfolgte. Sie war sehr unangenehm berührt und hatte ein dunkles Gefühl von Unrecht gegenüber diesem alten Herrn. Als sie aber unwillkürlich wieder zurücksah, bemerkte sie, wie er auf den sonnenbeleuchteten Sand schaute und noch immer den Kopf schüttelte. Sie wußte jetzt, daß das mit seinem Alter zusammenhing, und sie fragte sich, ob auch Emil einmal ein so uralter Herr sein würde, der sich in die Sonne setzt und den Kopf schüttelt. Und mit einem Mal sah sie sich neben ihm einhergehen, in der Kastanienallee daheim, aber sie war noch jung wie jetzt und er fuhr im Rollstuhl. Sie bebte leise. Wenn Herr Rupius es wüßte... Nein, – nie und nimmer würde er das von ihr glauben! Hätte er das von ihr vorausgesetzt, so hätte er sie nicht zu sich auf den Balkon gerufen und ihr erzählt, daß seine Frau ihn verlassen wollte.... Sie staunte in diesem Augenblick über das, was ihr wie eine große Fülle ihres Lebens vorkam. Sie hatte den Eindruck, innerhalb so verwickelter Verhältnisse zu existieren, wie keine andere Frau. Und auch diese Empfindung trug zu ihrem Stolz bei. Während sie an einer Gruppe von Kindern vorbeiging, von denen vier ganz gleich gekleidet waren, dachte sie, wie sonderbar es wäre, daß sie keinen Moment an mögliche Folgen ihres gestrigen Abenteuers gedacht. Aber ein Zusammenhang zwischen dem, was gestern geschehen, zwischen diesen wilden Umarmungen in einem fremden Bett – und einem Wesen, das einmal zu ihr »Mutter« sagen sollte, schien außerhalb jeder Möglichkeit zu liegen.

Sie verließ den Garten und nahm den Weg zur Lerchenfelderstraße. Ob er jetzt daran dachte, daß sie auf dem Weg zu ihm wäre? Ob sie sein erster Gedanke heute früh gewesen? Und es schien ihr nun, daß sie sich früher den Morgen nach einer Liebesnacht ganz anders vorgestellt hatte ... ja, als ein gemeinsames Erwachen, Brust an Brust, Mund an Munde.

Soldaten kamen ihr entgegen, Offiziere schritten zur Seite auf dem Trottoir, einer streifte sie und sagte höflich: »Bitte, entschuldigen!« Es war ein sehr hübscher Mensch, und er kümmerte sich weiter nicht um sie, was sie ein wenig ärgerte. Und unwillkürlich dachte sie: ob der auch eine Geliebte hat? Und plötzlich wußte sie, daß er sicher heute Nacht mit ihr zusammen war und auch nur sie allein liebt und sich so wenig um andere Frauen kümmert als Emil.

Sie war vor der Kirche. Orgelklang drang bis auf die Straße. Eine Equipage stand da, mit einem Lakaien auf dem Bock. Wie kam die da her? Es war Berta mit einmal ganz klar, daß dieser Wagen in einer bestimmten Beziehung zu Emil stehen müßte, und sie nahm sich vor, vor Schluß der Messe die Kirche zu verlassen, um zu sehen, wer hier einstiege. Sie trat in die menschenerfüllte Kirche. Sie schritt zwischen den Bankreihen nach vorwärts, bis zum Hochaltar, an dem der Priester stand. Die Orgeltöne verklangen, das Streichorchester setzte ein. Sie wandte den Kopf nach der Richtung des Chors. Es war doch sonderbar, daß Emil hier in der Lerchenfelderkirche, sozusagen inkognito, das Solo in einer Haydnschen Messe spielen sollte ... Sie betrachtete die weiblichen Gestalten in den vorderen Bänken. Sie bemerkte zwei – drei – vier junge Frauen und mehrere alte Damen; zwei saßen in der vordersten Reihe, die eine war sehr vornehm in schwarze Seide gekleidet, die andere schien ihre Kammerfrau zu sein. Berta dachte, daß die Equipage jedenfalls dieser vornehmen alten Dame gehörte, was sie sehr beruhigte. Sie ging wieder nach rückwärts und hielt überall, halb unbewußt, nach schönen Frauen Umschau. Es gab noch einige leidlich hübsche, alle schienen ihr in Andacht versunken, und sie schämte sich, daß sie allein hier ohne jeden heiligen Gedanken umherwandelte. Jetzt merkte sie, daß das Violinsolo schon begonnen hatte. Er spielte jetzt, er, er! ... Und in diesem Augenblick hörte sie ihn seit mehr als zehn Jahren zum erstenmal, und es schien ihr, als wär' es der gleiche süße Ton von damals, so wie man Menschenstimmen erkennt, die man jahrelang nicht vernommen. Der Sopran setzte ein. Wenn sie die Sängerin nur sehen könnte! Es war eine helle, frische, nicht sehr geschulte Stimme, und Berta fühlte etwas wie einen persönlichen Zusammenhang zwischen dem Geigenspiel und dem Gesang. Daß Emil das Mädchen kannte, welches jetzt sang, war natürlich ... aber verbarg sich da nicht noch irgend etwas Anderes? ... Der Gesang verstummte, die Geige klang weiter, und nun sprach sie zu ihr allein, als wollte sie sie beruhigen. Das Orchester fiel ein, das Geigensolo schwebte über den anderen Instrumenten und schien nur den einen Wunsch zu haben, sich mit ihr zu verständigen. Es sagte: Ich weiß, daß du da bist, und ich spiele nur für dich! ... Die Orgel setzte ein, aber noch behielt das Geigensolo die Führung. Berta war so ergriffen, daß sie Tränen im Auge hatte. Endlich war das Solo zu Ende, wie verschlungen von dem Schwall der Instrumente und tauchte nicht wieder auf. Berta hörte kaum zu, aber die Musik umklang sie mit wunderbarem Trost. Manchmal glaubte sie, die Geige Emils im Orchester mitspielen zu hören, und da war es ganz sonderbar, beinah märchenhaft, daß sie da unten an einer Säule stand und er oben im Chor an einem Pulte saß und sie hatten einander heut Nacht in den Armen gehalten, und alle die Hunderte hier in der Kirche wußten nichts davon ... Sie mußte ihn gleich sehen – ja! Sie wollte unten an der Stiege warten ... sie wollte nichts zu ihm sprechen, – nein, aber sehen wollte sie ihn, und auch die anderen, die kamen, – auch die Sängerin, auf die sie eifersüchtig gewesen war. Aber das war nun ganz vorüber; sie wußte es, daß er sie nicht belügen konnte. – Die Musik war verstummt, Berta fühlte sich vorwärts geschoben, dem Ausgang zu, sie wollte die Stiege finden, aber sie wurde von ihr entfernt. Denn es war gut so ... Nein, das durfte sie nicht, sich hinstellen, ihn erwarten – – was würde er denken? Es wäre ihm gewiß nicht recht! Nein, sie wollte mit den andern verschwinden und ihm abends sagen, daß sie ihn gehört. Sie hatte nun geradezu Angst davor, von ihm bemerkt zu werden. Sie stand am Ausgang, schritt die Stufen hinab und kam gerade an der Equipage vorbei, als die alte Dame mit ihrer Kammerfrau einstieg. Sie mußte lächeln, als sie sich erinnerte, in welche Besorgnis sie der Anblick dieses Wagens versetzt hatte, und es schien ihr, als müßten mit diesem Verdacht auch alle andern zerflattern. Es war ihr, als hätte sie ein merkwürdiges Abenteuer hinter sich und stünde am Anfang eines ganz neuen Daseins. Zum erstenmal schien es ihr einen Sinn zu haben; alles andere war eingebildet gewesen und wurde zu nichts gegenüber dem Glück, das durch ihre Pulse strömte, während sie von der Kirche durch die Straßen der Vorstadt langsam nach Hause schlenderte. Erst wie sie schon nah dem Hotel war, merkte sie, daß sie den ganzen Weg wie im Traum zurückgelegt und konnte sich kaum erinnern, welchen Weg sie gegangen und ob sie Leuten begegnet war oder nicht.

Als sie den Schlüssel zu ihrem Zimmer nahm, übergab ihr der Portier ein Billett und einen Strauß von Veilchen und Flieder ... Oh, warum hatte sie nicht auch daran gedacht, ihm Blumen zu schicken? – Aber was hatte er ihr zu schreiben? Sie öffnete den Brief mit einer leisen Furcht und las:

»Liebste! Ich muß dir noch einmal für den schönen Abend danken. Heute können wir uns leider nicht sehen. Sei nicht bös, meine liebe Berta, und vergiß nicht, mich rechtzeitig zu verständigen, wenn Du das nächste Mal nach Wien kommst.

Ich bin ganz der Deine.

Emil.«

Sie ging, sie lief die Treppen hinauf in ihr Zimmer ... Warum konnte er sie heute nicht sehen? Warum gab er nicht wenigstens die Ursache an? – Nun ja, was wußte sie schließlich von seinen Verpflichtungen aller Art, künstlerischer, gesellschaftlicher Natur? ... Es wäre gewiß zu weitläufig gewesen und hätte wie nach einer Ausrede ausgesehen, wenn er seine Verhinderung ausführlich entschuldigt. Aber trotzdem .... Und warum schrieb er denn: »Wenn Du das nächste Mal nach Wien kommst? ...« Hatte sie ihm nicht gesagt, daß sie noch einige Tage dabliebe? Das hatte er vergessen – gewiß. Und gleich setzte sie sich hin und schrieb:

»Mein liebster Emil! Ich bedaure sehr, daß Du mir heute absagen mußtest, aber glücklicherweise reise ich noch nicht ab. Bitte sehr, Liebster, schreib mir doch gleich, wann Du morgen oder übermorgen für mich Zeit hast.

Mit tausend Küssen Deine Berta.«

P. S. Es ist höchst ungewiß, wann ich wieder nach Wien komme, und ich möchte keinesfalls fortreisen, ohne Dich noch einmal zu sehen.«

Sie überlas den Brief. Dann schrieb sie noch dazu: »Ich muß Dich noch einmal sehen!«

Sie eilte auf die Straße, übergab den Brief einem Dienstmann und schärfte ihm ein, nicht ohne Antwort wiederzukommen. Dann ging sie wieder hinauf und stellte sich zum Fenster. Sie wollte nichts denken, sie wollte nur auf die Straße hinuntersehen. Sie heftete ihre Aufmerksamkeit gewaltsam auf die Vorübergehenden, und ein Spiel aus ihrer Kinderzeit kam ihr wieder in den Sinn, wo sie und ihre Brüder vom Fenster aus sich darüber unterhielten, welchem Bekannten der oder jener Vorübergehende ähnlich sähe. Solche Ähnlichkeiten zu entdecken, war für sie jetzt mit Schwierigkeit verbunden, weil ihr Zimmer im dritten Stock gelegen war, aber anderseits erleichterte die Entfernung die Willkürlichkeit der Deutung. Zuerst kam eine Frau, die der Cousine Agathe ähnlich sah, später jemand, der an ihren Klavierlehrer aus dem Konservatorium erinnerte, Arm in Arm mit einer, die so aussah, wie die Köchin ihrer Schwägerin. Ein junger Bursch sah ihrem Bruder, dem Schauspieler, ähnlich, gleich hinter ihm, und zwar in Hauptmannsuniform, kam ihr verstorbener Vater des Wegs, der blieb eine Weile vor dem Hotel stehen, blickte auf, gerade als wenn er sie suchte, und verschwand dann im Tor. Sie erschrak einen Augenblick so, als wenn es wirklich ihr Vater wäre, der als Gespenst aus dem Grab gekommen war. Dann lachte sie absichtlich, laut, und versuchte, das Spiel fortzusetzen, aber es gelang nicht mehr. Sie blickte nur nach dem Dienstmann aus. Endlich beschloß sie, nur um die Zeit hinzubringen, ihr Mittagmahl einzunehmen. Nachdem sie es bestellt, trat sie wieder ans Fenster. Aber nun blickte sie nicht mehr in die Richtung, aus welcher der Dienstmann kommen mußte, sondern folgte den Omnibus- und Pferdebahnwagen, die alle menschenüberfüllt den Vororten zufuhren. Jetzt sah sie wieder den Hauptmann von früher, wie er eben auf eine Tramway aufsprang, eine Virginia im Mund. Er sah ihrem verstorbenen Vater gar nicht mehr ähnlich. Sie hörte ein Geräusch hinter sich: der Kellner war eingetreten. Berta aß wenig und trank den Wein sehr rasch. Sie wurde schläfrig und lehnte sich in die Ecke des Diwans. Die Gedanken verschwammen ihr, in ihren Ohren tönte es wie Nachklänge von der Orgel, die sie in der Kirche vernommen hatte. Sie schloß die Augen, und mit einem Mal, wie hervorgezaubert, sah sie das Zimmer von gestern, und hinter den roten Vorhängen leuchtete das weiße Bett. Sie selbst saß wieder vor dem Pianino, aber ein anderer hielt sie umfaßt, ihr Neffe Richard. Sie riß gewaltsam die Augen auf, erschien sich über alle Maßen verworfen, und eine jähe Furcht überkam sie, als hätte sie für diese traumhaften Vorstellungen eine Sühne zu erwarten. Wieder ging sie zum Fenster. Eine Ewigkeit schien ihr verflossen, seit sie den Dienstmann ausgeschickt. Sie überlas noch einmal den Brief Emils. Ihr Blick haftete auf den letzten Worten: »Ich bin ganz der Deine«, und sie sprach sie aus, laut, mit Zärtlichkeit, und dachte ähnlicher Worte von heute Nacht. Sie erfand sich einen Brief, der jetzt gleich da sein und der lauten mußte: »Meine liebste Berta! Gott sei Dank, daß Du morgen noch da bist! Ich erwarte Dich bestimmt um drei bei mir«, oder: »Wir wollen morgen den ganzen Tag miteinander verbringen« oder gar: »Ich habe meine Verabredung rückgängig gemacht, wir sehen uns heute noch. Komme gleich zu mir, ich erwarte Dich mit Sehnsucht!«

Nun wie es immer sei, wenn auch nicht heute, bevor sie Wien verläßt, wird sie ihn wiedersehen. Es ist ja gar nicht anders denkbar. Wozu also diese entsetzliche Aufregung, als wenn alles vorüber wäre? Warum nur bleibt die Antwort so lange aus? . . . Er hat jedenfalls außer Haus gegessen – natürlich, er führt ja keine Wirtschaft! So kann er frühestens um drei wieder daheim sein... Aber wenn er vor Abend nicht nach Hause kommt? . . . Der Dienstmann hat zwar den Auftrag, jedenfalls zu warten – auch bis in die Nacht hinein . . . aber was soll sie tun! Sie kann doch hier nicht die ganze Zeit am Fenster stehen und ausblicken? Die Stunden sind ja endlos! Sie könnte weinen vor Ungeduld, vor Verzweiflung! . . . . Sie geht im Zimmer auf und ab, dann steht sie wieder eine Weile am Fenster, dann setzt sie sich nieder, für kurze Zeit nimmt sie ihren Roman zur Hand, den sie in der Reisetasche mitgeführt, auch zu schlummern versucht sie, – aber es gelingt ihr nicht. Endlich wird es vier: bald drei Stunden sind vergangen, seit sie wartet. Da klopft es an die Tür, der Dienstmann tritt ein und übergibt ihr einen Brief. Sie reißt das Kuvert auf und, mit einer unwillkürlichen Bewegung, um dem fremden Menschen den Ausdruck ihrer Mienen zu verbergen, wendet sie sich zum Fenster. Sie liest:

»Meine liebe Berta! Du bist sehr freundlich, daß Du mir noch die Auswahl zwischen den nächsten Tagen freistellst, aber, wie übrigens auch in meinem ersten Brief schon angedeutet war: ich kann leider über die nächsten Tage absolut nicht verfügen. Daß ich es mindestens so bedauere wie Du, kannst Du mir glauben. Nochmals tausend Dank und tausend Grüße, und auf ein schönes Wiedersehen das nächste Mal. Vergiß mich nicht ganz.

Dein Emil.«

Als sie diesen Brief gelesen, war sie ganz ruhig, bezahlte dem Dienstmann, was er forderte, und fand, daß es für ihre Verhältnisse gar nicht wenig sei. Dann setzte sie sich an den Tisch und versuchte nachzudenken. Sie wußte sofort, daß sie nicht länger hier bleiben könnte und bedauerte nur, daß nicht gleich ein Zug nach Hause ging. Auf dem Tisch stand die halbgeleerte Flasche Wein, Brotkrumen waren neben dem Teller verstreut, auf dem Bett lag ihre Frühjahrsjacke, daneben die Blumen, die er ihr noch heute morgens geschickt. Was sollte das alles bedeuten? War es zu Ende? .... Undeutlich, aber so, als müßt' es zu dem, was sie eben erlebt, eine Beziehung haben, fällt ihr ein Satz ein, den sie einmal gelesen, von Männern, die nichts anderes wollen, als »ihr Ziel erreichen« ... Aber das hat sie immer für eine Romanphrase gehalten. Im übrigen, das ist doch kein Abschiedsbrief, den sie da in der Hand hält? ... Ist es auch wirklich keiner? Können diese freundlichen Worte nicht auch Lüge sein? ... Auch Lüge – das ist es! ... Zum erstenmal drängt sich das entschiedene Wort in ihre Gedanken: ... Lüge ... Denn es ist gewiß, schon heut Nacht, als er sie nach Hause brachte, war sein Entschluß gefaßt, sie nicht wiederzusehen, und die Verabredung wegen des heutigen Tags, sein Wunsch, sie heute bei sich zu sehen, war Lüge... Sie ruft sich den gestrigen Abend ins Gedächtnis zurück, und sie fragt sich, wodurch sie ihn verstimmt, enttäuscht haben konnte? ... Es war doch alles so schön, und er schien so glücklich, geradeso glücklich als sie.... Sollte das auch Lüge gewesen sein?... Was konnte sie wissen?... Vielleicht hatte sie ihn doch verstimmt, verletzt, ohne es zu ahnen ... Sie ist ja nichts als eine brave Frau gewesen ihr Leben lang ... wer weiß, was für eine Ungeschicklichkeit oder Dummheit sie begangen ... ob sie nicht in irgend einem Moment, wo sie hingebend, zärtlich, beseligt und beseligend zu sein glaubte, lächerlich und abstoßend gewesen ist? ... Was weiß sie denn von allen diesen Dingen? ... Und mit einem Mal fühlt sie beinah etwas wie Reue, daß sie sich in dieses Abenteuer so unvorbereitet eingelassen, daß sie bis gestern so keusch und brav gewesen ist, daß sie nicht andere

Liebhaber vor ihm gehabt hat .... Jetzt besinnt sie sich auch, wie er ihre schüchternen Fragen und Bitten abgewehrt, die sein Violinspiel betrafen, als wollte er sie diesen Kreis nicht betreten lassen. So war er ihr gerade in dem, was ihm tiefster Lebensinhalt war, fremd, mit Absicht fremd geblieben; sie wußte mit einem Mal, daß sie nichts mit ihm gemeinsam gehabt als das Vergnügen einer Nacht, und daß der heutige Morgen sie beide so fern voneinander gefunden, als alle die Jahre, die hinter ihnen lagen ... Und nun glüht die Eifersucht wieder in ihr auf ... Aber ihr ist, als wäre sie immer, als wäre überhaupt alles immer in ihr dagewesen ... Liebe und Mißtrauen und Hoffnung und Reue und Sehnsucht und Eifersucht ... und zum erstenmal in ihrem Leben ist sie so bis ins Innerste aufgewühlt, daß sie die Menschen begreift, die sich aus Verzweiflung zum Fenster hinunterstürzen ... Und sie sieht ein, daß sie es nicht ertragen, daß nur die Gewißheit ihr helfen kann ... sie muß hin zu ihm, ihn fragen ... aber so fragen, wie man einem ein Messer an die Brust setzt ...

Sie eilt davon, auf die Straßen, die beinahe leer sind, als wäre ganz Wien aufs Land gewandert ... Wird sie ihn nur daheim finden? ... Wird er nicht vielleicht ahnen, daß sie auf den Einfall kommen kann, ihn aufzusuchen, ihn zur Rede zu stellen, und wird er nicht dieser Möglichkeit aus dem Weg gegangen sein? ... Sie schämt sich, daß sie auch daran denken muß ..... Und wenn er zu Hause ist, wird er allein sein? ... Und wenn er nicht allein ist, wird man sie vorlassen?

Und wenn sie ihn selbst in den Armen einer anderen fände, was dürfte sie sagen? .... Hat er ihr etwas versprochen? Hat er ihr Treue geschworen? Hat sie sie auch nur von ihm verlangt? Durfte sie sich einbilden, daß er hier in Wien gewartet hat, bis sie ihm zu seinem spanischen Orden gratuliert? ... Ja, durfte er ihr nicht sagen: Du hast dich mir an den Hals geworfen und hast nichts Besseres gewünscht, als daß ich dich nehme, wie du bist ... Und wenn sie sich selbst fragte – hatte er nicht recht? ... Ist sie nicht hierher gekommen, um seine Geliebte zu werden – nur darum ... ohne jede Rücksicht auf früher, ohne jede Sicherheit für später ... ja nur darum! Alle anderen Wünsche und Hoffnungen hatten ihre Begierde nur flüchtig umschwebt, und sie war nichts Besseres wert als das, was ihr geschehen ... Und, wenn sie ehrlich gegen sich selbst ist, muß sie sich auch sagen: von allem, was sie erlebt hat, ist das noch immer das Beste gewesen ...

Sie ist an einer Ecke stehen geblieben, es ist ganz still um sie, die Sommerluft über ihr wird dunstig und schwül. Sie nimmt den Weg zurück ins Hotel. Sie ist sehr müde, und ein neuer Gedanke zuckt in ihr auf: ob er ihr nicht nur deshalb abgeschrieben hat, weil auch er müde ist ..... Sie kommt sich sehr erfahren vor, wie ihr das einfällt ... Und noch eins geht ihr durch den Sinn ... Er kann auch eine andere nicht auf andere Art lieben als sie ... Und plötzlich fragt sie sich, ob denn die heutige Nacht ihr einziges Erlebnis bleiben – ob sie selbst keinem anderen mehr angehören wird als ihm? Und sie freut sich dieses Zweifels, als nähme sie damit an seinem mitleidigen Blick und seinen spöttischen Lippen eine Art von Rache.

Nun ist sie wieder oben im dritten Stock des Hotels in dem ungemütlichen Zimmer. Noch immer sind die Reste des Mittagessens nicht abgeräumt, noch immer liegen Jacke und Blumen auf dem Bett. Sie nimmt die Blumen in die Hand, führt sie an die Lippen, als wollte sie sie küssen. Plötzlich aber, als bräche ihr ganzer Zorn wieder hervor, schleuderte sie sie heftig auf die Erde. Dann wirft sie sich aufs Bett, die Hände überm Gesicht.

Als sie eine Weile so gelegen war, wurde sie sehr ruhig, immer ruhiger. Es war vielleicht ganz gut, daß sie noch heute nach Hause fahren konnte. Sie dachte an ihren Buben, wie er in seinem Bettchen zu liegen und mit dem ganzen Gesicht zu lachen pflegte, wenn die Mutter sich über das Gitter beugte. Sie sehnte sich nach ihm. Sie sehnte sich auch ein wenig nach Elly und nach Frau Rupius. Ja richtig – die wollte ja von ihrem Manne fortgehen .... Was da dahinter stecken mochte? ... Eine Liebesgeschichte? ... Aber sonderbar, jetzt konnte sie sich das noch weniger vorstellen, als früher.

Es wird spät, es ist Zeit, sich zur Abreise bereit zu machen... So wird sie also schon Sonntag Abend wieder zu Hause sein.

Sie sitzt im Kupee, auf ihrem Schoß liegen die Blumen, die sie wieder vom Boden aufgehoben .... Ja, nun fährt sie nach Hause, verläßt die Stadt, wo sie ... etwas erlebt hat – so nennt man es doch wohl? .... Worte schwirren ihr durch den Sinn, die sie in solchem Zusammenhang gelesen oder gehört hat .... Worte wie: Seligkeit ... Liebesrausch ... Taumel ... und ein leiser Stolz regt sich, daß sie das erfahren hat, was diese Worte bedeuten. Und noch ein anderer Gedanke kommt ihr, der sie seltsam beruhigt: Wenn er auch – vielleicht – jetzt ein Verhältnis mit einer anderen Frau hat .... *der* hat sie ihn genommen ... nicht für lang freilich, aber doch so vollkommen, wie man einer Frau einen

Mann nur nehmen kann. Sie wurde immer ruhiger, beinahe heiter.

Das war ja klar, daß sie, Berta, die unerfahrene Frau, sich nicht mit einem Ansturm völlig in den Besitz des Geliebten setzen konnte . . . . Aber ob es ein anderes Mal nicht gelänge? . . . Sie freute sich sehr, daß sie nicht ihrem Entschluß gefolgt war, gleich zu ihm zu laufen, ja sie faßte sogar die Absicht, ihm einen so kühlen Brief zu schreiben, daß er in einen gelinden Ärger geraten müßte, sie wollte kokett, verschlagen sein . . . Aber sie mußte ihn wieder haben, das wußte sie . . . bald und womöglich für immer! . . . Und so gingen ihre Träume weiter, während der Zug sie nach Hause fuhrte . . . immer kühner, je tiefer das Sausen der Räder sie in den Schlummer sang . . .

Die kleine Stadt lag schon in Schlaf, als sie ankam. – Zu Hause gab Berta dem Dienstmädchen den Auftrag, ihren Kleinen in aller Früh von ihrer Schwägerin abzuholen. Dann kleidete sie sich langsam aus. Ihre Augen fielen auf das Bild ihres verstorbenen Gemahls über ihrem Bett. Sie fragte sich, ob es weiter da hängen dürfe. Als sie jetzt daran dachte, daß es Frauen gibt, welche von ihrem Geliebten kommen und dann an der Seite ihres Gatten schlafen können, schauderte sie . . . Nie hätte sie so etwas zu Lebzeiten ihres Gatten getan! . . . Und hätte sie's doch getan, sie wäre nie wieder nach Hause zurückgekehrt.

Am nächsten Morgen weckte sie ihr Bub. Er war auf ihr Bett gesprungen und hatte ihr leise auf die Augenlider gehaucht. Berta setzte sich auf, umarmte und küßte den Kleinen, der nun gleich zu erzählen begann, wie gut es ihm bei Onkel und Tante ergangen, wie Elly mit ihm gespielt und wie Richard einmal mit ihm gerauft hatte, ohne ihn besiegen zu können. Und gestern hatte er Klavier spielen gelernt und konnte es schon bald so gut wie Mama. Berta hörte ihm nur immer zu. Sie dachte: wenn Emil jetzt das süße Geplauder hören könnte! und überlegte, ob sie das nächste Mal nicht den Kleinen nach Wien zu Emil mitnehmen könnte, wodurch diesem Besuch gleich alles Verdächtige genommen würde. Sie dachte nur an das Schöne, das sie in Wien erlebt, und von den Absagebriefen war ihr kaum anderes im Sinn geblieben als die Worte, die sich auf ein Wiedersehen bezogen. Sie stand beinahe in vergnügter Stimmung auf, und während sie sich ankleidete, fühlte sie eine ganz neue Zärtlichkeit für ihren eigenen Leib, der ihr noch von den Küssen des Geliebten zu duften schien.

Noch am frühen Vormittag ging sie zu ihren Verwandten. Als sie am Hause der Rupius vorbeikam, besann sie sich einen Augenblick, ob sie nicht gleich hinaufgehen sollte. Aber sie hatte eine unbestimmte Angst, gleich wieder in die erregte Stimmung des Hauses hineingezogen zu werden, und verschob den Besuch auf Nachmittag. Im Hause des Schwagers kam ihr Elly zuerst entgegen und empfing sie so stürmisch, als wenn sie von einer langen Reise wiederkehrte. Der Schwager, eben im Fortgehen, drohte Berta scherzhaft mit dem Finger und sagte: »Na, gut unterhalten?« Berta fühlte, wie sie dunkelrot wurde. »Ja,« setzte er fort, »das sind schöne Geschichten, die man von dir hört.« Er merkte aber nicht ihre Verlegenheit und grüßte Berta noch von der Tür aus mit einem Blick, der deutlich sagte: vor mir gibt es keine Geheimnisse!

»Papa macht immer solche Witze,« sagte Elly, »das gefällt mir gar nicht von ihm.«

Berta wußte, daß ihr Schwager nur ins Blaue geredet, wie es seine Art war, und wenn sie selbst ihm die Wahrheit sagte, würde er sie gar nicht glauben.

Die Schwägerin trat ein, und Berta mußte von ihrem Wiener Aufenthalt erzählen. Zu ihrem eigenen Erstaunen gelang es ihr sehr gut, Wahres und Erfundenes geschickt zu verbinden. Mit ihrer Cousine war sie im Volksgarten und in der Bildergalerie gewesen, Sonntag hatte sie eine Messe in der Stephanskirche gehört, auf der Straße hatte sie einen Lehrer aus dem Konservatorium getroffen, und schließlich erfand sie sogar ein komisches Ehepaar, das einmal bei der Cousine zu Abend gegessen. Je mehr sie ins Lügen kam, um so größer wurde ihre Lust, auch von Emil zu erzählen und mitzuteilen, daß sie den berühmten Violinvirtuosen Lindbach, der im Konservatorium ihr Kollege gewesen, auf der Straße getroffen und gesprochen hätte. Aber eine unbestimmte Furcht, nicht rechtzeitig innehalten zu können, hielt sie davon zurück. Frau Albertine Garlan saß in schwerer Müdigkeit auf dem Sofa und nickte mit dem Kopf, und Elly stand wie gewöhnlich am Klavier, den Kopf auf die Hände gestützt, und schaute die Tante mit großen Augen an. Von der Schwägerin ging Berta zu Mahlmanns und gab den Zwillingen die Klavierlektionen; die Fingerübungen und Skalen, die sie zu hören bekam, waren ihr anfangs unerträglich, endlich hörte sie nicht mehr zu und ließ ihre Gedanken ins Freie schweifen. Die vergnügte Stimmung des Morgens war verflogen, Wien erschien ihr unendlich fern, eine sonderbare Unruhe überkam sie, und plötzlich überfiel sie die Angst, daß Emil gleich nach seinem Konzert abreisen könnte. Das wäre ja entsetzlich! Mit einemmal wäre er fort, ohne daß sie ihn noch einmal gesehen – und wer weiß, wann er wiederkäme! Ob sie es nicht jedenfalls so einrichten sollte, am Tag des Konzerts in Wien zu sein? Sie mußte sich gestehen: ihn spielen zu hören, sehnte sie sich gar nicht, – ja, es kam ihr vor, als wär' es ihr ganz lieb, wenn er gar kein Violinvirtuos, wenn er überhaupt kein Künstler, wenn er ein einfacher Mensch wäre, – Buchhalter oder was immer! Wenn sie ihn nur für sich, für sich allein haben könnte!.... Indes spielten die Zwillinge ihre Skalen herunter; es war doch ein schreckliches Los, dasitzen und diesen talentlosen Fratzen Klavierlektionen geben müssen. Warum war sie nur heute früh so gut gelaunt gewesen?..... Ah, die schönen Tage in Wien! Ganz abgesehen von Emil – diese vollkommene Freiheit, dieses Herumflanieren in den Straßen, dieses Spazierengehen im Volksgarten .... Allerdings, Geld hatte sie während dieser Zeit mehr ausgegeben, als ihr erlaubt war, das brachten zwei Dutzend Lektionen bei den Mahlmannischen Zwillingen nicht herein .... Und jetzt hieß es wieder: zurück zu den Verwandten, Stunde geben, und eigentlich wäre es sogar notwendig, sich noch nach neuen Lektionen umzuschauen, denn in diesem Jahr wollte die Rechnung gar nicht stimmen! .... Ah, was für ein Leben!

Auf der Straße begegnete Berta der Frau Martin. Diese fragte Berta, wie sie sich in Wien unterhalten habe, mit einem Blick, der deutlich ausdrückte: so gut wie ich mit meinem Mann unterhältst du dich ja doch nicht! Berta hatte eine unsägliche Lust, dieser Person ins Gesicht zu schreien: Mir ist es viel besser gegangen, als du ahnst. Ich bin in einem schönen, weichen Bett gelegen, mit einem entzückenden, jungen Mann, der tausendmal liebenswürdiger ist als dein Herr Gemahl! Und ich versteh' das alles gerade so gut wie du! Du hast nur einen Gatten, ich hab' aber einen Geliebten, Geliebten, Geliebten! ... Doch sie sagte natürlich nichts von alledem, sondern erzählte, daß sie mit ihrer Cousine und deren Kindern im Volksgarten spazieren gegangen sei.

Es begegneten ihr noch andere Frauen, mit denen sie oberflächlich bekannt war. Diesen gegenüber fühlte sie sich ganz anders als früher; freier, überlegener: sie war die einzige in der Stadt, die etwas erlebt hatte, und es tat ihr beinah leid, daß niemand etwas davon wußte, denn wenn man sie auch öffentlich verachtet, im Innern hätten sie alle diese Frauen unsäglich beneidet. Und wenn sie nun gar gewußt hätten, wer .... Obzwar, in diesem Nest kannten sicher viele nicht einmal seinen Namen. – Wenn es doch irgend jemanden auf der Welt gäbe, mit dem sie sich aussprechen könnte! ... Frau Rupius, ja Frau Rupius ... Aber die geht ja fort, auf Reisen! .... Eigentlich ist ihr das auch gleichgültig. Sie möchte nur wissen, wie das endlich mit Emil werden wird, sie möchte wissen, was es eigentlich war .... das ist die fürchterliche Unruhe in ihr .... Hat sie denn nun ein »Liebesverhältnis« mit ihm? .... Ah, warum ist sie nicht doch noch einmal zu ihm gegangen? .... Aber sie konnte ja nicht! ... Dieser Brief .... er wollte sie ja nicht sehen! ... Aber Blumen hatte er ihr doch geschickt ...

Nun ist sie wieder bei den Verwandten. Richard will ihr entgegen, sie in seiner scherzhaften Manier umarmen, sie stößt ihn weg; frecher Bub, denkt sie sich, ich weiß schon, wie er das meint, wenn er es auch selbst nicht weiß; ich verstehe diese Dinge, ich hab' einen Geliebten in Wien! ... Die Stunde nimmt ihren Gang; am Schluß spielen Elly und Richard vierhändig die Festouvertüre von Beethoven, was eine Überraschung zum Geburtstag des Vaters werden soll.

Berta dachte nur an Emil. Sie war nahe daran, verrückt zu werden über diesem elenden Geklimper .... Nein, es war nicht möglich, so weiter zu existieren, in keiner Hinsicht! .... Sie ist auch noch so jung .... Ja, das ist es, besonders das .... sie wird so nicht weiterleben können .... und das geht doch nicht, daß sie irgendeinen anderen .... Wie kann sie nur an so was denken! .... Sie ist doch eine ganz schlechte Person! – Wer weiß, ob es nicht das war, was Emil mit seiner großen Erfahrung an ihr herausgespürt hat – und warum er sie nicht mehr sehen will .... Ach, die Frauen sind doch am besten dran, die alles leicht nehmen, die es fertig bringen, gleich nachdem sie einer sitzen gelassen – .... Aber was sind denn das wieder für Ideen! Hat er sie denn »sitzen lassen«? .... In drei, vier Tagen ist sie wieder in Wien, bei ihm, in seinen Armen! .... Und drei Jahre hat sie so leben können? .... Drei? .... – Sechs Jahre – Ihr ganzes Leben! .... Wenn er das nur wüßte, wenn er das nur glaubte!

Die Schwägerin tritt ein; sie fordert Berta auf, heute Abend bei ihnen zu nachtmahlen .... Ja, das ist die einzige Zerstreuung: einmal an einem anderen Tisch als dem häuslichen eine Mahlzeit einnehmen! – Wenn es doch einen Menschen hier gäbe, mit dem man reden könnte! ... Und Frau Rupius reist ab, verläßt ihren

Mann.... Ob nicht doch eine Liebesgeschichte da mitspielt?... Die Stunde ist zu Ende, Berta empfiehlt sich. Auch ihrer Schwägerin gegenüber hat sie das Gefühl der Überlegenheit, beinah des Mitleids. Ja, das weiß sie, nicht für ein ganzes Leben, wie diese Frau es führt, möchte sie jene eine Stunde hergeben. Dabei, so denkt sie, während sie wieder nach Hause spaziert, ist sie gar nicht recht zum Bewußtsein ihres Glücks gekommen, das war ja alles so rasch vorbei. Und dann dieses Zimmer, diese ganze Wohnung, dieses schreckliche Bild.... Nein, nein, es war eigentlich alles eher häßlich. Wirklich schön war doch nur, wie er sie nachher im Wagen nach Haus begleitet und ihr Kopf an seiner Brust geruht hat... Ah, er hatte sie schon lieb – freilich nicht so wie sie ihn, aber war das auch möglich? Was für ein Leben lag hinter ihm! – Sie dachte jetzt daran ohne Eifersucht, eher mit einem leichten Bedauern für ihn, der soviel in seinem Gedächtnis mitzutragen hatte. Denn daß er das Leben nicht leicht nahm, sah man ihm an... Ein heiterer Mensch war er nicht.... Alle die Stunden, die sie mit ihm verbracht, waren in ihrer Erinnerung wie von einer unbegreiflichen Wehmut umflossen. Wenn sie nur alles von ihm wüßte! Er hatte ihr so wenig,.... nichts, nichts hatte er von sich erzählt!... Aber wie sollte er das auch am ersten Tag? Ah, wenn er sie nur wirklich kennte! Wenn sie nur nicht so schüchtern, so unfähig wäre sich auszudrücken... Sie muß ihm noch einmal schreiben, eh sie ihn wiedersieht.... Ja, noch heute wird sie das tun. Der Brief, den sie ihm gestern geschickt hat, wie war der dumm! Er konnte auf den wahrhaftig nicht anders antworten, als er getan. Sie durfte weder herausfordernd schreiben, noch demütig... nein, sie war ja doch seine Geliebte! Sie die hier durch die Straßen ging, von all den Leuten, die ihr begegneten, wie ihresgleichen angesehen,... sie war die Geliebte dieses herrlichen Menschen, den sie seit ihrer Jugend angebetet. Und wie rückhaltlos, wie ohne Ziererei hatte sie sich ihm hingegeben, – keine von allen Frauen, die sie kannte, hätte das getan!.... Ah, und sie täte noch mehr! O ja! sie würde auch bei ihm leben, ohne seine Frau zu sein, und es wäre ihr sehr gleichgültig, was die Leute sagten.... sie wäre sogar stolz darauf! Und später würde er sie ja doch heiraten.... ganz gewiß. Sie war auch eine so vortreffliche Hausfrau.... Und wie wohl mußte ihm das tun, nach soviel ungeordneten Wanderjahren in einem wohlbestellten Hauswesen zu leben, ein braves Weib an seiner Seite, das nie einen anderen geliebt hat als ihn.

Sie war wieder zu Hause und richtete sich noch, bevor das Mittagessen aufgetragen wurde, alles zum Schreiben her. Sie aß in fieberhafter Ungeduld, sie nahm sich kaum Zeit, ihrem Buben vorzuteilen und vorzuschneiden, dann ließ sie ihn durch das Dienstmädchen auskleiden und zum Nachmittagsschlaf ins Bett legen, was sie sonst immer selbst tat, setzte sich zum Schreibtisch, und die Worte flossen ihr mühelos aus der Feder, als sei der ganze Brief in ihrem Kopf längst fertig gewesen.

»Mein Emil, mein Geliebter, mein alles!

Seit ich wieder zurück bin, hab' ich eine unbezwingbare Lust, Dir zu schreiben und möchte Dir nur immer und immer sagen, wie glücklich, wie unendlich glücklich Du mich gemacht hast. Ich war Dir im Anfang böse, daß Du mir für den Sonntag abgeschrieben hast, auch das muß ich Dir gestehen, weil ich das Bedürfnis habe, Dir alles zu sagen, was in mir vorgeht. Leider konnte sich dies nicht, solang ich mit Dir zusammen war; es ist mir nicht gegeben, aber jetzt finde ich die Worte, und Du mußt es schon ertragen, daß ich Dich mit meinem Geschreibsel langweile. Liebster, Einziger – ja, das bist Du, wenn Du auch, wie es scheint, nicht so ganz davon überzeugt warst, wie Du es sein solltest. Ich bitte Dich, glaub' es mir. Schau, ich hab' ja nichts anderes als diese Worte, um es Dir zu sagen. Emil, ich habe nie, nie jemanden andern geliebt als Dich – und werde nie einen andern lieben! Mach' mit mir, was Du willst, nichts bindet mich an die kleine Stadt, in der ich jetzt lebe, – ja, vielmehr es ist mir öfter schrecklich, hier existieren zu müssen. Ich will nach Wien ziehen, um in Deiner Nähe zu sein. O, habe keine Angst, ich werde Dich nicht stören! Ich bin ja nicht allein, habe mein Kind, welches ich *abgöttisch* liebe. Ich werde mich einschränken, und schließlich, warum soll es mir nicht gelingen, geradeso wie hier, auch in einer großen Stadt wie Wien, ja vielleicht noch eher, Lektionen zu finden, durch die ich meine Lage aufbessern kann. Doch ist dies Nebensache, da es ja längst meine Absicht war, schon wegen meines angebeteten Kindes, wenn es größer wird, nach Wien zu übersiedeln. Du kannst Dir nicht vorstellen, wie dumm hier die Menschen sind! Und ich kann überhaupt niemanden mehr ansehen, seit ich wieder das Glück hatte, mit Dir beisammen zu sein. Gib mir einen Rat, mein Liebster! Doch Du brauchst Dich nicht zu bemühen, mir einen ausführlichen Brief zu schreiben, ich komme jedenfalls noch diese Woche nach Wien, ich müßte es jedenfalls wegen einiger dringenden Besorgungen, und Du kannst mir dann alles sagen, wie Du Dir's denkst und wie Du's am besten hältst. Du mußt mir nur versprechen, daß Du mich dann, wenn ich in Wien lebe, manchmal besuchen wirst; wenn es Dir unangenehm ist, braucht es ja niemand zu wissen. Aber Du kannst mir glauben, daß jeder Tag, an dem ich Dich sehen darf, ein Festtag für mich sein wird, und daß es auf der ganzen Welt kein Wesen gibt, das Dich treuer und so bis in den Tod liebt wie ich.

Lebe wohl, mein Geliebter! Deine Berta.«

Sie wagte nicht, den Brief zu überlesen, sie verließ gleich das Haus, um ihn selbst zum Bahnhof zu bringen. Dort sah sie Frau Rupius, einige Schritte vor ihr, von einem Dienstmädchen begleitet, das eine kleine Handtasche trug. Was sollte das bedeuten? Sie erreichte Frau Rupius in dem Augenblick, da sie in den Wartesaal trat. Das Dienstmädchen legte die Tasche auf den großen Tisch in der Mitte, küßte ihrer Herrin die Hand und ging.

»Frau Rupius!« rief Berta wie fragend aus.

Frau Rupius reichte ihr freundlich die Hand. »Ich hörte, daß Sie schon wieder zurück sind. Nun, wie ist es Ihnen gegangen?«

»Gut, o sehr gut, aber –«

»Sie sehen mich ja ganz erschrocken an; nein, Frau Berta, ich komme wieder zurück – schon morgen. Aus der langen Reise wird nichts, ich habe mich ... zu etwas anderem entschließen müssen.«

»Zu etwas anderem?«

»Nun ja, zum Bleiben. Morgen bin ich wieder da. Nun, wie ist es Ihnen gegangen?«

»Ich sagte schon: sehr gut.«

»Ja richtig, Sie sagten es schon. Aber Sie wollen ja diesen Brief aufgeben, nicht wahr?«

Jetzt erst bemerkte Berta, daß sie den Brief an Emil noch in der Hand hielt. Sie betrachtete ihn mit so entzückten Augen, daß Frau Rupius lächelte.

»Soll ich ihn vielleicht mitnehmen? Er soll doch wohl nach Wien.«

»Ja,« sagte Berta, und als wäre sie glücklich, es endlich aussprechen zu können, setzte sie entschlossen hinzu: »an ihn.«

Frau Rupius nickte wie zufrieden mit dem Kopf, sah Berta aber gar nicht an und antwortete nichts.

»Wie froh ich bin,« sagte Berta, »daß ich Ihnen noch begegnet bin. Sie sind ja die Einzige hier, zu der ich Vertrauen habe, Sie sind ja die Einzige, die so etwas verstehen kann.«

»Ach nein«, sagte Frau Rupius wie im Traume vor sich hin.

»Ich beneide Sie so, daß Sie heute schon in ein paar Stunden Wien wiedersehen. Wie glücklich sind Sie!«

Frau Rupius hatte sich auf einen der Lederfauteuils am Tisch gesetzt, das Kinn auf eine Hand gestützt, blickte zu Berta auf und sagte: »Mir scheint doch eher, daß *Sie* es sind.«

»Nein, ich muß doch hier bleiben.«

»Warum?« fragte Frau Rupius. »Sie sind ja frei. Aber werfen Sie den Brief doch jetzt in den Kasten, sonst seh' ich die Adresse und weiß dann mehr, als Sie mir sagen wollen.«

»Nicht deswegen, aber – ich möchte, daß der Brief noch mit diesem Zug....« Sie eilte rasch in die Vorhalle, warf den Brief ein, war gleich wieder bei Anna, die in derselben ruhigen Haltung dasaß, und fuhr zu reden fort: »Ihnen könnte ich nämlich alles sagen, ja vielmehr, ich wollte schon, bevor ich hineinfuhr.... aber denken Sie, wie sonderbar, da hab' ich mich nicht getraut.«

»Damals war wohl auch noch nichts zu erzählen,« sagte Frau Rupius, ohne Berta anzusehen.

Berta staunte. Wie klug war diese Frau! Wie durchschaute sie die Menschen! »Nein, damals war noch nichts zu erzählen,« wiederholte sie, indem sie Frau Rupius mit einer Art von Verehrung ansah. »Denken Sie nur, es ist wohl unglaublich, was ich Ihnen jetzt sagen werde, aber ich käme mir wie eine Lügnerin vor, wenn ich's verschwiege.«

»Nun?«

Berta hatte sich auf einen Sessel neben Frau Rupius gesetzt und sprach leiser, da die Türe zur Vorhalle offenstand. »Ich wollte Ihnen nämlich sagen, Anna, daß mir gar nicht so ist, als wenn ich etwas Böses getan hätte, nicht einmal etwas Unerlaubtes.«

»Das wär' auch nicht sehr klug.«

»Ja, Sie haben schon recht ... ich meinte auch noch mehr: es ist mir, als wenn ich etwas ganz Gutes, als wenn ich etwas Besonderes getan hätte. Ja, Frau Rupius, es ist nun einmal so, ich bin stolz seitdem!«

»Nun, dazu liegt wohl auch kein Grund vor,« sagte Frau Rupius, indem sie Bertas Hand, die auf dem Tisch lag, wie in Gedanken streichelte.

»Das weiß ich ja, aber doch bin ich so stolz und komme mir

ganz anders vor, als alle Frauen, die ich kenne. Sehen Sie, wenn Sie wüßten ... wenn Sie ihn kennten – es ist eine so seltsame Geschichte! Sie dürfen nämlich nicht glauben, daß das eine Bekanntschaft ist, die ich kürzlich gemacht habe – ganz im Gegenteil, Sie müssen wissen, ich bin in ihn verliebt, seit ich ein ganz junges Mädel war, zwölf Jahre ist das schon her, und lange Zeit hatten wir uns gar nicht gesehen, und jetzt – ist es nicht wunderbar? – jetzt ist er mein ... mein ... mein ... Geliebter!« Endlich hatte sie's gesagt, ihr ganzes Gesicht strahlte.

Frau Rupius sah sie mit einem Blick an, in dem etwas Spott und sehr viel Freundlichkeit lag. Sie sagte: »Ich freue mich, daß Sie glücklich sind.«

»Sie sind ja so gut! Aber sehen Sie, es ist doch andererseits wieder schrecklich, daß wir so fern voneinander sind; er lebt in Wien, ich hier, – ich glaube, ich werde das garnicht aushalten. Ich hab' auch nicht mehr das Gefühl, wie wenn ich hierher gehörte, insbesondere zu meinen Verwandten. Wenn die es wüßten.... nein, wenn die es wüßten! – Sie würden es übrigens garnicht glauben. Eine Frau wie meine Schwägerin zum Beispiel, – nun, ich bin überzeugt, die denkt gar nicht daran, daß so was überhaupt möglich ist.«

»Aber Sie sind wirklich sehr naiv,« sagte Frau Rupius plötzlich, beinahe aufgebracht. Sie lauschte. »Mir war, als hörte ich den Zug schon pfeifen.« Sie stand auf, ging zu der großen Glastür, die auf den Perron führt, und sah hinaus. Der Portier kam und ersuchte um die Fahrkarten, die er markieren wollte. Zugleich sagte er: »Der Zug nach Wien hat 20 Minuten Verspätung.«

Berta war aufgestanden und zu Frau Rupius getreten. »Warum haben Sie gemeint, daß ich naiv bin?« fragte sie schüchtern.

»Aber Sie kennen ja die Menschen gar nicht,« erwiderte Frau Rupius wie ärgerlich. »Sie haben ja gar keine Ahnung, unter was für Leuten Sie existieren. Ich versichere Sie, Sie brauchen gar nicht stolz zu sein.«

»Ich weiß ja, daß es sehr dumm von mir ist.«

»Ihre Schwägerin – das ist köstlich – Ihre Schwägerin –!«

»Was meinen Sie denn?«

»Ich meine, daß Ihre Schwägerin auch einen Geliebten gehabt hat.«

»Aber wie kommen Sie auf diese Idee!«

»Nun, sie ist nicht die Einzige in dieser Stadt.«

»Ja, es gibt gewiß Frauen, die ... aber Albertine –«

»Und wissen Sie, wer es war? Das ist sehr amüsant! Herr Klingemann!«

»Nein, das ist nicht möglich!«

»Allerdings ist es schon lange her; etwa zehn Jahre oder elf.«

»Aber zu der Zeit waren Sie ja selbst noch nicht hier, Frau Rupius.«

»O, ich hab' es aus der besten Quelle – Herr Klingemann selbst hat's mir erzählt.«

»Herr Klingemann selbst? – Ist es denn möglich, daß ein Mensch so gemein –«

»Das ist sogar ganz gewiß.« Sie setzte sich nieder, auf einen Sessel neben der Tür, Berta blieb neben ihr stehen und hörte ihr staunend zu. »Ja, Herr Klingemann .... er hat mir nämlich die Ehre erwiesen, gleich als ich in die Stadt kam, mir sehr lebhaft den Hof zu machen, auf Tod und Leben, wie man so sagt. Sie wissen ja selbst, was für ein widerwärtiger Kerl er ist. Ich hab' ihn ausgelacht, das hat ihn wahrscheinlich sehr gereizt, und offenbar hat er geglaubt, mich durch die Erzählung seiner Eroberungen von seiner Unwiderstehlichkeit zu überzeugen.«

»Aber vielleicht hat er Ihnen Dinge erzählt, die nicht wahr sind.«

»Manches wohl, aber diese Geschichte ist zufällig wahr .... Ah, was sind die Männer für ein Gesindel!« Sie sprach es mit dem Ausdruck tiefsten Hasses. Berta war ganz erschrocken. Nie hatte sie es für möglich gehalten, daß Frau Rupius solche Worte sprechen könnte. »Ja, warum sollen Sie nicht wissen, unter was für Menschen Sie existieren?«

»Nein, das hätt' ich nie für möglich gehalten! Wenn das mein Schwager wüßte –!«

»Wenn er es wüßte? Er weiß es so gut wie Sie, wie ich.«

»Wie!? Nein, nein!«

»Er hat sie ja erwischt – verstehen Sie mich! ... Herrn Klingemann und Albertine! So daß beim besten Willen kein Zweifel möglich war!«

»Ja, um Gotteswillen, was hat er denn da getan?«

»Nun, Sie sehen ja, er hat sie nicht hinausgeworfen.«

»Nun ja, die Kinder .... freilich!«

»Ach was, die Kinder! Aus Bequemlichkeit hat er ihr verziehen – und hauptsächlich, weil er dann selber tun konnte, was er wollte. Sie sehen ja, wie er sie behandelt. Sie ist doch nichts viel Besseres als sein Dienstmädchen; Sie sehen ja, wie gedrückt und elend sie immer herumschleicht. Er hat es dahin gebracht, daß sie sich von dem Moment an immer wie eine Begnadigte vorkommen mußte, und ich glaube, sie hat sogar eine ewige Angst, daß er die Bestrafung einmal nachholen könnte. Aber das ist eine dumme Angst, er würde sich um keinen Preis um eine andere Wirtschafterin umsehen ... Ah, meine liebe Frau Berta, wir sind ja gewiß keine Engel, wie Sie nun aus eigener Erfahrung wissen, aber die Männer sind infam, solang ...« es war, als zögerte sie, den Satz zu enden, »solang sie Männer sind.«

Berta war wie vernichtet. Weniger wegen der Dinge, die ihr Frau Rupius erzählte, als wegen der Art, in der sie es getan. Sie schien eine ganz andere geworden zu sein, und Berta war es ganz weh ums Herz. –

Die Perrontür wurde geöffnet, man hörte das leise, ununterbrochene Klingeln des Telegraphen. Frau Rupius stand langsam auf, ihr Gesicht nahm einen milden Ausdruck an, sie reichte Berta die Hand und sagte: »Verzeihen Sie mir, ich war nur ein bißchen ärgerlich. Es kann ja auch sehr schön sein, es gibt sicher auch anständige Menschen ... o gewiß, es kann sehr schön sein!« Sie blickte auf die Gleise hinaus, als folgte sie den eisernen Linien ins Weite. Dann sagte sie wieder ganz mit der sanften, wohltönenden Stimme, die Berta so sehr an ihr liebte: »Morgen Abend bin ich wieder zu Hause ... Ja, richtig, mein Necessaire.« Sie eilte zum Tisch und nahm ihre Tasche. »Das wär' nämlich furchtbar gewesen, ohne meine zehn Flaschen kann ich nicht reisen! Also leben Sie wohl! Und vergessen Sie doch nicht, daß das alles seit zehn Jahren vorbei ist.«

Der Zug fuhr ein, sie eilte rasch zu einem Kupee, stieg ein und nickte Berta noch vom Fenster aus freundlich zu. Berta versuchte, ebenso heiter zu erwidern, aber sie fühlte, daß das Händewinken, mit dem sie der Scheidenden nachgrüßte, steif und gekünstelt war.

Langsam ging sie wieder nach Hause. Vergeblich suchte sie sich zu überreden, daß sie all das gar nichts anging, weder das längstvergangene Verhältnis ihrer Schwägerin, noch die Niedrigkeit ihres Schwagers, noch die Gemeinheit Klingemanns, noch die sonderbaren Launen dieser unbegreiflichen Frau Rupius. Sie konnte sich's nicht erklären; aber es war ihr, als hätte alles das, was sie gehört, auch irgend eine geheimnisvolle Beziehung zu ihrem Abenteuer. Plötzlich waren die nagenden Zweifel wieder da .... Warum hatte er sie nicht einmal sehen wollen? Nicht am Tage drauf, nicht zwei, nicht drei Tage später? Warum? – Er hatte sein Ziel erreicht, das war ihm genug.... Wie hatte sie ihm nur diesen tollen, schamlosen Brief schreiben können? Und eine Angst tauchte in ihr auf... Wenn er ihn am Ende einer andern Frau zeigte... mit ihr zusammen sich darüber lustig machte...! Nein, was fiel ihr denn nur ein! An so etwas nur zu denken!... Es war ja möglich, daß er den Brief nicht beantwortete, in den Papierkorb warf, – aber sonst nichts... nein... Im übrigen, nur Geduld, in zwei, drei Tagen ist alles entschieden. Sie wußte nicht recht, was, aber sie fühlte, daß diese unerträgliche Verwirrung in ihr nicht lange mehr dauern konnte. Irgendwie mußte sie sich lösen.

Am späten Nachmittag machte sie wieder einmal mit ihrem Buben einen Gang in den Weingeländen, aber sie betrat den Friedhof nicht. Dann wandelte sie langsam hinunter und spazierte unter den Kastanien. Sie plauderte mit Fritz, fragte ihn über allerlei aus, ließ sich Geschichten von ihm erzählen, unterrichtete ihn über manches, wie sie es oft zu tun pflegte, versuchte ihm zu erklären, wie weit die Sonne von der Erde entfernt sei, wie aus den Wolken der Regen komme und wie die Trauben wachsen, aus denen der Wein gemacht wird. Sie ärgerte sich nicht, wie sonst manchmal, wenn der Bub nicht recht aufmerkte, weil sie ganz gut fühlte, daß sie nur sprach, um sich selbst zu zerstreuen. Dann wandelte sie den Hügel hinab und unter den Kastanien wieder der Stadt zu. Bald sah sie Klingemann kommen, aber es machte nicht den geringsten Eindruck auf sie; er sprach sie mit erzwungener Höflichkeit an, hielt immer den Strohhut in der Hand und affektierte einen großen, beinahe düstern Ernst. Er schien sehr gealtert, auch merkte sie, daß seine Kleidung eigentlich gar nicht elegant, sondern geradezu vernachlässigt sei. Sie mußte sich ihn plötzlich in einer zärtlichen Umarmung mit ihrer Schwägerin vorstellen und war sehr angewidert. Später setzte sie sich auf eine Bank und sah zu, wie Fritz mit andern Kindern spielte, immer mit gespannter Aufmerksamkeit, um nicht an anderes denken zu müssen.

Am Abend war sie bei den Verwandten. Sie hatte die Empfindung, als hätte sie alles längst geahnt; denn wie wäre ihr sonst die Art der Beziehungen zwischen Schwager und Schwägerin nicht früher aufgefallen. Der Schwager machte wieder seine Scherze über Bertas Reise nach Wien, er fragte, wann sie wieder hineinfahren und ob man nicht bald von ihrer Verlobung hören würde. Berta ging auf die Scherze ein und erzählte, daß sich mindestens ein Dutzend um ihre Hand bewürben, darunter ein Minister; aber sie fühlte, daß nur ihre Lippen sprachen und lächelten, während ihre Seele ernst und schweigend blieb. Richard saß neben ihr und berührte zufällig mit seinem Knie das ihre, und als er ihr ein Glas Wein einschenkte und sie abwehrend seine Hand ergriff, fühlte sie eine wohlige Wärme an ihrem Arme bis in die Schulter gleiten. Sie war darüber zufrieden. Es schien ihr, als beginge sie jetzt eine Untreue. Und das war ganz recht: sie wollte, Emil wüßte, daß ihre Sinne wach wären, daß sie geradeso war, wie andere Weiber, und daß sie sich von dem jungen Neffen gerade so umarmen lassen konnte, wie von ihm ... Ah ja, wüßte er es nur! Das hätte sie ihm schreiben sollen! Nicht jenen demütig lüsternen Brief ... Aber auch unter dem Wellengang dieser Gedanken blieb der Grund ihrer Seele ernst, und ein Gefühl von Verlassenheit kam über sie, weil sie wußte, daß niemand ahnen konnte, was in ihr vorging.

Als sie dann allein durch die leeren Straßen nach Hause ging, begegnete sie einem Offizier, den sie vom Sehen kannte, mit einer hübschen Frauensperson, die sie noch nie gesehen. Sie dachte: offenbar eine aus Wien. Denn es war ihr bekannt, daß die Offiziere manchmal derartige Besuche erhielten. Sie hatte ein Gefühl des Neides gegen diese Frau, sie wünschte, daß auch sie jetzt von einem hübschen, jungen Offizier nach Hause begleitet werden könnte ... Warum auch nicht? ... Alle sind schließlich so ... und sie ist jetzt auch keine anständige Frau mehr! Emil glaubt es ja auch nicht, und es ist alles so egal!

Sie kommt nach Hause, entkleidet sich, legt sich zu Bett. Aber es ist zu schwül. Sie steht noch einmal auf, geht zum Fenster, öffnet es; draußen ist es ganz dunkel. Vielleicht sieht sie jetzt jemand am Fenster stehen, sieht ihre Haut durchs Dunkel leuchten.... Ja, wenn sie nur einer so sähe, es wäre ihr ganz recht!... Dann legt sie sich wieder ins Bett ... Ach ja, sie ist nicht besser als die anderen! Und es ist auch gar nicht notwendig, daß sie's ist.... Die Gedanken verschwimmen ihr.... Ja, und er ist dran schuld, er hat sie dazu gemacht, er hat sie einmal genommen wie eine von der Straße – und dann fort mit dir! ... Ah, pfui, pfui – sind die Männer infam! – Und doch ... es war schön .....

Sie schläft. –

Am nächsten Morgen fiel ein langsamer, warmer Regen. So konnte Berta ihre ungeheure Ungeduld leichter ertragen, als wenn die Sonne herunterbrannte. Es war ihr, als hätte sich während des Schlafes manches in ihr geglättet. In der grauen Milde dieses Morgens erschien alles so einfach und durchaus nicht merkwürdig. Morgen wird der Brief da sein, den sie erwartet, und heute ist ein Tag wie hundert andere. Sie gab ihre Lektionen. Mit ihrem Neffen war sie heute sehr streng und klopfte ihm auf die Finger, als er gar zu schlecht spielte. Er war ein fauler Schüler, nichts weiter.

Nachmittag kam sie auf eine Idee, die ihr selbst höchst lobenswürdig vorkam. Schon lange hatte sie sich vorgenommen, ihren Buben lesen zu lehren, heute sollte der Anfang gemacht werden, und sie plagte sich richtig eine gute Stunde damit, ihm einige Buchstaben beizubringen.

Es regnete noch immer; schade, daß man nicht spazieren gehen konnte! Der Nachmittag wird lang, sehr lang werden. Sie sollte doch endlich zu Rupius gehen. Es ist häßlich, daß sie noch nicht bei ihm war, seit sie zurück ist. Es ist wohl möglich, daß er sich ein wenig vor ihr schämt, weil er neulich so große Worte gebraucht hat; – und nun bleibt Anna doch bei ihm.

Sie verließ das Haus. Trotz des Regens ging sie vorerst hinaus ins Freie. So ruhig wie heute war sie lange nicht gewesen, sie freute sich dieses Tages ohne Aufregung, ohne Angst, ohne Erwartung. Könnte es doch immer so sein! Es war wunderbar, mit welcher Gleichgültigkeit sie an Emil dachte. Am liebsten hätte sie gar nichts mehr von ihm hören und diese Ruhe für alle Zeit bewahren wollen . . . Ja, so war es schön und gut. In der kleinen Stadt leben, die paar Lektionen geben, die doch keine große Anstrengung verursachten, den Buben aufziehen, ihn lesen, schreiben, rechnen lehren! – War denn das, was sie in den letzten Tagen erlebt, so viel Kummer, – so viel Demütigung wert? . . . Nein, sie war zu solchen Dingen nicht geschaffen. Es war ihr, als klänge ihr der Lärm der großen Stadt, der sie das letztemal nicht gestört, jetzt erst in den Ohren; und sie freute sich der schönen Stille, die sie hier umgab.

So erschien ihr die tiefe Ermattung, darein ihre Seele nach den ungewohnten Erregungen versunken war, wie eine endgültige Beruhigung . . . Und doch, schon nach kurzer Zeit, als sie sich der Stadt wieder zuwandte, schwand diese innere Ruhe allmählich, und unbestimmte Ahnungen von neuen Aufregungen und Leiden erwachten. Der Anblick eines jungen Paares, das an ihr vorüberging, eng aneinandergepreßt, unter aufgespanntem

Regenschirm, jagte die Sehnsucht nach Emil in ihr auf; sie wehrte sich nicht dagegen, denn sie wußte schon: in ihr war alles so umgewühlt, daß jeder Hauch anderes und meist das Unvermutete an die Oberfläche ihrer Seele brachte.

Es dämmerte, als Berta zu Herrn Rupius ins Zimmer trat. Er saß am Tisch, eine Mappe mit Bildern vor sich. Die Hängelampe war angezündet. Er sah auf und erwiderte ihren Gruß. Dann sagte er: »Sie sind ja schon seit vorgestern Abend wieder zurück.« Es klang wie ein Vorwurf, und Berta fühlte sich schuldig. »Nun, setzen Sie sich,« fuhr er fort, »und erzählen Sie mir, was Sie in der Stadt erlebt haben.«

»Erlebt hab' ich nichts. Im Museum bin ich gewesen, hab' auch manche von Ihren Bildern wiedererkannt.«

Rupius antwortete nichts.

»Ihre Frau kommt noch heute Abend zurück?«

»Ich glaube nicht.« Er schwieg; dann sagte er mit absichtlicher Trockenheit: »Ich muß Sie um Entschuldigung bitten, daß ich Ihnen neulich Dinge gesagt, die Sie ja unmöglich interessieren können. Im übrigen glaub' ich nicht, daß meine Frau heute wiederkommen wird.«

»Aber . . . . Sie sagte mir ja selbst . . . .«

»Ja, auch mir. Sie wollte mir einfach den Abschied ersparen, vielmehr die Komödie des Abschieds. Damit mein' ich gar nicht etwas Verlogenes, sondern nur die Dinge, die das Abschiednehmen zu begleiten pflegen: gerührte Worte, Tränen . . . Nun, genug davon. Werden Sie mir zuweilen Gesellschaft leisten? Ich werde nämlich ziemlich allein sein, wenn meine Frau nicht mehr bei mir ist.« Der Ton, in dem er das alles sagte, stimmte in seiner Schärfe so wenig zu dem Inhalt der Rede, daß Berta vergeblich nach einer Erwiderung suchte. Aber Rupius sprach gleich weiter: »Nun, und außer dem Museum, was haben Sie noch gesehen?«

Berta begann mit großer Geschäftigkeit allerlei von ihrer Wiener Reise zu erzählen, auch von einem Jugendfreund berichtete sie, den sie nach langer Zeit wieder getroffen, und zwar, wie sonderbar! gerade vor dem Falckenborghischen Bild. Während sie so von Emil sprach, ohne seinen Namen zu nennen, wuchs ihre Sehnsucht ins Ungemessene, und sie dachte daran, ihm heute noch einmal zu schreiben.

Da sah sie, wie Rupius die Augen starr auf die Türe geheftet hielt. Seine Frau war eingetreten, kam lächelnd auf ihn zu, sagte: »Da bin ich wieder,« küßte ihn auf die Stirn und reichte Berta ihre

Hand zum Gruß. »Guten Abend, Frau Rupius,« sagte Berta, höchst erfreut. Herr Rupius sprach kein Wort, doch sein Antlitz schien in heftiger Bewegung. Frau Rupius, die noch den Hut nicht abgelegt hatte, wandte sich einen Augenblick ab, da bemerkte Berta, wie Rupius sein Gesicht auf beide Hände stützte und in sich hinein zu schluchzen begann.

Berta ging. Sie war froh, daß Frau Rupius wiedergekommen war, es schien ihr wie eine gute Vorbedeutung. Morgen früh schon konnte der Brief da sein, der vielleicht ihr Schicksal entschied. Mit ihrer Ruhe war es wieder ganz vorbei; doch war ihr Wesen von einer anderen Sehnsucht erfüllt als früher. Sie wollte ihn nur da haben, in ihrer Nähe, sie hätte ihn nur sehen, an seiner Seite gehen wollen. Am Abend, nachdem sie ihren Buben zu Bett gebracht, blieb sie noch lang allein im Speisezimmer; sie spielte auch ein paar Akkorde auf dem Klavier, dann trat sie ans Fenster und sah ins Dunkel hinaus. Der Regen hatte aufgehört, die Erde trank die Feuchtigkeit ein, noch hingen die Wolken schwer über dem Land. Bertas ganzes Wesen wurde Sehnsucht, alles in ihr rief nach *ihm*, ihre Augen suchten ihn aus der Dunkelheit hervorzuschauen, ihre Lippen hauchten einen Kuß in die Luft, als könnte er die seinen erreichen, und unbewußt, als müßten ihre Wünsche in die Höhe, fort von allem andern, was sie umgab, flüsterte sie, indem sie zum Himmel aufschaute: »Gib mir ihn wieder!« . . . Nie war sie so sein gewesen als in diesem Augenblick. Ihr war, als liebte sie ihn jetzt zum ersten Male. Nichts von allem war beigemischt, was sonst ihr Gefühl trübte, keine Angst, keine Sorge, kein Zweifel, alles in ihr war die reinste Zärtlichkeit, und als jetzt ein leichter Wind herangeweht kam und ihre Stirnhaare bewegte, war ihr, als käme der Hauch von ihm.

Am nächsten Morgen kam kein Brief. Berta war ein wenig enttäuscht, aber nicht beunruhigt. Bald erschien Elly, die plötzlich eine große Lust bekommen hatte, mit dem Buben zu spielen. Das Dienstmädchen brachte vom Markt die Nachricht, daß man von Rupius aus sehr eilig zum Arzt geschickt hätte, doch wußte sie nicht, ob Herr oder Frau Rupius erkrankt sei. Berta beschloß, noch vor Tisch selbst anzufragen. Sie gab ihre Lektion bei Mahlmanns sehr zerstreut und nervös, dann ging sie zu Rupius. Das Dienstmädchen sagte ihr, die gnädige Frau wäre erkrankt und läge zu Bett, es sei nichts Gefährliches, aber Doktor Friedrich habe Besuche streng verboten. Berta erschrak. Sie hätte gern Herrn Rupius gesprochen, aber sie wollte nicht zudringlich sein.

Nachmittags versuchte sie, den Unterricht ihres Buben fortzusetzen, aber es wollte ihr nicht gelingen. Wieder war ihr, als würden durch die Erkrankung Annas ihre eigenen Hoffnungen beeinflußt; wenn Anna gesund wäre, müßte auch der Brief schon da sein. Sie wußte, daß das ganz unsinnig war, aber sie konnte sich nicht dagegen wehren.

Nach fünf Uhr begab sie sich wieder zu Rupius. Das Mädchen ließ sie ein. Herr Rupius wollte sie selbst sprechen. Er saß in seinem Sessel am Tische. »Nun?« fragte Berta.

»Eben ist der Doktor drin; wenn Sie ein paar Minuten warten wollen . . .«

Berta getraute sich nicht zu fragen. Beide schwiegen. Nach ein paar Sekunden trat Doktor Friedrich heraus. »Nun, es läßt sich noch nichts mit Bestimmtheit sagen,« sagte er langsam und setzte mit einem plötzlichen Entschluß hinzu: »Entschuldigen Sie, gnädige Frau, es ist durchaus notwendig, daß ich mit Herrn Rupius allein rede.«

Rupius zuckte zusammen. Berta sagte mechanisch: »So will ich nicht stören« und entfernte sich. Aber in ihrer Erregung war es ihr unmöglich, nach Hause zu gehen, und sie nahm den Weg zwischen den Rebengeländen dem Friedhofe zu. Sie fühlte, daß irgend etwas Geheimnisvolles in jenem Hause vorging. Es kam ihr der Gedanke, ob Anna nicht einen Selbstmordversuch gemacht haben könnte. Wenn sie nur nicht stirbt, dachte sie. Und zugleich war der Gedanke da: wenn nur ein lieber Brief von Emil kommt! Sie schien sich von lauter Gefahren umgeben. Sie betrat den Friedhof. Es war heute ein schöner, warmer Sommertag, und die Blüten und Blumen dufteten neu nach dem gestrigen Regen. Berta ging den gewohnten Weg bis zum Grab ihres Mannes. Aber sie fühlte, daß sie hier gar nichts zu suchen hatte. Es war ihr beinah peinlich, die Worte auf dem Grabstein zu lesen, die ihr nicht das Geringste mehr bedeuteten: Viktor Mathias Garlan, gestorben am 6. Juni 1895. Jetzt schien ihr irgendein Spaziergang mit Emil vor zehn Jahren näher zu liegen als die Jahre, die sie an der Seite ihres Mannes verbracht. Das war überhaupt gar nichts mehr . . . sie hätte gar nicht daran geglaubt, wenn Fritz nicht auf der Welt gewesen wäre . . . . Plötzlich fuhr ihr durch den Sinn: Fritz ist gar nicht sein Sohn . . . am Ende ist er Emils Sohn . . . Sind solche Dinge nicht möglich? . . . Und es war ihr in diesem Augenblick, als könnte sie die Lehre vom heiligen Geist verstehen . . . Dann erschrak sie selbst über das Unsinnige ihrer Gedanken. Sie blickte auf den breiten Weg, der von dem Tor des Kirchhofs gradlinig bis zur gegenüber liegenden Mauer zog, und mit einemmal wußte sie ganz bestimmt, daß man in wenigen Tagen den Sarg mit der Leiche der Frau Rupius diesen Weg tragen würde. Sie wollte diesen Gedanken verscheuchen, aber er war in völliger Bildhaftigkeit da, der Leichenwagen stand vor dem Tor; dort, dieses Grab, das zwei Männer eben aufschaufelten, war für Frau Rupius bestimmt, und Herr Rupius wartete am offenen Grab. Er saß in seinem Rollstuhl, den Plaid auf den Knien, und starrte dem Sarg entgegen, den die schwarzen Männer langsam herantrugen.... Das war mehr als eine Ahnung, das war ein Wissen .... Aber woher kam ihr das? – Jetzt hörte sie Leute hinter sich reden; zwei Frauen kamen an ihr vorüber, die eine war die Witwe eines Oberstleutnants, der vor kurzem gestorben war, die andere die Tochter; beide grüßten sie und schritten langsam weiter. Berta dachte, daß diese beiden Frauen sie für eine treue Witwe halten würden, die noch immer ihren Gatten beweinte; sie kam sich wie eine Lügnerin vor und entfernte sich eilig. Vielleicht war irgendeine Nachricht da, am Ende ein Telegramm von Emil – das wäre ja nichts merkwürdiges . . . sie standen einander doch nah genug . . . Ob Frau Rupius noch daran denkt, was Berta ihr auf dem Bahnhof gesagt hat, ob sie vielleicht im Fieber davon redet . . . Übrigens ist das ja so gleichgültig. Wichtig ist nur, daß Emil schreibt und daß Frau Rupius gesund wird . . . Sie muß noch einmal hin, sie muß Herrn Rupius sprechen, er wird ihr schon sagen, was der Arzt von ihm wollte . . . Und sie eilt zwischen den Rebengeländen den Hügel hinab, nach Hause . . . . Nichts ist gekommen, kein Brief, kein Telegramm . . . Fritz ist mit dem Mädchen ausgegangen. Ah, wie allein ist sie! Sie eilt wieder zu Rupius, das Mädchen öffnet ihr. Es geht sehr schlecht, Herr Rupius ist nicht zu sprechen . . . .

»Was fehlt ihr denn? Wissen Sie nicht, was der Doktor gesagt hat?«

»Eine Entzündung, hat der Doktor g'sagt.«

»Was für eine Entzündung?«

»Oder hat er gar g'sagt, eine Blutvergiftung. Es wird gleich eine Wärterin vom Spital kommen.«

Berta ging. Auf dem Platz vor dem Kaffeehaus saßen einige Leute, an einem Tisch ganz vorn Offiziere, wie gewöhnlich um diese Zeit. Die wissen nicht, was da oben vorgeht, dachte Berta, sonst könnten sie nicht da sitzen und lachen .... Blutvergiftung – ja, was hatte das zu bedeuten? ... Gewiß: es war ein Selbstmordversuch! ... Aber warum? ... Weil sie nicht fortreisen durfte – oder wollte? – Aber sie wird nicht sterben – nein, sie darf nicht sterben!

Um die Zeit hinzubringen, besucht Berta ihre Verwandten. Nur die Schwägerin ist zu Hause, sie weiß schon von der Erkrankung der Frau Rupius, aber das berührt sie nicht sehr, und sie spricht bald von anderen Dingen. Berta erträgt es nicht und entfernt sich.

Am Abend versucht sie, ihrem Buben Geschichten zu erzählen, dann liest sie die Zeitung, wo sie unter anderem auch wieder eine Ankündigung des Konzerts unter Mitwirkung Emils findet. Es kommt ihr ganz sonderbar vor, daß das Konzert noch immer bevorsteht und nicht schon längst vorüber ist.

Sie kann nicht schlafen gehen, ohne noch einmal bei Rupius angefragt zu haben. Sie trifft die Wärterin im Vorzimmer. Es ist diejenige, die Doktor Friedrich immer zu seinen Privatpatienten schickt. Sie hat ein heiteres Antlitz und tröstliche Augen.

»Unser Doktor wird die Frau Rupius schon herausreißen,« sagt sie. Und obzwar Berta weiß, daß diese Wärterin immer Bemerkungen solcher Art macht, fühlt sie sich doch beruhigter. Sie geht nach Hause, legt sich zu Bett und schlummert ruhig ein.

Am nächsten Morgen wacht sie spät auf. Sie ist ausgeschlafen und frisch. Auf dem Nachtkästchen liegt ein Brief. Jetzt erst besinnt sie sich: Frau Rupius ist schwer krank, und das ist ein Brief von Emil. Sie greift so eilig nach ihm, daß der kleine Leuchter heftig schwankt, reißt das Kuvert herunter und liest:

»Meine liebe Berta! Vielen Dank für Deinen schönen Brief. Er hat mich sehr gefreut. Aber Deine Idee, für immer nach Wien zu kommen, mußt Du Dir doch noch sehr wohl überlegen. Die Verhältnisse hier liegen ganz anders, als Du Dir vorzustellen scheinst. Es ist selbst für den einheimischen, gut akkreditierten Musiker mit der größten Mühe verbunden, halbwegs anständig bezahlte Lektionen zu bekommen, für Dich wäre es – wenigstens im Beginn – fast ein Ding der Unmöglichkeit. Zu Hause hast Du Deine gesicherte Existenz, Deinen Kreis von Verwandten und Freunden, Dein Heim, und schließlich, es ist der Ort, an dem Du mit Deinem Gatten gelebt hast, wo Dein Kind auf die Welt gekommen ist, und dort ist Dein Platz. Alles das aufzugeben, um Dich in den aufreibenden Konkurrenzkampf der Großstadt zu stürzen, hieße sehr töricht handeln. Ich rede absichtlich nichts von der Rolle, welche Deine Sympathie für mich (Du weißt, ich erwidre sie von ganzem Herzen) in Deinen Erwägungen zu spielen scheint, aber das würde die ganze Frage auf ein anderes Gebiet hinüberspielen, und das soll nicht geschehen. Ich nehme kein Opfer von Dir an, unter keiner Bedingung. Daß ich Dich gern und zwar bald wiedersehen möchte, braucht wohl keiner Versicherung, denn ich wünsche nichts sehnlicher, als wieder eine solche Stunde mit Dir zu verleben wie die, welche Du mir neulich geschenkt hast (und für die ich Dir sehr dankbar bin). Richte Dir's doch so ein, mein Kind, daß Du etwa alle vier bis sechs Wochen auf einen Tag und eine Nacht nach Wien kommen kannst. Wir wollen noch öfter recht glücklich sein, hoff' ich. In den nächsten Tagen kann ich Dich zu meinem Bedauern nicht sehen, auch verreise ich gleich nach meinem Konzert, ich muß in London spielen (Season), von dort fahre ich nach Schottland. Also auf ein frohes Wiedersehen im Herbst. Ich grüße Dich und küsse die süße Stelle hinter Deinem Ohr, die ich am meisten liebe.

Dein Emil.«

Als Berta diesen Brief zu Ende gelesen, saß sie noch eine Weile aufrecht im Bett. Es ging wie ein Schauer durch ihren Leib. Sie war nicht überrascht, sie wußte, daß sie keinen anderen Brief erwartet hatte. Sie schüttelte sich ... Alle vier bis sechs Wochen ... vortrefflich! – Ja, für einen Tag und für eine Nacht .... Pfui, pfui! ... Und was für eine Angst er hatte, daß sie nach Wien käme ... Und nun gar zum Schluß diese Bemerkung, als hätte er es darauf abgesehen, sozusagen noch aus der Ferne ihre Sinne zu reizen, weil ja das seine einzige Art war, mit ihr zu verkehren .... Ah, pfui, pfui! ... was für eine ... war sie gewesen! – Es ekelt sie – ekelt sie! .... Sie springt aus dem Bett, kleidet sich an .... Nun ja, was weiter? ... Es war aus, aus, aus! Er hatte keine Zeit für sie – gar keine Zeit! ... Vom Herbst an alle sechs Wochen eine Nacht. ... Ja, sofort, mein Herr, ich gehe auf Ihren ehrenvollen Antrag mit Vergnügen ein – ich wünsche mir ja nichts Bessres! Ich werde weiter hier versauern, Lektionen geben, verblöden in diesem Nest ... Sie werden weiter Geige spielen, den Weibern den Kopf verdrehen, reisen, reich und berühmt und glücklich sein – und alle vier bis sechs Wochen darf ich auf eine Nacht in irgendeinem schäbigen Zimmer, wo Sie Ihre

Frauenzimmer von der Straße hinführen, in einem Bett, wo so und so viele vor mir gelegen sind, ... pfui, pfui, pfui! ... Rasch fertig gemacht – zu Frau Rupius ... Anna ist krank, schwerkrank – was geht mich alles andere an?

Bevor sie fortging, herzte sie ihren Buben, und die Stelle aus dem Brief fiel ihr ein: hier, wo Dein Kind zur Welt gekommen ist, bist Du zu Hause ... Ja, so war es auch, aber er hat es nicht gesagt, weil es wahr ist, sondern nur, um nicht in die Gefahr zu kommen, sie öfter sehen zu müssen als alle sechs Wochen einmal.

Fort, fort! ... Warum zitterte sie denn gar nicht für Frau Rupius? ... Ah, sie wußte schon, es war ihr ja gestern abend besser gegangen. – Wo war nur der Brief? .... Sie hatte ihn wieder ganz mechanisch ins Mieder gesteckt.

Die Offiziere saßen vor dem Kaffeehaus und frühstückten; ganz bestaubt waren sie, sie kamen schon von der Feldübung zurück. Einer sah Berta nach, ein ganz junger, er mußte erst vor kurzem eingerückt sein .... Bitte sehr, ich bin ganz zu Ihrer Verfügung, in Wien bin ich nur alle vier bis sechs Wochen beschäftigt ... bitte, sagen Sie nur, wann Sie es wünschen ...

Die Balkontür war offen, über dem Geländer hing die rotsamtene Klavierdecke. Nun, offenbar, alles war wieder in Ordnung, – würde sonst die Decke auf dem Balkon hängen? ... Freilich, also vorwärts, hinauf ohne Angst! ...

Das Mädchen öffnet. Berta braucht sie nichts zu fragen, in ihren aufgerissenen Augen ist der Ausdruck von entsetztem Staunen, wie ihn nur die Nähe eines grauenvollen Sterbens hervorbringt. Berta tritt ein, zuerst in den Salon, die Tür zum Schlafzimmer ist flügelweit geöffnet.

Von der Wand fortgerückt, in der Mitte des Zimmers steht das Bett, frei von allen Seiten. Am Fußende sitzt die Wärterin, sehr müde, mit auf die Brust gesunkenem Kopf, zu Häupten in seinem Rollsessel Herr Rupius. Das Zimmer ist so dunkel, daß Berta erst, wie sie ganz nah tritt, das Gesicht von Anna deutlich sehen kann. Sie scheint zu schlafen. Berta tritt näher. Sie hört den Atem Annas, er ist gleichmäßig, aber unbegreiflich rasch, nie hat sie ein menschliches Wesen so atmen gehört. Jetzt fühlt Berta die Blicke der beiden andern auf sich gerichtet. Nur einen Augenblick wundert sie sich, daß man sie so ohne weiteres hereingelassen, dann begreift sie, daß jetzt alle Vorsichtsmaßregeln überflüssig geworden sind; diese Sache ist entschieden.

Noch zwei Augen richteten sich plötzlich auf Berta. Frau Rupius selbst hatte die ihren aufgeschlagen und betrachtete die Freundin mit Aufmerksamkeit. Die Wärterin machte Berta Platz und ging ins Nebenzimmer. Berta setzte sich und rückte näher heran. Sie sah, wie Anna ihr eine Hand langsam entgegenhielt, und ergriff sie. »Liebe Frau Rupius,« sagte sie. »Nicht wahr, es geht Ihnen jetzt schon viel besser.« Sie fühlte, daß sie wieder etwas Ungeschicktes sagte, aber sie fand sich darein. Es war nun einmal ihr Los dieser Frau gegenüber, noch in der letzten Stunde.

Anna lächelte; sie sah so blaß und jung aus wie ein Mädchen. »Ich danke Ihnen, liebe Berta,« sprach sie.

»Aber liebe, liebe Anna, wofür denn?« Sie hatte die größte Mühe, ihre Tränen zurückzuhalten. Zugleich aber war sie sehr neugierig zu erfahren, was denn eigentlich geschehen war.

Ein langes Schweigen entstand. Anna schloß die Augen wieder und schien zu schlafen, Herr Rupius saß regungslos da; Berta sah bald auf die Kranke, bald auf ihn. Sie dachte: Jedenfalls muß ich warten. Was Emil sagen würde, wenn *ich* plötzlich tot wäre? Ah, das täte ihm doch ein wenig leid, wenn er denken müßte: die ich vor ein paar Tagen in meinen Armen hielt, jetzt verwest sie. Er würde sogar weinen. Ja, in diesem Fall würde er weinen ... ein so elender Egoist er sonst ist .... Ah, wohin flogen denn wieder ihre Gedanken? Hielt sie nicht immer noch die Hand der Freundin in der ihren? Oh, wenn sie sie retten könnte! .. Wer war nun übler dran! Diese, die da sterben mußte, oder sie, die man so schmählich betrogen hatte? War denn das notwendig, wegen einer Nacht? .. Ah, das klang noch viel zu schön! ... wegen einer Stunde – sie so zu erniedrigen, sie zu ruinieren – war das nicht gewissenlos, frech? ... Wie haßte sie ihn! wie haßte sie ihn! ... Wenn er nur in seinem nächsten Konzert stecken bliebe, daß ihn alle Leute auslachten und er sich schämen müßte und in allen Zeitungen stände: Herr Emil Lindbach ist fertig, vollkommen fertig. Und alle seine Geliebten würden sagen: Ah, fällt mir gar nicht ein! ein Geigenspieler, der stecken bleibt ...! ... Ja, dann würde er sich wohl ihrer erinnern, der einzigen, die ihn seit ihrer Kindheit, die ihn wahrhaft geliebt hat ... und die er nun so niederträchtig behandelte! ... Dann müßte er doch zurück und sie um Verzeihung bitten, – und sie würde ihm sagen: Siehst du, Emil, siehst du, Emil ... denn etwas Gescheiteres fiele ihr natürlich nicht ein ..... Da denkt sie nun schon wieder an ihn, immer an ihn – und hier stirbt eine, und sie sitzt am Bett, und dieser Schweigende dort ist der Gatte ..... So still ist es, nur von der

Straße her, über den Balkon, durch die offene Tür wie hereingetragen, verwirrtes Geräusch – Menschenstimmen, Räderrollen, das Glockensignal eines Radfahrers, ein Säbel, der übers Pflaster scheppert, dazwischen Gezwitscher von Vögeln – aber all das ist so fern, gehört so gar nicht dazu ...

Anna wird unruhig, sie wirft den Kopf hin und her – oft, rasch, immer rascher ... Eine Stimme hinter Berta sagt leise: »Jetzt fängt's an.« Berta wandte sich um. Es war die Wärterin mit dem heiteren Gesicht; aber Berta sah jetzt, daß dieser Ausdruck gar keine Heiterkeit bedeutete, sondern nur den erstarrten Versuch, nie einen Schmerz merken zu lassen, und sie fand dieses Gesicht unbeschreiblich furchtbar ... Wie hatte sie gesagt? ... Jetzt fängt es an .... ja, wie ein Konzert oder eine Theatervorstellung ..... Und sie erinnerte sich daran, daß einmal auch an ihrem Bett dieselben Worte gesprochen wurden, damals als ihre Wehen begannen .....

Anna öffnete plötzlich die Augen, sehr weit, sehr groß; heftete sie auf ihren Mann und sagte ganz vernehmlich, indem sie sich vergeblich aufzurichten trachtete: »Nur dich, nur dich .... glaub' mir, nur dich hab' ich .....« Das letzte Wort war nicht zu verstehen, aber Berta erriet es.

»Ich weiß,« sagte Rupius. Dann beugte er sich herab und küßte die Sterbende auf die Stirn. Anna schlang die Arme um ihn, seine Lippen weilten lange auf ihren Augen. Die Wärterin war wieder hinausgegangen. Plötzlich stieß Anna ihren Mann von sich, sie kannte ihn nicht mehr, ihr Bewußtsein war dahin. Berta stand sehr erschrocken auf, blieb aber am Bette stehen. Herr Rupius sagte zu Berta: »Gehen Sie jetzt.« Sie zögerte.

»Gehen Sie,« sagte er noch einmal und streng.

Berta sah ein, daß sie gehen mußte. Auf den Zehenspitzen entfernte sie sich aus dem Zimmer, als könnte das Geräusch von Schritten Anna noch stören. Als sie ins Vorzimmer kam, sah sie eben Doktor Friedrich, der den Überzieher ablegte und während dieser Zeit mit einem jungen Arzt, dem Sekundarius des Spitals, sprach. Er bemerkte Berta nicht, und sie hörte ihn folgendes sagen: »In jedem andern Falle hätt' ich die Anzeige erstattet, aber da die Sache so ausgeht .... Überdies wär' es ein entsetzlicher Skandal, und der arme Rupius litte am meisten darunter.« Jetzt sah er Berta. »Guten Tag, Frau Garlan.«

»Ja, Herr Doktor, was ist denn eigentlich?«

Doktor Friedrich sah den Sekundararzt mit einem raschen

Blick an; dann erwiderte er: »Blutvergiftung. Sie wissen ja, gnädige Frau, manchmal schneidet man sich in den Finger und stirbt daran; die Verletzung ist nicht immer zu entdecken. Es ist ein großes Unglück ... ja, ja.« Er ging ins Zimmer, der Assistent folgte ihm.

Berta war wie betäubt, als sie auf die Straße trat. Was für eine Bedeutung hatten die Worte, die sie gehört? – Anzeige? – Skandal? Ja, hatte am Ende Rupius selbst seine Frau umgebracht? ... Nein, was für ein Unsinn! – Aber irgend etwas war an Anna verübt worden, ganz gewiß ... und es mußte irgendwie mit der Reise nach Wien zusammenhängen: denn in der Nacht nachher war sie erkrankt ... Und die Worte der Sterbenden fielen ihr ein: Nur dich, nur dich hab' ich geliebt! ... Hatte das nicht geklungen wie eine Bitte um Verzeihung ... Nur dich geliebt – aber einen andern ... Gewiß, sie hatte einen Liebhaber in der Stadt ... nun ja, aber was weiter? ... Ja, sie hatte fortreisen wollen und es doch nicht getan ... Wie hatte sie nur damals auf dem Bahnhof gesagt ... Ich habe mich zu etwas anderem entschlossen ... Ja, gewiß, sie hatte von dem Liebhaber in Wien Abschied genommen und sich hier – vergiftet? ... Aber warum denn, wenn sie nur ihren Gatten liebte? .... Und das war keine Lüge! Gewiß nicht! Berta konnte es nicht verstehen ....

Warum war sie denn nur fortgegangen? ... Was sollte sie denn jetzt tun? .... Sie hatte zu nichts Ruhe. Sie konnte weder nach Hause, noch zu ihren Verwandten, sie mußte wieder zurück .... Ob Anna auch hätte sterben müssen, wenn heut' ein anderer Brief von Emil gekommen wäre? .... Wahrhaftig, sie verlor den Verstand .. Das waren ja Dinge, die gar nicht zusammenhingen – und doch .... warum konnte sie sie nicht voneinander trennen? –

Wieder eilte sie die Stiege hinauf. Es war noch keine Viertelstunde, daß sie das Haus verlassen. Die Tür zur Wohnung stand offen, die Wärterin war im Vorzimmer. »Schon vorbei,« sagte sie. Berta ging weiter. Herr Rupius saß ganz allein am Tisch, die Tür zum Sterbezimmer war geschlossen. Er ließ Berta ganz nah an sich herankommen, ergriff ihre Hand, die sich ihm entgegenstreckte, dann sagte er: »Warum nur hat sie's getan? hat sie *das* getan?«

Berta schwieg.

Rupius sprach weiter. »Es war nicht notwendig – heiliger Himmel, es war nicht notwendig! Was gehen mich die anderen Menschen an – nicht wahr?«

Berta nickte.

»Auf das Lebendigsein kommt es an – das ist es. Warum hat sie das getan?« Es klang wie ein verhaltenes Jammern, obzwar er ganz ruhig zu reden schien. Berta weinte.

»Nein, es war nicht notwendig! Ich hätt' es aufgezogen, aufgezogen wie mein eigenes Kind.«

Berta blickte jäh auf. Mit einemmal verstand sie alles, und eine furchtbare Angst durchlief ihr ganzes Wesen. Sie dachte an sich selbst. Wenn auch sie in dieser einen Nacht . . . in dieser einen Stunde . .?! Ihre Angst war so groß, daß sie glaubte, die Sinne müßten ihr vergehen. Was ihr bisher kaum als Möglichkeit vor geschwebt, stand plötzlich wie eine unbestreitbare Gewißheit vor ihr. – Es konnte gar nicht anders sein, der Tod Annas war eine Vorbedeutung, ein Fingerzeig Gottes. Und zugleich tauchte die Erinnerung in ihr auf, an jenen Spaziergang an der Wien vor zwölf Jahren, da Emil sie geküßt und sie das erstemal heiße Sehnsucht nach einem Kind empfunden. Warum hatte sie keine empfunden, als sie neulich in seinen Armen lag? . . . Ja, nun wußte sie: sie hatte nichts anderes wollen als die Lust eines Augenblicks, sie war nicht besser gewesen als eine von der Straße, und es wäre nur eine gerechte Strafe des Himmels, wenn auch sie an ihrer Schande so zugrunde ginge wie die Arme, die da drin lag.

»Ich möchte sie noch einmal sehen,« sagte sie.

Rupius wies auf die Türe. Berta öffnete sie, näherte sich langsam dem Bett, auf dem die Tote ruhte, betrachtete sie lange und küßte sie auf beide Augen. Da überkam sie eine Ruhe ohnegleichen. Sie wäre am liebsten stundenlang bei der Leiche geblieben, in deren Nähe ihre eigenen Enttäuschungen und Leiden alle Wichtigkeit verloren. Sie kniete am Bette nieder und faltete die Hände, doch ohne zu beten.

Plötzlich flimmerte es ihr vor den Augen, eine wohlbekannte plötzliche Schwäche kam über sie, ein Schwindel, der sich gleich verlor. Zuerst bebte sie leise, dann aber atmete sie tief wie erlöst auf, denn mit dem Hereinbrechen dieser Ermattung fühlte sie ja auch, daß in diesem Augenblick nicht nur ihre Befürchtungen von früher, sondern der ganze Wahn dieser wirren Tage, die letzten Schauer einer verlangenden Weiblichkeit, alles, was sie für Liebe gehalten, in nichts zu verströmen begannen. Und an diesem Totenbette kniend, wußte sie, daß sie nicht von denen war, die, mit leichtem Sinn beschenkt, die Freuden des Lebens ohne Zagen trinken dürfen. Mit Ekel dachte sie an die eine Stunde der

Lust, die ihr vergönnt gewesen, und wie eine ungeheure Lüge erschienen ihr die schamlosen Wonnen, die sie damals gekostet, gegenüber der Unschuld jenes sehnsüchtigen Kusses, dessen Erinnerung ihr ganzes Dasein verschönt hatte. Klar hingebreitet in wundervoller Reinheit erschienen ihr jetzt die Beziehungen, die zwischen dem Gelähmten da draußen und dieser Frau bestanden hatten, die an ihrem Betruge sterben mußte. Und während sie die blasse Stirn der Toten betrachtete, mußte sie an den Unbekannten denken, für den sie hatte sterben müssen und der straflos und wohl auch reuelos draußen in der großen Stadt herumgehen und weiterleben durfte, wie ein anderer auch . . . nein, wie tausend und tausend andere, die neulich ihr Kleid gestreift und sie begehrlich angestarrt hatten. Und sie ahnte das ungeheure Unrecht in der Welt, daß die Sehnsucht nach Wonne ebenso in die Frau gelegt ward, als in den Mann; und daß es bei den Frauen Sünde wird und Sühne fordert, wenn die Sehnsucht nach Wonne nicht zugleich die Sehnsucht nach dem Kinde ist.

Sie erhob sich, warf einen letzten Blick des Abschieds auf die geliebte Freundin und verließ das Sterbegemach. Herr Rupius saß im Nebenzimmer geradeso, wie sie ihn verlassen. Ein tiefes Verlangen überkam sie, ihm Worte des Trostes zu sagen. Es war ihr einen Augenblick, als hätte ihr eigenes Schicksal nur den einen Sinn gehabt, sie das Elend dieses Mannes ganz verstehen zu machen. Sie hätte gewünscht, ihm das sagen zu können, aber sie fühlte, daß er zu denen gehörte, die mit ihrem Schmerz allein sein wollen. So setzte sie sich schweigend ihm gegenüber. –

EIN ERFOLG

Engelbert Friedmaier, der Sicherheitswachmann Numero siebzehntausendneunhundertzwölf, stand auf Posten zwischen der Kaiser Josef- und Taborstraße und dachte über sein verfehltes Leben nach. Drei Jahre waren verflossen, seit er als Feldwebel seinen Abschied vom Militär genommen und in das Korps der Sicherheitswache eingetreten war, voll der edelsten Begeisterung für seinen neuen Beruf, von glühendem Eifer erfüllt, für die Ordnung und Sicherheit in der Stadt zu sorgen; ein geliebtes Mädchen, die Tochter des Greißlers Anton Wessely, harrte darauf, von ihm als Gattin heimgeführt zu werden; aber Engelberts Aussichten auf Beförderung waren trüb, ja verzweifelt. Denn diese drei Jahre waren vergangen, ohne daß ihm ein einziger Erfolg geblüht hatte. Ein solcher Fall hatte sich nicht ereignet, seit eine Sicherheitswache in Wien bestand. Engelberts Vorgesetzte hegten Mißtrauen gegen seinen guten Willen, die Kameraden hatten keine Achtung mehr vor ihm, und Kathi, die früher sein Trost in trüben Stunden gewesen war, begann ihn aufs bitterste zu verspotten. Dabei fühlte er sich frei von Schuld. Er hatte kein Glück. Auf tausend Schritt in seinem Umkreis schwiegen alle bösen Triebe. Auf belebten Straßenkreuzungen war er gestanden, wo sonst Dutzende von Kutschern wegen Schnellfahrens, ja günstigenfalls selbst wegen Überfahrens angehalten wurden; er hatte in Feiertagsnächten in der Vorstadt vor verrufenen Lokalen Dienst getan, aus deren Türe schon manche mit dem Ruf herausgestürzt waren: »Ich bin gestochen!« . . . Ja, er war sogar einmal in eine Straße versetzt worden, wo das Radfahren verboten und wo es seinem Vorgänger gelungen war, an einem berühmt gewordenen Tage siebenundsechzig Zyklisten aufs Kommissariat zu führen – sobald Engelbert Friedmaier den verantwortungsvollen Posten bezog, war alles anders geworden. Die unruhigsten Traber verfielen in einen sanften Schritt, die berüchtigtsten Strizzis gingen friedlich ihres Weges, und die wildesten Radfahrer, die Engelbert klopfenden Herzens von ferne der verbotenen Straße zustürzen sah, stiegen besonnen ab und führten ihr Rad bis zur nächsten Ecke. Engelbert mußte stumm zusehen, wie alle Verordnungen unverletzt und die gesamte Sicherheit ungefährdet blieb. Auch andere kleine Genugtuungen, wie sie seine Kollegen manchmal erlebten, waren ihm stets versagt geblieben. Nie hatte er an einem Fenster eine junge Dame in allzu morgendlicher Toilette erspäht, nie kam es einer Freudenbummlerin der Straße in den Sinn, sich in seiner Nähe ungebührlich zu benehmen, nie fuhr ein Fiaker mit verdächtig geschlossenen Jalousien an ihm vorbei, nie war es ihm beschieden, nachts auf einem Streifzug durch öffentliche Gärten ein allzu verliebtes Paar zu überraschen. Und auch die großen Anlässe, bei denen so viele seiner Kameraden unvergängliche Lorbeeren pflückten, gingen für ihn klanglos vorüber. Er war einer von den Auserwählten gewesen, die vor dem Parlament standen, als die Sozialistenhorden johlend vorbeizogen, und angestrengt hatte er gelauscht, ob nicht einer von ihnen einen hochverräterischen Ruf oder gar eine Beschimpfung des allverehrten Bürgermeisters auszustoßen wagte ... In seiner Nähe verstummten alle, wie von einem guten oder bösen Geist gewarnt. – Ein anderes Mal stand er auf dem Ring unter denen, die beim Einzug eines gekrönten Hauptes Spalier bildeten. Er mußte es mit ansehen, wie zehn Schritte weiter von ihm ein jüngerer Kollege einen harmlosen Spaziergänger, der taub war und keine Ahnung hatte, was man von ihm wollte, wegen Widersetzlichkeit verhaftete – und hinter Engelbert standen die Leute stundenlang wie eine Mauer, drängten nicht, und keiner brach aus der Reihe.

Aber das Schlimmste geschah ihm einmal, als er sich seinem Ziele nahe glaubte; denn gerade da hatte sich der erträumte Erfolg in die bitterste Enttäuschung verwandelt. Es war ein schöner Nachmittag gewesen, wie heute, und Engelbert stand auf Posten in der Rotenturmstraße, als er von weitem einen eleganten Herrn herankommen sah, der ein kleines Mädchen an der Hand führte. Die Kleine schien müde zu sein, der elegante Herr schleppte sie weiter. Sie stürzte zusammen; der elegante Herr riß sie vom Boden auf; die Kleine weinte, schrie, der elegante Herr schimpfte so laut, daß Engelbert die Worte verstand, die von vielversprechender Unflätigkeit waren. Das Mädchen jammerte: »Mein lieber guter Papa, ich bin ja so müd!« und sank auf die Knie; der elegante Herr hob seinen Stock und schlug das Mädchen auf den Kopf, daß es wie tot zusammensank. Leute liefen herbei, Engelbert eilte strahlenden Auges herzu. Der Fall war besonders glücklich: es war eben die Zeit, da Kindermißhandlungen im Vordergrund des Interesses standen; mit einem Schlage konnte er jetzt der Mann des Tages werden. Was gingen ihn Taxüberschreitungen, kleine Stichverletzungen an? Hier war hoffentlich ein Mord an einem wehrlosen Kinde geschehen, und er war in der Lage einzuschreiten. Mit gewalttätiger Würde bahnte er sich den Weg durch die angestaute Menge... Aber was sollte er hier erblicken? Die Leute, die er erschüttert zu finden dachte, lachten, der elegante Herr sagte: »Ich erlaube mir, die Herrschaften zu meinem heute abend in den Blumensälen stattfindenden Debüt einzuladen«, und auf dem Boden – lag eine hölzerne Puppe. Noch wollte Engelbert die Sache nicht verloren geben: es konnte sich vielleicht um ein besonders raffiniertes Verbrechen handeln, indem der Mörder das tote Kind als Puppe und sich als Bauchredner ausgab. Aber als Engelbert sich auf ein Knie niederließ und einem hölzernen Kind in die gläsernen Augen starrte, stieg die Heiterkeit aufs höchste. Noch winkte die Möglichkeit, den Bauchredner wegen öffentlichen Mutwillens aufs Kommissariat zu bringen, aber in diesem Augenblick waren zwei Kavallerieoffiziere herbeigetreten und ließen sich wohlgelaunt mit dem Artisten in eine Unterhaltung ein. – Engelbert erkannte in dem einen der Offiziere mit Schrecken einen Erzherzog, fühlte, daß hier nichts mehr für ihn zu holen war, und schlich davon.

Von diesem Tage an zweifelte Engelbert Friedmaier nicht mehr, daß ihn ein tückisches Verhängnis verfolge. Nicht ohne Neid sah er auf manche seiner Kameraden, die strenger waren als die Verordnungen und empfindlicher als die Gesetze, und dumpfe Verlockung erwachte in ihm, diesen Ernsthaftstrebenden nachzueifern. Immer stärker empfand er die beispiellose Ordnung und Sittlichkeit rings um sich, wie einen gegen ihn persönlich gerichteten Hohn, und die ganze Menschheit seines Bezirkes erschien ihm als eine Bande von Verschworenen, die mit ihrer Anständigkeit nichts anderes bezweckten, als ihn zugrunde zu richten.

So stand er auch heute auf seinem Posten mit dem gramvollen Bewußtsein seiner Überflüssigkeit und Lächerlichkeit. – Der Abend nahte, verspätete Spaziergänger nahmen den Weg zum Prater, aus dem verworren der Sonntagslärm zu ihm herüberdrang. Engelbert schritt auf und ab, auf und ab. Manchmal blieb er stehen, sah die Straßen entlang, ließ seine Blicke zum Nordwestbahnhof ... zum Praterstern schweifen – und dann ging er wieder auf und ab, auf und ab. Mit einem Male gewahrte er eine bekannte Gestalt, die von der Taborstraße aus immer näher schritt. Es war Katharina, in einem blauen, weißgetupften Foulardkleid mit einem kleinen weißen Strohhut und einem roten Sonnenschirm; immer näher kam sie heran, und Engelbert sah sie lächeln. Sie wußte, daß er hier auf Posten stand ... wollte sie ihn besuchen? Er wagte es kaum zu hoffen, denn sie war in der letzten Zeit gar nicht liebenswürdig, machte sich sogar häufig über ihn lustig. Sie kam auf ihn zu. Jetzt merkte er auch, daß etwa zehn Schritte hinter ihr ein junger Mann in einem lichtgrauen Anzug, eine Zigarette im Mund und einen Spazierstock zwischen den Fingern drehend, einherspaziert kam, was übrigens auch ein Zufall sein konnte.

Engelbert, der eben mitten auf der Straße stand, näherte sich dem Trottoir, Katharina blieb vor ihm stehen und sagte, immer mit dem gleichen Lächeln: »Herr Sicherheitswachmann, ich bitt' recht schön, wo ist denn da der Prater?«

»Kathi«, rief er aus, »Kathi, kommst du wirklich zu mir?«

»Aber was fallt Ihnen denn ein, Herr Sicherheitswachmann ... das wär' doch nicht erlaubt! Sie sind ja jetzt im Dienst! Ich komm' nur fragen, wo man da am schnellsten in' Prater kommt.«

Der junge Herr mit dem grauen Anzug und dem Spazierstock war auf dem gegenüberliegenden Trottoir stehen geblieben. Es war auch möglich, daß er auf eine Tramway wartete.

»Kathi«, sagte Engelbert, »schau, es ist ja so lieb von dir ...«

»Was ist denn lieb von mir? Ich hätt' auch ein' andern fragen können, aber weil ich zufällig da vorübergeh' und weil ich sonst vor den Wachleuten so viel Respekt hab' und weil Sie gar so freundlich ausseh'n ... Ja wirklich, Ihnen sieht man doch gleich an, daß Sie noch keinem was 'tan hab'n.«

Um Engelberts Mundwinkel zitterte es leicht. Was wollte sie von ihm? War sie nur hergekommen, um ihn wieder zu quälen? – Eben fuhr eine Pferdebahn vorbei, der graue junge Herr stieg nicht ein. Aber er hatte vielleicht in der anderen Richtung zu tun.

»Warum reden Sie denn nicht, Herr Kommissär?« fragte Katharina weiter. »Sind Sie nicht laut Instruktion verpflichtet, den Parteien auf ihre Anfragen in höflicher Form Auskunft zu erteilen?«

»Kathi, ich bitt' dich, frozzel' mich nicht! Schau, ich halt's nimmer aus!«

»Ja«, sagte Katharina, indem sie sich auf die Fußspitzen stellte und gleich wieder fallen ließ, »so muß ich halt einen andern fragen. Ich hab' die Ehre, Herr . . .« – »Kathi!«

»Was is denn? Schau'n S' mich doch nicht so bös an, sonst krieg' ich wirklich eine Angst.«

Eine Trambahn fuhr vorbei – in der entgegengesetzten Richtung; der junge Herr stieg nicht ein. Wie festgewurzelt stand er drüben und drehte den Spazierstock. – »Kathi, es geht dir einer nach!«

»Is's wahr?« Sie wandte den Kopf nach der anderen Seite und betrachtete den jungen Herrn mit einem durchaus nicht unfreundlichen Blick. Der junge Herr schaute offenbar irgendeinem Gegenstand nach, der eben durch die Luft langsam zum Himmel emporflog; vielleicht war es eine Schwalbe, vielleicht eine Fliege, vielleicht ein Luftballon . . . jedenfalls konnte Engelbert nichts von alldem sehen.

»Arretieren S' ihn doch, Herr Sicherheitswachmann . . . wegen . . . Warten S', wenn wir mehr Praxis hätten, wüßten wir bald, wegen was . . . Halt, ich hab's schon! . . . wegen boshafter Beschädigung fremden Eigentums! . . . Also, gehorsamster Diener, Herr Kommissär, ich werd' schon selber in' Prater finden!« – »Kathi!« – »Was denn?« – »Du willst fortgehn?«

»Ja, meinen Sie, ich komm' daher, um Sie in der Wachsamkeit zu stören? Das ging' Ihnen grad noch ab! Adieu!«

Sie entfernte sich von ihm. Er folgte ihr. »Kathi!« rief er, »du bleibst! du bleibst!« – Sie wandte sich um und sah ihn mit großen Augen an.

»Bitt' dich, Kathi, bleib da. So darfst du nicht fortgeh'n. Sag mir, wenigstens . . .« – »Was denn?«

»Daß du mich noch gern hast . . . ich bitt' dich, Kathi!«

»O nein! da hab' ich eine viel zu große Hochachtung vorm Dienst . . . Alsdann auf Wiedersehn – ich geh' in' Prater!« – »Kathi, ist das dein Ernst?«

»Ich werd' mir doch nicht erlauben, mit einem Sicherheitswachmann im Dienst zu spaßen! Freilich ist es mein Ernst! Ich geh' jetzt zum Ringelspiel, dann geh' ich zum Präuscher, dann geh' ich auf die Rutschbahn, dann geh' ich in die verhexte Hutschen, dann schau' ich mir 'n Wurstel an . . . Wissen S', Herr Kommissär, einen anderen . . .« – »Kathi!«

Er bebte bis in die Fingerspitzen. Der junge Herr gegenüber lehnte am Laternenpfahl und betrachtete seine Schuhe. Kathi nickte ein paarmal mit dem Kopf wie zum Abschied und wandte sich zum Gehen. Engelbert faßte ihre Hand. Kathi starrte ihn an.

»Was fällt dir denn ein?« fragte sie plötzlich ganz ernst.

»Kathi, ich erlaub's nicht! Verstanden? ... Ich erlaub's nicht, daß du in' Prater gehst! Am nächsten Sonntag bin ich dienstfrei, da gehen wir miteinander hin.«

»Aber freilich, dir werden's grad dienstfrei geben! Als ob sie auf dich einen Tag verzichten könnten ... da ging' ja alles drunter und drüber in Wien, da gäb's ja gar keine Ordnung mehr, da möchten sich ja die Leut schon alles erlauben, wenn sie wüßten, daß der Engelbert Friedmaier dienstfrei is' ... Grüß dich Gott, Engelbert. Im Nachhausegehn schau' ich wieder vorüber, vielleicht bist du unterdessen befördert worden. Servus!«

»Kathi, du gehst nicht in' Prater, oder es geschieht ein Unglück!«

»So laß mich doch aus!« – »Kathi!« sagte er ganz heiser, »wenn du in' Prater gehst, is' es aus – verstehst mich?«

»Is 's wahr, versprichst mir das? Nachher geh' ich aber gleich!« Sie ging. Engelbert blieb einen Augenblick wie gelähmt stehen. Jetzt sah er, wie der junge Herr gegenüber aus seinen Träumen erwachte und, ganz harmlos mit dem Spazierstock schlenkernd, die gleiche Richtung einschlug wie Kathi. In der nächsten Sekunde war Engelbert wieder bei Kathi und faßte ihren Arm ... Sie schrie leise auf. »Ja, aber sag mir einmal, hast d' was' trunken?«

»Da bleibst!« Er sprach es ganz tonlos, das Weiße seiner Augen wurde rot. – »Laß mich!« sagte Kathi. »Gleich laßt d' mich aus! So was is' mir mein Lebtag noch nicht vorgekommen!«

Er ließ ihren Arm los. »Ich bitt' dich ein letztes Mal ...«

»Ob's d' an Ruh gibst? Aus is', ich geh' in' Prater!« – »Kathi!« – »Du bist ein Aff'!« – »Kathi ... was hast d' g'sagt?«

Sie sah ihn frech an und wiederholte: »Daß du ein Aff' bist!«

Engelbert starrte auf die halb geöffneten Lippen, denen diese Worte entflohen waren. Einen Augenblick war er daran, ihr zu erwidern, die Finger zuckten ihm, und alles schwamm ihm vor den Augen, so daß die Gestalt Kathis sich wie in einen sonderbaren Nebel auflöste und der junge Herr in der Luft zu tanzen schien. Doch im nächsten Augenblick sah er völlig klar, klarer als je vorher, und eine ihm selbst unbegreifliche Ruhe kam über ihn. Er war nicht mehr Engelbert, der Liebhaber. Er war ein Wachmann im Dienst, und vor ihm stand nicht mehr seine angebetete Braut, sondern eine Frauensperson, die ihn beleidigt hatte. Ein irres, aber bedeutendes Lächeln glitt über seine Züge, und mit einer ganz veränderten festen, lauten Stimme, wie sie nie jemand von ihm vernommen, sprach er, indem er dem Mädchen die Hand auf die Schulter legte: »Sie sind verhaftet im Namen des Gesetzes!«

Kathi sah ihn groß an und wußte anfangs nicht, ob sie lachen oder sich ärgern sollte; aber sein Blick und der Klang seiner Rede waren so bestimmt, daß sie an seinem Ernst nicht zweifeln durfte.

»Engelbert, bist du . . .« – »Es gibt kein' Engelbert mehr . . . ich bin der Herr Sicherheitswachmann!« – Einige Passanten waren stehengeblieben.

»Engelbert«, sagte Kathi leise und sah ihn flehend an.

»Fräulein folgen mir sofort aufs Kommissariat, dort wird man Ihnen lernen, Fräulein, daß ein Sicherheitswachmann kein Aff' ist!«

Andere Spaziergänger blieben stehen. Einer hatte Engelberts Worte gehört und teilte sie den Umstehenden mit; das Staunen in der Runde war grenzenlos.

»Keine Ansammlung!« sagte Engelbert, indem er sich hoheitsvoll an die Umstehenden wandte. »Ich ersuche, sich sofort zu zerstreuen. Bitte, mir zu folgen, mein Fräulein!«

Kathi starrte ihn an . . . sie wußte noch immer nicht, woran sie war.

»Na wird's, Fräulein?« sagte Engelbert. »Vorwärts!«

Mit einer Handbewegung, gegen die es keinen Widerspruch gab, befahl er ihr zu gehen. Die anderen Leute waren abseits getreten und betrachteten die Arretierung des hübschen Mädchens von fern mit ehrerbietiger Scheu.

»Warum arretieren Sie diese Dame?« fragte plötzlich jemand hinter Engelbert. Engelbert sah sich, aufs höchste überrascht, um. Der diese Worte gesprochen, war natürlich der junge Herr im grauen Anzug.

»Was?« fragte Engelbert in einem Ton, der berechtigte Zweifel an dem Verstande des Angeredeten verriet.

»Warum Sie diese Dame arretieren?« wiederholte der junge Herr, indem er Engelbert unsäglich frech anschaute. In Kathis Antlitz drückte sich mindestens eine gewisse Dankbarkeit aus. Engelbert fühlte, daß er nicht auf halbem Wege stehenbleiben konnte.

»Sie kommen auch mit!« rief er aus. »Ich verhafte Sie im Namen des Gesetzes.« – »Ich komme sehr gern mit, lieber Herr Wachmann«, sagte der junge Herr lächelnd.

»Ich bin nicht Ihr lieber Herr Wachmann! Vorwärts!«

»Entschuldigen schon«, sagte der junge Herr, »das können Sie nicht entscheiden; ich finde, daß Sie ein lieber Herr Wachmann sind.«

»Schweigen Sie, und folgen Sie mir! Ich bitte doch, sich zu zerstreuen«, wandte er sich an die Menge, die wieder nähergekommen war. »Hier ist ja kein Theater!«

Er ging in der Mitte der Fahrstraße, rechts von ihm Kathi, links der junge Herr. – Ja, nun war es geschehen, nun mußte es vorbei sein mit dem Spott der Kameraden, mit dem Mißtrauen der Vorgesetzten, mit dem Hohn der Geliebten ... ja, auch damit! auch damit! Es war wohl auch mit allem anderen vorbei ... Aber das war gleichgültig, das ging ihn nichts an, das durfte ihn nichts angehen.

Die zwei Verhafteten neben ihm hatten zu sprechen begonnen; er versuchte nicht darauf zu hören, aber es gelang ihm nicht. Der junge Mann sagte: »Fräulein, ich bedaure wirklich sehr, daß ihr Spaziergang eine so unliebsame Unterbrechung erfahren hat.«

Kathi antwortete: »O bitte sehr, mir is' so leid, daß Sie wegen meiner, wegen einer ganz fremden Person ...«

»Ich bitte, Fräulein, selbst wenn ich Ihretwegen viele Jahre schweren Kerker bekommen sollte, es wäre mir nur ein Vergnügen.«

Engelbert mußte dies alles hören und schweigend in ihrer Mitte gehen. Ohne die Gefangenen anzusehen, fühlte er, daß die Blicke der beiden einander noch mehr sagten als ihre Worte; fühlte, wie sich zwischen den beiden, die ein gemeinsames Schicksal aneinanderschmiedete, immer stärkere Beziehungen knüpften, gegen die er machtlos war. Kathi ging so nah neben ihm, daß ihr Kleid ihn streifte. Sie nahten sich dem Kommissariat. Als er das wohlbekannte Haus von ferne sah, fuhr ihm ein verführerischer Gedanke durch den Sinn. Wenn er der ganzen Sache ein Ende machte? Wenn er die beiden frei ließe und Kathi um Verzeihung bäte ...?

Aber er wies diese unwürdige Versuchung gleich wieder von sich, und festen Schrittes trat er mit den beiden Verhafteten über die Schwelle des Polizeigebäudes.

Der Kommissär fragte, ohne aufzublicken: »Um was handelt es sich?«

»Herr Kommissär«, sagte Engelbert, »um Wachebeleidigung und Einmischung in eine Amtshandlung.«

Der Kommissär sah auf. Als er Engelbert gewahrte, zeigte sich ein leichtes Erstaunen auf seinem Gesicht. Dann sagte er freundlich: »Na also!«

Engelbert wußte, daß das schon eine Art von Anerkennung bedeutete, aber fühlte nichts von dem Glück, das er sich seinerzeit bei dem ersten Zeichen einer solchen Zufriedenheit erwartet hatte. Der Kommissär nahm das Nationale auf. »Bitte, Fräulein . . .«

»Katharina Wessely, Greißlerstochter, zweiundzwanzig Jahre alt . . .«

»Und Sie?«

»Albert Meierling, Mediziner.«

»Also – Wachebeleidigung . . . Worin hat diese Wachebeleidigung bestanden?«

»Herr Kommissär«, antwortete der Sicherheitswachmann, »das Fräulein hat mich einen Affen genannt.«

»Schön, schön«, sagte der Kommissär. »Und der junge Mann?«

»Hat sich Bemerkungen über die Arretierung der jungen Dame erlaubt.«

»Schön, schön. Da können wir hier weiter nichts machen. Das gehört ja vors Bezirksgericht. Danke sehr«, wandte er sich an die beiden Häftlinge. »Sie werden seinerzeit die Vorladung bekommen.«

»So können wir gehen?« fragte der junge Mann, und Engelbert sah bei diesem »wir« rot vor den Augen.

»Bitte sehr, wohin Sie wollen«, sagte der freundliche Kommissär.

Kathi warf auf Engelbert einen Blick, als wenn er ihr ein Fremder wäre. Der junge Mann öffnete die Türe und entfernte sich mit dem Mädchen. Engelbert wollte ihnen folgen; da rief ihn der Kommissär an: »Sie, Friedmaier!«

»Herr Kommissär?«

»Ich gratulier' Ihnen. Zeit war's schon. Im übrigen, wie ist denn das Mädel dazugekommen, Sie einen Affen zu nennen?«

»Herr Kommissär, gehorsamst zu melden, es ist nämlich meine Braut.«

Der Kommissär erhob sich von seinem Sitz. »Wie?« Dann sah er Engelbert lang an, klopfte ihm auf die Schulter. »Brav! Das laß ich mir gefallen.«

»Oder vielmehr, es war meine Braut, Herr Kommissär«, sagte Engelbert, indem ihm die Tränen aus den Augen stürzten.

Der Kommissär betrachtete ihn gütig. Dann sagte er: »Also jetzt gehen Sie zurück auf Ihren Posten. Ich werde Sie übrigens zu einer besonderen Belobung empfehlen.«

Engelbert eilte auf die Straße. Er kam eben zurecht, um Kathi und den jungen Mann an der nächsten Ecke in einen Fiaker steigen zu sehen und den jungen Mann dem Kutscher zurufen zu hören: »In' Prater, Hauptallee.«

Die Verhandlung fand ein paar Wochen später statt. Der staatsanwaltschaftliche Funktionär feierte die Manneswürde und Pflichttreue des Wachmannes, der durch keine Art von persönlichen Beziehungen sich hatte abhalten lassen, der Gerechtigkeit ihren Lauf zu lassen. Der Verteidiger brandmarkte den empörenden Versuch, eine Geliebte, deren man überdrüssig geworden war, sich auf amtlichem Wege vom Halse zu schaffen, und sprach die Hoffnung aus, daß sich ein derartiger Macchiavellismus unter den braven Sicherheitswachleuten der Hauptstadt nur vereinzelt vorfinden dürfte. Der staatsanwaltschaftliche Funktionär, unbeirrt, behauptete in seiner Replik, daß die Fundamente des Staates zu wanken begännen, wenn hier nicht ein Exempel statuiert würde. Und so geschah es auch, Kathi wurde zu fünfundzwanzig Gulden Geldstrafe verurteilt, der Mediziner Albert Meierling zu zehn Gulden; er erlegte die Summe für beide. Es war ein schöner Julitag; am selben Abend fuhren wieder beide in den Prater.

Merkwürdig aber ist, daß von diesem Tage an der Bann, der bisher über Engelbert Friedmaier lastete, geschwunden ist. Die bösen Triebe rings um ihn sind erwacht; vorbei ist es in seiner Nähe mit Ordnung und Sittlichkeit, tagtäglich eskortiert er Übeltäter auf die Wachstube, und seine Kameraden sehen bewundernd zu ihm auf. Sie erkennen ihn kaum wieder. Er ist ein harter, grimmiger Mann geworden, und alle Schwüre unbescholtener Leute gelten als verruchte Lügen vor der dunklen Macht seines Diensteides, dem sich Kommissäre und Richter beugen.

Wie lange wird denn das noch dauern? Ich muß auf die Uhr schauen ... schickt sich wahrscheinlich nicht in einem so ernsten Konzert. Aber wer sieht's denn? Wenn's einer sieht, so paßt er gerade so wenig auf, wie ich, und vor dem brauch' ich mich nicht zu genieren ... Erst viertel auf zehn? ... Mir kommt vor, ich sitz' schon drei Stunden in dem Konzert. Ich bin's halt nicht gewohnt ... Was ist es denn eigentlich? Ich muß das Programm anschauen ... Ja, richtig: Oratorium? Ich hab' gemeint: Messe. Solche Sachen gehören doch nur in die Kirche. Die Kirche hat auch das Gute, daß man jeden Augenblick fortgehen kann. – Wenn ich wenigstens einen Ecksitz hätt'! – Also Geduld, Geduld! Auch Oratorien nehmen ein End'! Vielleicht ist es sehr schön, und ich bin nur nicht in der Laune. Woher sollt' mir auch die Laune kommen? Wenn ich denke, daß ich hergekommen bin, um mich zu zerstreuen ... Hätt' ich die Karte lieber dem Benedek geschenkt, dem machen solche Sachen Spaß; er spielt ja selber Violine. Aber da wär' der Kopetzky beleidigt gewesen. Es war ja sehr lieb von ihm, wenigstens gut gemeint. Ein braver Kerl, der Kopetzky! Der einzige, auf den man sich verlassen kann ... Seine Schwester singt ja mit unter denen da oben. Mindestens hundert Jungfrauen, alle schwarz gekleidet; wie soll ich sie da herausfinden? Weil sie mitsingt, hat er auch das Billett gehabt, der Kopetzky ... Warum ist er denn nicht selber gegangen? – Sie singen übrigens sehr schön. Es ist sehr erhebend – sicher! Bravo! bravo! ... Ja, applaudieren wir mit. Der neben mir klatscht wie verrückt. Ob's ihm wirklich so gut gefällt? – Das Mädel drüben in der Loge ist sehr hübsch. Sieht sie mich an oder den Herrn dort mit dem blonden Vollbart? ... Ah, ein Solo! Wer ist das? Alt: Fräulein Walker, Sopran: Fräulein Michalek ... das ist wahrscheinlich Sopran ... Lang' war ich schon nicht in der Oper. In der Oper unterhalt' ich mich immer, auch wenn's langweilig ist. Übermorgen könnt' ich eigentlich wieder hineingeh'n, zur »Traviata«. Ja, übermorgen bin ich vielleicht schon eine tote Leiche!

Ah, Unsinn, das glaub' ich selber nicht! Warten S' nur, Herr Doktor, Ihnen wird's vergeh'n, solche Bemerkungen zu machen! Das Nasenspitzel hau' ich Ihnen herunter ...

Wenn ich die in der Loge nur genau sehen könnt'! Ich möcht' mir den Operngucker von dem Herrn neben mir ausleih'n, aber der frißt mich ja auf, wenn ich ihn in seiner Andacht stör' ... In welcher Gegend die Schwester vom Kopetzky steht? Ob ich sie erkennen möcht'? Ich hab' sie ja nur zwei- oder dreimal gesehen, das letztemal im Offizierskasino ... Ob das lauter anständige Mädeln sind, alle hundert? O jeh! ... »Unter Mitwirkung des Singvereins!« – Singverein ... komisch! Ich hab' mir darunter eigentlich immer so was Ähnliches vorgestellt, wie die Wiener Tanzsängerinnen, das heißt, ich hab' schon gewußt, daß es was anderes ist! ... Schöne Erinnerungen! Damals beim »Grünen Tor« ... Wie hat sie nur geheißen? Und dann hat sie mir einmal eine Ansichtskarte aus Belgrad geschickt ... auch eine schöne Gegend! – Der Kopetzky hat's gut, der sitzt jetzt längst im Wirtshaus und raucht seine Virginia! ...

Was guckt mich denn der Kerl dort immer an? Mir scheint, der merkt, daß ich mich langweil' und nicht herg'hör' ... Ich möcht' Ihnen raten, ein etwas weniger freches Gesicht zu machen, sonst stell' ich Sie mir nachher im Foyer! – Schaut schon weg! ... Daß sie alle vor meinem Blick so eine Angst hab'n ... »Du hast die schönsten Augen, die mir je vorgekommen sind!« hat neulich die Steffi gesagt ... O Steffi, Steffi, Steffi! – Die Steffi ist eigentlich schuld, daß ich dasitz' und mir stundenlang vorlamentieren lassen muß. – Ah, diese ewige Abschreiberei von der Steffi geht mir wirklich schon auf die Nerven! Wie schön hätt' der heutige Abend sein können. Ich hätt' große Lust, das Brieferl von der Steffi zu lesen. Da hab' ich's ja. Aber wenn ich die Brieftasche herausnehm', frißt mich der Kerl daneben auf! – Ich weiß ja, was drinsteht ... sie kann nicht kommen, weil sie mit »ihm« nachtmahlen gehen muß ... Ah, das war komisch vor acht Tagen, wie sie mit ihm in der Gartenbaugesellschaft gewesen ist, und ich vis-a-vis mit'm Kopetzky; und sie hat mir immer die Zeichen gemacht mit den Augerln, die verabredeten. Er hat nichts gemerkt – unglaublich! Muß übrigens ein Jud' sein! Freilich, in einer Bank ist er, und der schwarze Schnurrbart ... Reserveleutnant soll er auch sein! Na, in mein Regiment sollt' er nicht zur Waffenübung kommen! Überhaupt, daß sie noch immer so viel Juden zu Offizieren machen – da pfeif' ich auf'n ganzen

Antisemitismus! Neulich in der Gesellschaft, wo die G'schicht' mit dem Doktor passiert ist bei den Mannheimers ... die Mannheimer selber sollen ja auch Juden sein, getauft natürlich ... denen merkt man's aber gar nicht an – besonders die Frau ... so blond, bildhübsch die Figur ... War sehr amüsant im ganzen. Famoses Essen, großartige Zigarren ... Na ja, wer hat's Geld? ...

Bravo, bravo! Jetzt wird's doch bald aus sein? – Ja, jetzt steht die ganze G'sellschaft da droben auf ... sieht sehr gut aus – imposant! – Orgel auch? ... Orgel hab' ich sehr gern ... So, das laß' ich mir g'fall'n – sehr schön! Es ist wirklich wahr, man sollt' öfter in Konzerte gehen ... Wunderschön ist's g'wesen, werd' ich dem Kopetzky sagen ... Werd' ich ihn heut' im Kaffeehaus treffen? – Ah, ich hab' gar keine Lust, ins Kaffeehaus zu geh'n; hab' mich gestern so gegiftet! Hundertsechzig Gulden auf einem Sitz verspielt – zu dumm! Und wer hat alles gewonnen? Der Ballert, grad' der, der's nicht notwendig hat ... Der Ballert ist eigentlich schuld, daß ich in das blöde Konzert hab' geh'n müssen ... Na ja, sonst hätt' ich heut wieder spielen können, vielleicht doch was zurückgewonnen. Aber es ist ganz gut, daß ich mir selber das Ehrenwort gegeben hab', einen Monat lang keine Karte anzurühren ... Die Mama wird wieder ein G'sicht machen, wenn sie meinen Brief bekommt! – Ah, sie soll zum Onkel geh'n, der hat Geld wie Mist; auf die paar hundert Gulden kommt's ihm nicht an. Wenn ich's nur durchsetzen könnt', daß er mir eine regelmäßige Sustentation gibt ... aber nein, um jeden Kreuzer muß man extra betteln. Dann heißt's wieder: Im vorigen Jahr war die Ernte schlecht! ... Ob ich heuer im Sommer wieder zum Onkel fahren soll auf vierzehn Tag'? Eigentlich langweilt man sich dort zum Sterben ... Wenn ich die ... wie hat sie nur geheißen? ... Es ist merkwürdig, ich kann mir keinen Namen merken! ... Ah, ja: Etelka! ... Kein Wort deutsch hat sie verstanden, aber das war auch nicht notwendig ... hab' gar nichts zu reden brauchen! ... Ja, es wird ganz gut sein, vierzehn Tage Landluft und vierzehn Nächt' Etelka oder sonstwer ... Aber acht Tag' sollt' ich doch auch wieder beim Papa und bei der Mama sein ... Schlecht hat sie ausg'seh'n heuer zu Weihnachten ... Na, jetzt wird die Kränkung schon überwunden sein. Ich an ihrer Stelle wär' froh, daß der Papa in Pension gegangen ist. – Und die Klara wird schon noch einen Mann kriegen ... Der Onkel kann schon was hergeben ... Achtundzwanzig Jahr, das ist doch nicht so alt ... Die Steffi ist sicher nicht jünger ... Aber es ist merkwürdig: *die* Frauenzimmer erhalten sich länger jung. Wenn man so bedenkt: die Maretti neulich in der »Madame Sans-Gêne« – siebenunddreißig Jahr ist sie sicher, und sieht aus ... Na, ich hätt' nicht Nein g'sagt! – Schad', daß sie mich nicht g'fragt hat...

Heiß wird's! Noch immer nicht aus? Ah, ich freu' mich so auf die frische Luft! Werd' ein bißl spazieren geh'n, übern Ring ... Heut' heißt's: früh ins Bett, morgen nachmittag frisch sein! Komisch, wie wenig ich daran denk', so egal ist mir das! Das erstemal hat's mich doch ein bißl aufgeregt. Nicht, daß ich Angst g'habt hätt'; aber nervös bin ich gewesen in der Nacht vorher ... Freilich, der Oberleutnant Bisanz war ein ernster Gegner. – Und doch, nichts ist mir g'scheh'n! ... Auch schon anderthalb Jahr her. Wie die Zeit vergeht! Und wenn mir der Bisanz nichts getan hat, der Doktor wird mir schon gewiß nichts tun! Obzwar, gerade diese ungeschulten Fechter sind manchmal die gefährlichsten. Der Doschintzky hat mir erzählt, daß ihn ein Kerl, der das erstemal einen Säbel in der Hand gehabt hat, auf ein Haar abgestochen hätt'; und der Doschintzky ist heut Fechtlehrer bei der Landwehr. Freilich – ob er damals schon so viel können hat ... Das Wichtigste ist: kaltes Blut. Nicht einmal einen rechten Zorn hab' ich mehr in mir, und es war doch eine Frechheit – unglaublich! Sicher hätt' er sich's nicht getraut, wenn er nicht Champagner getrunken hätt' vorher ... So eine Frechheit! Gewiß ein Sozialist! Die Rechtsverdreher sind doch heutzutag' alle Sozialisten! Eine Bande ... am liebsten möchten sie gleich 's ganze Militär abschaffen; aber wer ihnen dann helfen möcht', wenn die Chinesen über die kommen, daran denken sie nicht. Blödisten! – Man muß gelegentlich ein Exempel statuieren. Ganz recht hab' ich g'habt. Ich bin froh, daß ich ihn nimmer auslassen hab' nach der Bemerkung. Wenn ich dran denk', werd' ich ganz wild! Aber ich hab' mich famos benommen; der Oberst sagt auch, es war absolut korrekt. Wird mir überhaupt nützen, die Sache. Ich kenn' manche, die den Burschen hätten durchschlüpfen lassen. Der Müller sicher, der wär' wieder objektiv gewesen oder so was. Mit dem Objektivsein hat sich noch jeder blamiert ... »Herr Leutnant!« ... schon die Art, wie er »Herr Leutnant« gesagt hat, war unverschämt! ... »Sie werden mir doch zugeben müssen« ... – Wie sind wir denn nur d'rauf gekommen? Wieso hab' ich mich mit dem Sozialisten in ein Gespräch eingelassen? Wie hat's denn nur angefangen? ... Mir scheint, die schwarze Frau, die ich zum Büfett geführt hab', ist auch dabei gewesen ... und dann dieser junge Mensch, der die Jagdbilder malt – wie heißt er denn nur? ... Meiner Seel', der ist an der ganzen Geschichte schuld gewesen! Der hat von den Manövern geredet; und dann erst ist dieser Doktor dazugekommen und hat irgendwas g'sagt, was mir nicht gepaßt hat, von Kriegsspielerei oder so was – aber wo ich noch nichts hab' reden können ... Ja, und dann ist von den Kadettenschulen gesprochen worden ... ja, so war's ... und ich hab' von einem patriotischen Fest erzählt ... und dann hat der Doktor gesagt – nicht gleich, aber aus dem Fest hat es sich entwickelt – »Herr Leutnant, Sie werden mir doch zugeben, daß nicht alle Ihre Kameraden zum Militär gegangen sind, ausschließlich um das Vaterland zu verteidigen!« So eine Frechheit! Das wagt so ein Mensch einem Offizier ins Gesicht zu sagen! Wenn ich mich nur erinnern könnt', was ich d'rauf geantwortet hab'? ... Ah ja, etwas von Leuten, die sich in Dinge dreinmengen, von denen sie nichts versteh'n ... Ja, richtig ... und dann war einer da, der hat die Sache gütlich beilegen wollen, ein älterer Herr mit einem Stockschnupfen ... Aber ich war zu wütend! Der Doktor hat das absolut in dem Ton gesagt, als wenn er direkt mich gemeint hätt'. Er hätt' nur noch sagen müssen, daß sie mich aus dem Gymnasium hinausg'schmissen haben, und daß ich deswegen in die Kadettenschul' gesteckt worden bin ... Die Leut' können eben unserein'n nicht versteh'n, sie sind zu dumm dazu ... Wenn ich mich so erinner', wie ich das erstemal den Rock angehabt hab', so was erlebt eben nicht ein jeder ... Im vorigen Jahr bei den Manövern – ich hätt' was drum gegeben, wenn's plötzlich Ernst gewesen wär' ... Und der Mirovic hat mir g'sagt, es ist ihm ebenso gegangen. Und dann, wie Seine Hoheit die Front abgeritten sind, und die Ansprache vom Obersten – da muß einer schon ein ordentlicher Lump sein, wenn ihm das Herz nicht höher schlägt ... Und da kommt so ein Tintenfisch daher, der sein Lebtag nichts getan hat, als hinter den Büchern gesessen, und erlaubt sich eine freche Bemerkung! ... Ah, wart' nur, mein Lieber – bis zur Kampfunfähigkeit ... jawohl, du sollst so kampfunfähig werden ...

Ja, was ist denn? Jetzt muß es doch bald aus sein? ... »Ihr, seine Engel, lobet den Herrn« ... – Freilich, das ist der Schlußchor ... Wunderschön, da kann man gar nichts sagen. Wunderschön! – Jetzt hab' ich ganz die aus der Loge vergessen, die früher zu kokettieren angefangen hat. Wo ist sie denn? ... Schon fortgegangen ... Die dort scheint auch sehr nett zu sein ... Zu dumm, daß ich keinen Operngucker bei mir hab'! Der Brunnthaler ist ganz gescheit, der hat sein Glas immer im Kaffeehaus bei der Kassa liegen, da kann einem nichts g'scheh'n ... Wenn sich die Kleine da vor mir nur *ein*mal umdreh'n möcht'! So brav sitzt s' alleweil da. Das neben ihr ist sicher die Mama. – Ob ich nicht doch einmal ernstlich ans Heiraten denken soll? Der Willy war nicht älter als ich, wie er hineingesprungen ist. Hat schon was für sich, so immer gleich ein hübsches Weiberl zu Haus vorrätig zu haben ... Zu dumm, daß die Steffi grad heut' keine Zeit hat! Wenn ich wenigstens wüßte, wo sie ist, möcht' ich mich wieder vis-a-vis von ihr hinsetzen. Das wär' eine schöne G'schicht', wenn ihr der draufkommen möcht', da hätt' *ich* sie am Hals ... Wenn ich so denk', was dem Fließ sein Verhältnis mit der Winterfeld kostet! Und dabei betrügt sie ihn hinten und vorn. Das nimmt noch einmal ein Ende mit Schrecken ... Bravo, bravo! Ah, aus! ... So, das tut wohl, aufsteh'n können, sich rühren ... Na, vielleicht! Wie lang' wird der da noch brauchen, um sein Glas ins Futteral zu stecken?

»Pardon, pardon, wollen mich nicht hinauslassen?«

Ist das ein Gedränge! Lassen wir die Leut' lieber vorbeipassieren ... Elegante Person ... ob das echte Brillanten sind? ... Die da ist nett ... Wie sie mich anschaut! ... O ja, mein Fräulein, ich möcht' schon! ... O, die Nase! – Jüdin ... Noch eine ... Es ist doch fabelhaft, da sind auch die Hälfte Juden ... nicht einmal ein Oratorium kann man mehr in Ruhe genießen ... So, jetzt schließen wir uns an ... Warum drängt denn der Idiot hinter mir? Das werd' ich ihm abgewöhnen ... Ah, ein älterer Herr! ... Wer grüßt mich denn dort von drüben? ... Habe die Ehre, habe die Ehre! Keine Ahnung hab' ich, wer das ist ... das Einfachste wär', ich ging gleich zum Leidinger hinüber nachtmahlen ... oder soll ich in die Gartenbaugesellschaft? Am End' ist die Steffi auch dort? Warum hat sie mir eigentlich nicht geschrieben, wohin sie mit ihm geht? Sie wird's selber noch nicht gewußt haben. Eigentlich schrecklich, so eine abhängige Existenz ... Armes Ding! – So, da ist der Ausgang ... Ah, die ist aber bildschön! Ganz allein? Wie sie mich anlacht. Das wär' eine Idee, der geh' ich nach! ... So, jetzt die Treppen hinunter ... Oh, ein Major von Fünfundneunzig ... Sehr liebenswürdig hat er gedankt ... Bin doch nicht der einzige Offizier hier gewesen ... Wo ist denn das hübsche Mädel? Ah, dort ... am Geländer steht sie ... So, jetzt heißt's noch zur Garderobe ... Daß mir die Kleine nicht auskommt ... Hat ihm schon! So ein elender Fratz! Laßt sich da von einem Herrn abholen, und jetzt lacht sie noch auf mich herüber! – Es ist doch keine was wert ... Herrgott, ist das ein Gedränge bei der Garderobe! ... Warten wir lieber noch ein bissel ... So! Ob der Blödist meine Nummer nehmen möcht'? ...

»Sie, zweihundertvierundzwanzig! Da hängt er! Na, hab'n Sie keine Augen? Da hängt er! Na, Gott sei Dank! ... Also bitte!« ... Der Dicke da verstellt einem schier die ganze Garderobe ... »Bitte sehr!« ...

»Geduld, Geduld!«

Was sagt der Kerl?

»Nur ein bissel Geduld!«

Dem muß ich doch antworten ... »Machen Sie doch Platz!«

»Na, Sie werden's auch nicht versäumen!«

Was sagt er da? Sagt er das zu mir? Das ist doch stark! Das darf ich mir nicht gefallen lassen! »Ruhig!«

»Was meinen Sie?«

Ah, so ein Ton? Da hört sich doch alles auf!

»Stoßen Sie nicht!«

»Sie, halten Sie das Maul!« Das hätt' ich nicht sagen sollen, ich war zu grob ... Na, jetzt ist's schon g'scheh'n!

»Wie meinen?«

Jetzt dreht er sich um ... Den kenn' ich ja! – Donnerwetter, das ist ja der Bäckermeister, der immer ins Kaffeehaus kommt ... Was macht denn der da? Hat sicher auch eine Tochter oder so was bei der Singakademie ... Ja, was ist denn das? Ja, was macht er denn? Mir scheint gar ... ja, meiner Seel', er hat den Griff von meinem Säbel in der Hand ... Ja, ist der Kerl verrückt? ... »Sie Herr ...«

»Sie, Herr Leutnant, sein S' jetzt ganz stad.«

Was sagt er da? Um Gottes willen, es hat's doch keiner gehört? Nein, er red't ganz leise ... Ja, warum laßt er denn meinen Säbel net aus? ... Herrgott noch einmal ... Ah, da heißt's rabiat sein ... ich bring' seine Hand vom Griff nicht weg ... nur keinen Skandal jetzt! ... Ist nicht am End' der Major hinter mir? ... Bemerkt's nur niemand, daß er den Griff von meinem Säbel hält? Er red't ja zu mir! Was red't er denn?

»Herr Leutnant, wenn Sie das geringste Aufsehen machen, so zieh' ich den Säbel aus der Scheide, zerbrech' ihn und schick' die Stück' an Ihr Regimentskommando. Versteh'n Sie mich, Sie dummer Bub?«

Was hat er g'sagt? Mir scheint, ich träum'! Red't er wirklich zu mir? Ich sollt' was antworten ... Aber der Kerl macht ja Ernst – der zieht wirklich den Säbel heraus. Herrgott – er tut's! ... Ich spür's, er reißt schon dran. Was red't er denn? ... Um Gottes willen, nur kein' Skandal – – Was red't er denn noch immer?

»Aber ich will Ihnen die Karriere nicht verderben ... Also, schön brav sein! ... So, hab'n S' keine Angst, 's hat niemand was gehört ... es ist schon alles gut ... so! Und damit keiner glaubt, daß wir uns gestritten haben, werd' ich jetzt sehr freundlich mit Ihnen sein! – Habe die Ehre, Herr Leutnant, hat mich sehr gefreut – habe die Ehre.«

Um Gottes willen, hab' ich geträumt? ... Hat er das wirklich gesagt? ... Wo ist er denn? ... Da geht er ... Ich müßt' ja den Säbel ziehen und ihn zusammen hauen – – Um Gottes willen, es hat's doch niemand gehört? ... Nein, er hat ja nur ganz leise geredet, mir ins Ohr ... Warum geh' ich denn nicht hin und hau' ihm den Schädel auseinander? ... Nein, es geht ja nicht, es geht ja nicht ... gleich hätt' ich's tun müssen ... Warum hab' ich's denn nicht gleich getan? ... Ich hab's ja nicht können ... er hat ja den Griff nicht auslassen, und er ist zehnmal stärker als ich ... Wenn ich noch ein Wort gesagt hätt', hätt' er mir wirklich den Säbel zerbrochen ... Ich muß ja noch froh sein, daß er nicht laut geredet hat! Wenn's ein Mensch gehört hätt', so müßt' ich mich ja *stante pede* erschießen ... Vielleicht ist es doch ein Traum gewesen ... Warum schaut mich denn der Herr dort an der Säule so an? – hat der am End' was gehört? ... Ich werd' ihn fragen ... Fragen? – Ich bin ja verrückt! – Wie schau' ich denn aus? – Merkt man mir was an? – Ich muß ganz blaß sein. – Wo ist der Hund? ... Ich muß ihn umbringen! ... Fort ist er ... Überhaupt schon ganz leer ... Wo ist denn mein Mantel? ... Ich hab' ihn ja schon angezogen ... Ich hab's gar nicht gemerkt ... Wer hat mir denn geholfen? ... Ah, der da ... dem muß ich ein Sechserl geben ... So! ... Aber was ist denn das? Ist es denn wirklich gescheh'n? Hat wirklich einer so zu mir geredet? Hat mir wirklich einer »dummer Bub« gesagt? Und ich hab' ihn nicht auf der Stelle zusammengehauen? ... Aber ich hab' ja nicht können ... er hat ja eine Faust gehabt wie Eisen ... ich bin ja dagestanden wie angenagelt ... Nein, ich muß den Verstand verloren gehabt haben, sonst hätt' ich mit der anderen Hand ... Aber da hätt' er ja meinen Säbel herausgezogen und zerbrochen, und aus wär's gewesen

– alles wär' aus gewesen! Und nachher, wie er fortgegangen ist, war's zu spät . . . ich hab' ihm doch nicht den Säbel von hinten in den Leib rennen können.

Was, ich bin schon auf der Straße? Wie bin ich denn da herausgekommen? – So kühl ist es . . . ah, der Wind, der ist gut . . . Wer ist denn das da drüben? Warum schau'n denn die zu mir herüber? Am Ende haben die was gehört . . . Nein, es kann niemand was gehört haben . . . ich weiß ja, ich hab' mich gleich nachher umgeschaut! Keiner hat sich um mich gekümmert, niemand hat was gehört . . . Aber gesagt hat er's, wenn's auch niemand gehört hat; gesagt hat er's doch. Und ich bin dagestanden und hab' mir's gefallen lassen, wie wenn mich einer vor den Kopf geschlagen hätt'! . . . Aber ich hab' ja nichts sagen können, nichts tun können; es war ja noch das einzige, was mir übrig geblieben ist: stad sein, stad sein! . . . 's ist fürchterlich, es ist nicht zum Aushalten; ich muß ihn totschlagen, wo ich ihn treff'! . . . Mir sagt das einer! Mir sagt das so ein Kerl, so ein Hund! Und er kennt mich . . . Herrgott noch einmal, er kennt mich, er weiß, wer ich bin! . . . Er kann jedem Menschen erzählen, daß er mir das g'sagt hat! . . . Nein, nein, das wird er ja nicht tun, sonst hätt' er auch nicht so leise geredet . . . er hat auch nur wollen, daß ich es allein hör'! . . . Aber wer garantiert mir, daß er's nicht doch erzählt, heut' oder morgen, seiner Frau, seiner Tochter, seinen Bekannten im Kaffeehaus. – – Um Gottes willen, morgen seh' ich ihn ja wieder! Wenn ich morgen ins Kaffeehaus komm', sitzt er wieder dort wie alle Tag' und spielt seinen Tapper mit dem Herrn Schlesinger und mit dem Kunstblumenhändler . . . Nein, nein, das geht ja nicht, das geht ja nicht . . . Wenn ich ihn seh', so hau' ich ihn zusammen . . . Nein, das darf ich ja nicht . . . gleich hätt' ich's tun müssen, gleich! . . . Wenn's nur gegangen wär'! Ich werd' zum Obersten geh'n und ihm die Sache melden . . . ja, zum Obersten . . . Der Oberst ist immer sehr freundlich – und ich werd' ihm sagen: Herr Oberst, ich melde gehorsamst, er hat den Griff gehalten, er hat ihn nicht aus'lassen; es war genau so, als wenn ich ohne Waffe gewesen wäre . . . – Was wird der Oberst sagen? – Was er sagen wird? – Aber da gibt's ja nur eins: quittieren mit Schimpf und Schand' – quittieren! . . . Sind das Freiwillige da drüben? . . . Ekelhaft, bei der Nacht schau'n sie aus, wie Offiziere . . . sie salutieren! – Wenn die wüßten – wenn die wüßten! . . . – Da ist das Café Hochleitner . . . Sind jetzt gewiß ein paar Kameraden drin . . . vielleicht auch einer oder der andere, den ich kenn' . . . Wenn ich's dem ersten Besten erzählen möcht', aber so, als wär's einem andern passiert? ... – Ich bin ja schon ganz irrsinnig ... Wo lauf' ich denn da herum? Was tu' ich denn auf der Straße? – Ja, aber wo soll ich denn hin? Hab' ich nicht zum Leidinger wollen? Haha, unter Menschen mich niedersetzen ... ich glaub', ein jeder müßt' mir's anseh'n ... Ja, aber irgendwas muß doch gescheh'n ... Was soll denn gescheh'n? ... Nichts, nichts – es hat ja niemand was gehört ... es weiß ja niemand was ... in dem Moment weiß niemand was ... Wenn ich jetzt zu ihm in die Wohnung ginge und ihn beschwören möchte, daß er's niemandem erzählt? ... – Ah, lieber gleich eine Kugel vor den Kopf, als so was! ... Wär' so das Gescheiteste! ... Das Gescheiteste? Das Gescheiteste? – Gibt ja überhaupt nichts anderes ... gibt nichts anderes ... Wenn ich den Oberst fragen möcht', oder den Kopetzky – oder den Blany – oder den Friedmair: – jeder möcht' sagen: Es bleibt dir nichts anderes übrig! ... Wie wär's, wenn ich mit dem Kopetzky spräch'? ... Ja, es wär' doch das Vernünftigste ... schon wegen morgen ... Ja, natürlich – wegen morgen ... um vier in der Reiterkasern' ... ich soll mich ja morgen um vier Uhr schlagen ... und ich darf's ja nimmer, ich bin satisfaktionsunfähig ... Unsinn! Unsinn! Kein Mensch weiß was, kein Mensch weiß was! – Es laufen viele herum, denen ärgere Sachen passiert sind, als mir ... Was hat man nicht alles von dem Deckener erzählt, wie er sich mit dem Rederow geschossen hat ... und der Ehrenrat hat entschieden, das Duell darf stattfinden ... Aber wie möcht' der Ehrenrat bei mir entscheiden? – Dummer Bub – dummer Bub ... und ich bin dagestanden –! heiliger Himmel, es ist doch ganz egal, ob ein anderer was weiß! ... *ich* weiß es doch, und das ist die Hauptsache! *Ich* spür', daß ich jetzt wer anderer bin, als vor einer Stunde – *Ich* weiß, daß ich satisfaktionsunfähig bin, und darum muß ich mich totschießen ... Keine ruhige Minute hätt' ich mehr im Leben ... immer hätt' ich die Angst, daß es doch einer erfahren könnt', so oder so ... und daß mir's einer einmal ins Gesicht sagt, was heut' abend gescheh'n ist! – Was für ein glücklicher Mensch bin ich vor einer Stund' gewesen ... Muß mir der Kopetzky die Karte schenken – und die Steffi muß mir absagen, das Mensch! – Von so was hängt man ab ... Nachmittag war noch alles gut und schön, und jetzt bin ich ein verlorener Mensch und muß mich totschießen ... Warum renn' ich denn so? Es lauft mir ja nichts davon ... Wieviel schlagt's denn? ... 1, 2, 3, 4, 5, 6, 7, 8, 9, 10, 11 ... elf, elf ... ich sollt' doch nachtmahlen geh'n! Irgendwo muß ich doch schließlich hingeh'n ... ich könnt' mich ja in irgendein Beisl setzen, wo mich kein Mensch kennt – schließlich, essen muß der Mensch, auch wenn er sich nachher gleich totschießt ... Haha, der Tod ist ja kein Kinderspiel ... wer hat das nur neulich gesagt? ... Aber das ist ja ganz egal ...

Ich möcht' wissen, wer sich am meisten kränken möcht'? ... die Mama, oder die Steffi? ... die Steffi ... Gott, die Steffi ... die dürft' sich ja nicht einmal was anmerken lassen, sonst gibt »er« ihr den Abschied ... Arme Person! – Beim Regiment – kein Mensch hätt' eine Ahnung, warum ich's getan hab' ... sie täten sich alle den Kopf zerbrechen ... warum hat sich denn der Gustl umgebracht? – Darauf möcht' keiner kommen, daß ich mich hab' totschießen müssen, weil ein elender Bäckermeister, so ein niederträchtiger, der zufällig stärkere Fäust' hat ... es ist ja zu dumm, zu dumm! – Deswegen soll ein Kerl wie ich, so ein junger, fescher Mensch ... Ja, nachher möchten's gewiß alle sagen: das hätt' er doch nicht tun müssen, wegen so einer Dummheit; ist doch schad'! ... Aber wenn ich jetzt wen immer fragen tät', jeder möcht' mir die gleiche Antwort geben ... und ich selber, wenn ich mich frag' ... das ist doch zum Teufelholen ... ganz wehrlos sind wir gegen die Zivilisten ... Da meinen die Leut', wir sind besser dran, weil wir einen Säbel haben ... und wenn schon einmal einer von der Waffe Gebrauch macht, geht's über uns her, als wenn wir alle die geborenen Mörder wären ... In der Zeitung möcht's auch steh'n: ... »Selbstmord eines jungen Offiziers« ... Wie schreiben sie nur immer? ... »Die Motive sind in Dunkel gehüllt« ... Haha! ... »An seinem Sarge trauern« ... – Aber es ist ja wahr ... mir ist immer, als wenn ich mir eine Geschichte erzählen möcht' ... aber es ist wahr ... ich muß mich umbringen, es bleibt mir ja nichts anderes übrig – ich kann's ja nicht drauf ankommen lassen, daß morgen früh der Kopetzky und der Blany mir ihr Mandat zurückgeben und mir sagen: wir können dir nicht sekundieren! ... Ich wär' ja ein Schuft, wenn ich's ihnen zumuten möcht' ... So ein Kerl wie ich, der dasteht und sich einen dummen Buben heißen läßt ... morgen wissen's ja alle Leut' ... das ist zu dumm, daß ich mir einen Moment einbilde, so ein Mensch erzahlt's nicht weiter ... überall wird er's erzählen ... seine Frau weiß's jetzt schon ... morgen weiß es das ganze Kaffeehaus ... die Kellner werd'n's wissen ... der Herr Schlesinger – die Kassierin – – Und selbst wenn er sich vorgenommen hat, er red't nicht davon, so sagt er's übermorgen ... und wenn er's übermorgen nicht sagt, in einer Woche ... Und wenn ihn heut nacht der Schlag trifft, so weiß ich's ... ich weiß es ... und ich bin nicht der Mensch, der weiter den Rock trägt und den Säbel, wenn ein solcher Schimpf auf ihm sitzt! ... So, ich muß es tun, und Schluß! – Was ist weiter dabei? – Morgen nachmittag könnt' mich der Doktor mit 'm Säbel erschlagen ... so was ist schon einmal dagewesen ... und der Bauer, der arme Kerl, der hat eine Gehirnentzündung 'kriegt und war in drei Tagen hin ... und der Brenitsch ist vom Pferd gestürzt und hat sich 's Genick gebrochen ... und schließlich und endlich: es gibt nichts anderes – für mich nicht, für mich mich nicht! – Es gibt ja Leut', die's leichter nähmen ... Gott, was gibt's für Menschen! ... Dem Ringeimer hat ein Fleischselcher, wie er ihn mit seiner Frau erwischt hat, eine Ohrfeige gegeben, und er hat quittiert und sitzt irgendwo auf'm Land und hat geheiratet ... Daß es Weiber gibt, die so einen Menschen heiraten! ... – Meiner Seel', ich gäb' ihm nicht die Hand, wenn er wieder nach Wien käm' ... Also, hast's gehört, Gustl: – aus, aus, abgeschlossen mit dem Leben! Punktum und Streusand drauf! ... So, jetzt weiß ich's, die Geschichte ist ganz einfach ... So! Ich bin eigentlich ganz ruhig ... Das hab' ich übrigens immer gewußt: wenn's einmal dazu kommt, werd' ich ruhig sein, ganz ruhig ... aber daß es so dazu kommt, das hab' ich doch nicht gedacht ... daß ich mich umbringen muß, weil so ein ... Vielleicht hab' ich ihn doch nicht recht verstanden ... am End' hat er ganz was anderes gesagt ... Ich war ja ganz blöd von der Singerei und der Hitz' ... vielleicht bin ich verrückt gewesen, und es ist alles gar nicht wahr? ... Nicht wahr, haha, nicht wahr! – Ich hör's ja noch ... es klingt mir noch immer im Ohr ... und ich spür's in den Fingern, wie ich seine Hand vom Säbelgriff hab' wegbringen wollen ... Ein Kraftmensch ist er, ein Jagendorfer ... Ich bin doch auch kein Schwächling ... der Franziski ist der einzige im Regiment, der stärker ist als ich ...

Die Aspernbrücke ... Wie weit renn' ich denn noch? – Wenn ich so weiterrenn', bin ich um Mitternacht in Kagran ... Haha! – Herrgott, froh sind wir gewesen, wie wir im vorigen September dort eingerückt sind. Noch zwei Stunden, und Wien ... todmüd' war ich, wie wir angekommen sind ... den ganzen Nachmittag hab' ich geschlafen wie ein Stock, und am Abend waren wir schon beim Ronacher ... der Kopetzky, der Ladinser und ... wer war denn nur noch mit uns? – Ja, richtig, der Freiwillige, der uns auf dem Marsch die jüdischen Anekdoten erzählt hat ... Manchmal sind's ganz nette Burschen, die Einjährigen ... aber sie sollten alle nur Stellvertreter werden – denn was hat das für einen Sinn? Wir müssen uns jahrelang plagen, und so ein Kerl dient ein Jahr und hat genau dieselbe Distinktion wie wir ... es ist eine Ungerechtigkeit! – Aber was geht mich denn das alles an? – Was scher' ich mich denn um solche Sachen? – Ein Gemeiner von der Verpflegsbranche ist ja jetzt mehr als ich ... ich bin ja überhaupt nicht mehr auf der Welt ... es ist ja aus mit mir ... Ehre verloren, alles verloren! ... Ich hab' ja nichts anderes zu tun, als meinen Revolver zu laden und ... Gustl, Gustl, mir scheint, du glaubst noch immer nicht recht dran? Komm' nur zur Besinnung ... es gibt nichts anderes ... wenn du auch dein Gehirn zermarterst, es gibt nichts anderes! – Jetzt heißt's nur mehr, im letzten Moment sich anständig benehmen, ein Mann sein, ein Offizier sein, so daß der Oberst sagt: Er ist ein braver Kerl gewesen, wir werden ihm ein treues Angedenken bewahren! ... Wieviel Kompagnien rücken denn aus beim Leichenbegängnis von einem Leutnant? ... Das müßt' ich eigentlich wissen ... Haha! wenn das ganze Bataillon ausrückt, oder die ganze Garnison, und sie feuern zwanzig Salven ab, davon wach' ich doch nimmer auf! – Vor dem Kaffeehaus, da bin ich im vorigen Sommer einmal mit dem Herrn von Engel gesessen, nach der Armee-Steeple-Chase ... Komisch, den Menschen hab' ich seitdem nie wieder geseh'n ... Warum hat er denn das linke Aug' verbunden gehabt? Ich hab' ihn immer drum fragen wollen, aber es hätt' sich nicht gehört ... Da geh'n zwei Artilleristen ... die denken gewiß, ich steig' der Person nach ... Muß sie mir übrigens anseh'n ... O schrecklich! – Ich möcht' nur wissen, wie sich so eine ihr Brot verdient ... da möcht' ich doch eher ... Obzwar in der Not frißt der Teufel Fliegen ... in Przemysl – mir hat's nachher so gegraut, daß ich gemeint hab', nie wieder rühr' ich ein Frauenzimmer an ... Das war eine gräßliche Zeit da oben in Galizien ... eigentlich ein Mordsglück, daß wir nach Wien gekommen sind. Der Bokorny sitzt noch immer in Sambor und kann noch zehn Jahr dort sitzen und alt und grau werden ... Aber wenn ich dort geblieben wär', wär' mir das nicht passiert, was mir heut passiert ist ... und ich möcht' lieber in Galizien alt und grau werden, als daß ... als was? als was? – Ja, was ist denn? was ist denn? – Bin ich denn wahnsinnig, daß ich das immer vergeß'? – Ja, meiner Seel', vergessen tu' ich's jeden Moment ... ist das schon je erhört worden, daß sich einer in ein paar Stunden eine Kugel durch'n Kopf jagen muß, und er denkt an alle möglichen Sachen, die ihn gar nichts mehr angeh'n? Meiner Seel', mir ist geradeso, als wenn ich einen Rausch hätt'! Haha! ein schöner Rausch! ein Mordsrausch! ein Selbstmordsrausch! – Ha! Witze mach' ich, das ist sehr gut! – Ja, ganz gut aufgelegt bin ich – so was muß doch angeboren sein ... Wahrhaftig, wenn ich's einem erzählen möcht', er würd' es nicht glauben. – Mir scheint, wenn ich das Ding bei mir hätt' ... jetzt würd' ich abdrücken – in einer Sekunde ist alles vorbei ... Nicht jeder hat's so gut – andere müssen sich monatelang plagen ... meine arme Cousin', zwei Jahr ist sie gelegen, hat sich nicht rühren können, hat die gräßlichsten Schmerzen g'habt – so ein Jammer!... Ist es nicht besser, wenn man das selber besorgt? Nur Obacht geben heißt's, gut zielen, daß einem nicht am End' das Malheur passiert, wie dem Kadett-Stellvertreter im vorigen Jahr ... Der arme Teufel, gestorben ist er nicht, aber blind ist er geworden... Was mit dem nur geschehen ist? Wo er jetzt lebt? – Schrecklich, so herumlaufen, wie der – das heißt: herumlaufen kann er nicht, g'führt muß er werden – so ein junger Mensch, kann heut noch keine Zwanzig sein ... seine Geliebte hat er besser getroffen ... gleich war sie tot ... Unglaublich, weswegen sich die Leut' totschießen! Wie kann man überhaupt nur eifersüchtig sein? ... Mein Lebtag hab' ich so was nicht gekannt ... Die Steffi ist jetzt gemütlich in der Gartenbaugesellschaft; dann geht sie mit »ihm« nach Haus ... Nichts liegt mir dran, gar nichts! Hübsche Einrichtung hat sie – das kleine Badezimmer mit der roten Latern'. – Wie sie neulich in dem grünseidenen Schlafrock hereingekommen ist ... den grünen Schlafrock werd' ich auch nimmer seh'n – und die ganze Steffi auch nicht ... und die schöne, breite Treppe in der Gußhausstraße werd' ich auch nimmer hinaufgeh'n ... Das Fräulein Steffi wird sich weiter amüsieren, als wenn gar nichts gescheh'n wär' ... nicht einmal erzählen darf sie's wem, daß ihr lieber Gustl sich umgebracht hat ... Aber weinen wird's schon – ah ja, weinen wird's ... Überhaupt, weinen werden gar viele Leut' ... Um Gottes willen, die Mama! – Nein, nein, daran darf ich nicht denken. – Ah, nein, daran darf absolut nicht gedacht werden ... An Zuhaus wird nicht gedacht, Gustl, verstanden? – nicht mit dem allerleisesten Gedanken ...

Das ist nicht schlecht, jetzt bin ich gar im Prater ... mitten in der Nacht . . . das hätt' ich mir auch nicht gedacht in der Früh, daß ich heut' nacht im Prater spazieren geh'n werd' . . . Was sich der Sicherheitswachmann dort denkt? . . . Na, geh'n wir nur weiter . . . es ist ganz schön . . . Mit'm Nachtmahlen ist's eh' nichts, mit dem Kaffeehaus auch nichts; die Luft ist angenehm, und ruhig ist es . . . sehr . . . Zwar, ruhig werd' ich's jetzt bald haben, so ruhig, als ich's mir nur wünschen kann. Haha! – aber ich bin ja ganz außer Atem . . . ich bin ja gerannt wie nicht g'scheit . . . langsamer, langsamer, Gustl, versäumst nichts, hast gar nichts mehr zu tun – gar nichts, aber absolut nichts mehr! – Mir scheint gar, ich fröstel'? – Es wird halt doch die Aufregung sein . . . dann hab' ich ja nichts gegessen . . . Was riecht denn da so eigentümlich? . . . es kann doch noch nichts blühen? . . . Was haben wir denn heut'? – den vierten April . . . freilich, es hat viel geregnet in den letzten Tagen . . . aber die Bäume sind beinah' noch ganz kahl . . . und dunkel ist es, hu! man könnt' schier Angst kriegen . . . Das ist eigentlich das einzigemal in meinem Leben, daß ich Furcht gehabt hab', als kleiner Bub, damals im Wald . . . aber ich war ja gar nicht so klein . . . vierzehn oder fünfzehn . . . Wie lang ist das jetzt her? – neun Jahr' . . . freilich – mit achtzehn war ich Stellvertreter, mit zwanzig Leutnant . . . und im nächsten Jahr werd' ich . . . Was werd ich im nächsten Jahr? Was heißt das überhaupt: nächstes Jahr? Was heißt das: in der nächsten Woche? Was heißt das: übermorgen? . . . Wie? Zähneklappern? Oho! – Na lassen wir's nur ein bissel klappern . . . Herr Leutnant, Sie sind jetzt allein, brauchen niemandem einen Pflanz vorzumachen . . . es ist bitter, es ist bitter . . .

Ich will mich auf die Bank setzen . . . Ah! – wie weit bin ich denn da? – So eine Dunkelheit! Das da hinter mir, das muß das zweite Kaffeehaus sein . . . bin ich im vorigen Sommer auch einmal gewesen, wie unsere Kapelle konzertiert hat . . . mit'm Kopetzky und mit'm Rüttner – noch ein paar waren dabei . . . – Ich bin aber müd' . . . nein, ich bin müd', als wenn ich einen Marsch von zehn Stunden gemacht hätt' . . . Ja, das wär' sowas, da einschlafen. – Ha! ein obdachloser Leutnant . . . Ja, ich sollt' doch eigentlich nach Haus . . . was tu' ich denn zu Haus? aber was tu' ich denn im Prater? – Ah, mir wär' am liebsten, ich müßt' gar nicht aufsteh'n – da einschlafen und nimmer aufwachen . . . ja, das wär' halt bequem! – Nein, so bequem wird's Ihnen nicht gemacht, Herr Leutnant . . . Aber wie und wann? – Jetzt könnt' ich mir doch endlich einmal die Geschichte ordentlich überlegen . . .

überlegt muß ja alles werden ... so ist es schon einmal im Leben ... Also überlegen wir ... Was denn? ... – Nein, ist die Luft gut ... man sollt' öfters bei der Nacht in' Prater geh'n ... Ja, das hätt' mir eben früher einfallen müssen, jetzt ist's aus mit'm Prater, mit der Luft und mit'm Spazierengeh'n ... Ja, also was ist denn? – Ah, fort mit dem Kappl; mir scheint, das drückt mir aufs Gehirn ... ich kann ja gar nicht ordentlich denken ... Ah ... so! ... also jetzt Verstand zusammennehmen, Gustl ... letzte Verfügungen treffen! Also morgen früh wird Schluß gemacht ... morgen früh um sieben Uhr ... sieben Uhr ist eine schöne Stund'. Haha! – also um acht, wenn die Schul' anfangt, ist alles vorbei ... der Kopetzky wird aber keine Schul' halten können, weil er zu sehr erschüttert sein wird ... Aber vielleicht weiß er's noch gar nicht ... man braucht ja nichts zu hören ... Den Max Lippay haben sie auch erst am Nachmittag gefunden, und in der Früh hat er sich erschossen, und kein Mensch hat was davon gehört ... Aber was geht mich das an, ob der Kopetzky Schul' halten wird oder nicht? ... Ha! – also um sieben Uhr! – Ja ... na, was denn noch? ... Weiter ist ja nichts zu überlegen. Im Zimmer schieß' ich mich tot, und dann is basta! Montag ist die Leich' ... Einen kenn' ich, der wird eine Freud' haben: das ist der Doktor ... Duell kann nicht stattfinden wegen Selbstmord des einen Kombattanten ... Was sie bei Mannheimers sagen werden? – Na, er wird sich nicht viel draus machen ... aber die Frau, die hübsche, blonde ... mit der war was zu machen ... O ja, mir scheint, bei der hätt' ich Chance gehabt, wenn ich mich nur ein bissl zusammengenommen hätt' ... ja, das wär' doch was anders gewesen, als die Steffi, dieses Mensch ... Aber faul darf man halt nicht sein ... da heißt's: Cour machen, Blumen schicken, vernünftig reden ... das geht nicht so, daß man sagt: Komm' morgen nachmittag zu mir in die Kasern'! ... Ja, so eine anständige Frau, das wär' halt was g'wesen ... Die Frau von meinem Hauptmann in Przemysl, das war ja doch keine anständige Frau ... ich könnt 'schwören: der Libitzky und der Wermutek und der schäbige Stellvertreter, der hat sie auch g'habt ... Aber die Frau Mannheimer ... ja, das wär' was anders, das wär' doch auch ein Umgang gewesen, das hätt' einen beinah' zu einem andern Menschen gemacht – da hätt' man doch noch einen andern Schliff gekriegt – da hätt' man einen Respekt vor sich selber haben dürfen. – – Aber ewig diese Menscher ... und so jung hab' ich ang'fangen – ein Bub war ich ja noch, wie ich damals den ersten Urlaub gehabt hab' und in Graz bei den Eltern zu Haus war . . . der Riedl war auch dabei – eine Böhmin ist es gewesen . . . die muß doppelt so alt gewesen sein wie ich – in der Früh bin ich erst nach Haus gekommen . . . Wie mich der Vater ang'schaut hat . . . und die Klara . . . Vor der Klara hab' ich mich am meisten g'schämt . . . Damals war sie verlobt . . . warum ist denn nichts draus geworden? Ich hab' mich eigentlich nicht viel drum gekümmert . . . Armes Hascherl, hat auch nie Glück gehabt – und jetzt verliert sie noch den einzigen Bruder . . . Ja, wirst mich nimmer seh'n, Klara – aus! Was, das hast du dir nicht gedacht, Schwesterl, wie du mich am Neujahrstag zur Bahn begleitet hast, daß du mich nie wieder seh'n wirst? – und die Mama . . . Herrgott, die Mama . . . nein, ich darf daran nicht denken . . . wenn ich daran denk', bin ich imstand, eine Gemeinheit zu begehen . . . Ah . . . wenn ich zuerst noch nach Haus fahren möcht' . . . sagen, es ist ein Urlaub auf einen Tag . . . noch einmal den Papa, die Mama, die Klara seh'n, bevor ich einen Schluß mach' . . . Ja, mit dem ersten Zug um sieben kann ich nach Graz fahren, um eins bin ich dort . . . Grüß dich Gott, Mama . . . Servus, Klara! Na, wie geht's euch denn? . . . Nein, das ist eine Überraschung! . . . Aber sie möchten was merken . . . wenn niemand anders . . . die Klara . . . die Klara gewiß . . . Die Klara ist ein so gescheites Mädel . . . Wie lieb sie mir neulich geschrieben hat, und ich bin ihr noch immer die Antwort schuldig – und die guten Ratschläge, die sie mir immer gibt . . . ein so seelengutes Geschöpf . . . Ob nicht alles ganz anders geworden wär', wenn ich zu Haus geblieben wär'? Ich hätt' Ökonomie studiert, wär' zum Onkel gegangen . . . sie haben's ja alle wollen, wie ich noch ein Bub war . . . Jetzt wär' ich am End' schon verheiratet, ein liebes, gutes Mädel . . . vielleicht die Anna, die hat mich so gern gehabt . . . auch jetzt hab' ich's noch gemerkt, wie ich das letztemal zu Haus war, obzwar sie schon einen Mann hat und zwei Kinder . . . ich hab's g'seh'n', wie sie mich ang'schaut hat . . . Und noch immer sagt sie mir »Gustl« wie früher . . . Der wird's ordentlich in die Glieder fahren, wenn sie erfährt, was es mit mir für ein End' genommen hat – aber ihr Mann wird sagen: Das hab' ich voraus gesehen – so ein Lump! – Alle werden meinen, es ist, weil ich Schulden gehabt hab' . . . und es ist doch gar nicht wahr, es ist doch alles bezahlt . . . nur die letzten hundertsechzig Gulden – na, und die sind morgen da . . . Ja, dafür muß ich auch noch sorgen, daß der Ballert die hundertsechzig Gulden kriegt ... das muß ich niederschreiben, bevor ich mich erschieß' ... Es ist schrecklich, es ist schrecklich! ... Wenn ich lieber auf und davon fahren möcht' – nach Amerika, wo mich niemand kennt ... In Amerika weiß kein Mensch davon, was hier heut' abend gescheh'n ist ... da kümmert sich kein Mensch drum ... Neulich ist in der Zeitung gestanden von einem Grafen Runge, der hat fortmüssen wegen einer schmutzigen Geschichte, und jetzt hat er drüben ein Hotel und pfeift auf den ganzen Schwindel ... Und in ein paar Jahren könnt' man ja wieder zurück ... nicht nach Wien natürlich ... auch nicht nach Graz ... aber aufs Gut könnt' ich ... und der Mama und dem Papa und der Klara möchts doch tausendmal lieber sein, wenn ich nur lebendig blieb' ... Und was geh'n mich denn die andern Leut' an? Wer meint's denn sonst gut mit mir? – Außerm Kopetzky könnt' ich allen gestohlen werden ... der Kopetzky ist doch der einzige ... Und gerad der hat mir heut das Billett geben müssen ... und das Billett ist an allem schuld ... ohne das Billett wär' ich nicht ins Konzert gegangen, und alles das wär' nicht passiert ... Was ist denn nur passiert? ... Es ist grad', als wenn hundert Jahr seitdem vergangen wären, und es kann noch keine zwei Stunden sein ... Vor zwei Stunden hat mir einer »dummer Bub« gesagt und hat meinen Säbel zerbrechen wollen ... Herrgott, ich fang' noch zu schreien an mitten in der Nacht! Warum ist denn das alles gescheh'n? Hätt' ich nicht länger warten können, bis ganz leer wird in der Garderobe? Und warum hab' ich ihm denn nur gesagt: »Halten Sie's Maul!« Wie ist mir denn das nur ausgerutscht? Ich bin doch sonst ein höflicher Mensch ... nicht einmal mit meinem Burschen bin ich sonst so grob ... aber natürlich, nervös bin ich gewesen – alle die Sachen, die da zusammengekommen sind ... das Pech im Spiel und die ewige Absagerei von der Steffi – und das Duell morgen nachmittag – und zu wenig schlafen tu' ich in der letzten Zeit – und die Rackerei in der Kasern' – das halt' man auf die Dauer nicht aus! ... Ja, über kurz oder lang wär' ich krank geworden – hätt' um einen Urlaub einkommen müssen ... Jetzt ist es nicht mehr notwendig – jetzt kommt ein langer Urlaub – mit Karenz der Gebühren – haha! ...

Wie lang werd' ich denn da noch sitzen bleiben? Es muß Mitternacht vorbei sein ... hab' ich's nicht früher schlagen hören? – Was ist denn das ... ein Wagen fährt da? Um die Zeit? Gummiradler – kann mir schon denken ... Die haben's besser wie ich –

vielleicht ist es der Ballert mit der Berta ... Warum soll's grad' der Ballert sein? – Fahr' nur zu! – Ein hübsches Zeug'l hat Seine Hoheit in Pzremysl gehabt ... mit dem ist er immer in die Stadt hinuntergefahren zu der Rosenberg ... Sehr leutselig war Seine Hoheit – ein echter Kamerad, mit allen auf du und du ... War doch eine schöne Zeit ... obzwar ... die Gegend war trostlos und im Sommer zum verschmachten ... an einem Nachmittag sind einmal drei vom Sonnenstich getroffen worden ... auch der Korporal von meinem Zug – ein so verwendbarer Mensch ... Nachmittag haben wir uns nackt aufs Bett hingelegt. – Einmal ist plötzlich der Wiesner zu mir hereingekommen; ich muß grad' geträumt haben und steh' auf und zieh' den Säbel, der neben mir liegt ... muß gut ausg'schaut haben ... der Wiesner hat sich halb tot gelacht – der ist jetzt schon Rittmeister ... – Schad', daß ich nicht zur Kavallerie gegangen bin ... aber das hat der Alte nicht wollen – wär' ein zu teurer Spaß gewesen – jetzt ist es ja doch alles eins ... Warum denn? – Ja, ich ich weiß schon: sterben muß ich, darum ist es alles eins – sterben muß ich ... Also wie? – Schau, Gustl, du bist doch extra da herunter in den Prater gegangen, mitten in der Nacht, wo dich keine Menschenseele stört – jetzt kannst du dir alles ruhig überlegen ... Das ist ja lauter Unsinn mit Amerika und quittieren, und du bist ja viel zu dumm, um was anderes anzufangen – und wenn du hundert Jahr alt wirst, und du denkst dran, daß dir einer hat den Säbel zerbrechen wollen und dich einen dummen Buben geheißen, und du bist dag'standen und hast nichts tun können – nein, zu überlegen ist da gar nichts – gescheh'n ist gescheh'n – auch das mit der Mama und mit der Klara ist ein Unsinn – die werden's schon verschmerzen – man verschmerzt alles ... Wie hat die Mama gejammert, wie ihr Bruder gestorben ist – und nach vier Wochen hat sie kaum mehr dran gedacht ... auf den Friedhof ist sie hinausgefahren ... zuerst alle Wochen, dann alle Monat – und jetzt nur mehr am Todestag. – – Morgen ist mein Todestag – fünfter April. – – Ob sie mich nach Graz überführen? Haha! da werden die Würmer in Graz eine Freud' haben! – Aber das geht mich nichts an – darüber sollen sich die andern den Kopf zerbrechen ... Also, was geht mich denn eigentlich an? ... Ja, die hundertsechzig Gulden für den Ballert – das ist alles – weiter brauch ich keine Verfügungen zu treffen. – Briefe schreiben? Wozu denn? An wen denn? ... Abschied nehmen? – Ja, zum Teufel hinein, das ist doch deutlich genug, wenn man sich totschießt! – Dann merken's die andern schon, daß man Abschied genommen hat... Wenn die Leut' wüßten, wie egal mir die ganze Geschichte ist, möchten sie mich gar nicht bedauern – ist eh' nicht schad' um mich ... Und was hab' ich denn vom ganzen Leben gehabt? – Etwas hätt' ich gern noch mitgemacht: einen Krieg – aber da hätt' ich lang' warten können ... Und alles übrige kenn' ich ... Ob so ein Mensch Steffi oder Kunigunde heißt, bleibt sich gleich. – – Und die schönsten Operetten kenn' ich auch – und im Lohengrin bin ich zwölfmal drin gewesen – und heut' abend war ich sogar bei einem Oratorium – und ein Bäckermeister hat mich einen dummen Buben geheißen – meiner Seel', es ist grad' genug! – Und ich bin gar nimmer neugierig ... – Also geh'n wir nach Haus, langsam, ganz langsam ... Eile hab' ich ja wirklich keine. – Noch ein paar Minuten ausruhen da im Prater, auf einer Bank – obdachlos. – Ins Bett leg' ich mich ja doch nimmer – hab' ja genug Zeit zum Ausschlafen. – – Ah, die Luft! – Die wird mir abgeh'n ...

Was ist denn? – He, Johann, bringen S' mir ein Glas frisches Wasser ... Was ist? ... Wo ... Ja, träum' ich denn? ... Mein Schädel ... o, Donnerwetter ... Fischamend ... Ich bring' die Augen nicht auf! – Ich bin ja angezogen! – Wo sitz ich denn? – Heiliger Himmel, eingeschlafen bin ich! Wie hab' ich denn nur schlafen können; es dämmert ja schon! – Wie lang' hab' ich denn geschlafen? – Muß auf die Uhr schau'n ... Ich seh' nichts? ... Wo sind denn meine Zündhölzeln? ... Na, brennt eins an? ... Drei ... und ich soll mich um vier duellieren – nein, nicht duellieren – totschießen soll ich mich! – Es ist gar nichts mit dem Duell; ich muß mich totschießen, weil ein Bäckermeister mich einen dummen Buben genannt hat ... Ja, ist es denn wirklich g'scheh'n? – Mir ist im Kopf so merkwürdig ... wie in einem Schraubstock ist mein Hals – ich kann mich gar nicht rühren – das rechte Bein ist eingeschlafen. – Aufstehn! Aufstehn! ... Ah, so ist es besser! – Es wird schon lichter ... Und die Luft ... ganz wie damals in der Früh, wie ich auf Vorposten war und im Wald kampiert hab' ... Das war ein anderes Aufwachen – da war ein anderer Tag vor mir ... Mir scheint, ich glaub's noch nicht recht – Da liegt die Straße, grau, leer – ich bin jetzt sicher der einzige Mensch im Prater. – Um vier Uhr früh war ich schon einmal herunten, mit'm Pausinger – geritten sind wir – ich auf dem Pferd vom Hauptmann Mirovic und der Pausinger auf seinem eigenen

Krampen – das war im Mai, im vorigen Jahr – da hat schon alles geblüht – alles war grün. Jetzt ist's noch kahl – aber der Frühling kommt bald – in ein paar Tagen ist er schon da. – Maiglökkerln, Veigerln – schad', daß ich nichts mehr davon haben werd' – jeder Schubiak hat was davon, und ich muß sterben! Es ist ein Elend! Und die andern werden im Weingartl sitzen beim Nachtmahl, als wenn gar nichts g'wesen wär' – so wie wir alle im Weingartl g'sessen sind, noch am Abend nach dem Tag, wo sie den Lippay hinausgetragen haben ... Und der Lippay war so beliebt ... sie haben ihn lieber g'habt, als mich, beim Regiment – warum sollen sie denn nicht im Weingartl sitzen, wenn ich abkratz'? – Ganz warm ist es – viel wärmer als gestern – und so ein Duft – es muß doch schon blühen ... Ob die Steffi mir Blumen bringen wird? – Aber fallt ihr ja gar nicht ein! Die wird grad' hinausfahren ... Ja, wenn's noch die Adel' wär' ... Nein, die Adel'! Mir scheint, seit zwei Jahren hab' ich an die nicht mehr gedacht ... mein Lebtag hab' ich kein Frauenzimmer so weinen geseh'n ... Das war doch eigentlich das Hübscheste, was ich erlebt hab' ... So bescheiden, so anspruchslos, wie die war – die hat mich gern gehabt, da könnt' ich drauf schwören .– War doch was ganz anderes, als die Steffi ... Ich möcht' nur wissen, warum ich die aufgegeben hab' ... so eine Eselei! Zu fad ist es mir geworden, ja, das war das Ganze ... So jeden Abend mit ein und derselben ausgeh'n ... Dann hab' ich eine Angst g'habt, daß ich überhaupt nimmer loskomm' – eine solche Raunzen – Na, Gustl, hätt'st schon noch warten können – war doch die einzige, die dich gern gehabt hat ... Was sie jetzt macht? Na was wird s' machen? – Jetzt wird s' halt einen andern haben ... Freilich, das mit der Steffi ist bequemer – wenn man nur gelegentlich engagiert ist und ein anderer hat die ganzen Unannehmlichkeiten, und ich hab' nur das Vergnügen ... Ja, da kann man auch nicht verlangen, daß sie auf den Friedhof hinauskommt ... Wer ging denn überhaupt mit, wenn er nicht müßt'! – Vielleicht der Kopetzky, und dann wär' Rest! – Ist doch traurig, so gar niemanden zu haben ...

Aber so ein Unsinn! der Papa und die Mama und die Klara ... Ja, ich bin halt der Sohn, der Bruder ... aber was ist denn weiter zwischen uns? gern haben sie mich ja – aber was wissen sie denn von mir? – Daß ich meinen Dienst mach', daß ich Karten spiel' und daß ich mit Menschern herumlauf' ... aber sonst? – Daß mich manchmal selber vor mir graust, das hab' ich ihnen ja doch nicht geschrieben – na, mir scheint, ich hab's auch selber gar nicht recht gewußt – Ah was, kommst du jetzt mit solchen Sachen, Gustl? Fehlt nur noch, daß du zum Weinen anfangst ... pfui Teufel! – Ordentlich Schritt ... so! Ob man zu einem Rendezvous geht oder auf Posten oder in die Schlacht ... wer hat das nur gesagt? ... ah ja, der Major Lederer, in der Kantin', wie man von dem Wingleder erzählt hat, der so blaß geworden ist vor seinem ersten Duell – und gespieben hat ... Ja: ob man zu einem Rendezvous geht oder in den sichern Tod, am Gang und am G'sicht laßt sich das der richtige Offizier nicht anerkennen! – Also Gustl – der Major Lederer hat's g'sagt! ha! –

Immer lichter ... man könnt' schon lesen ... Was pfeift denn da? ... Ah, drüben ist der Nordbahnhof ... Die Tegetthoffsäule ... so lang hat sie noch nie ausg'schaut ... Da drüben stehen Wagen ... Aber nichts als Straßenkehrer auf der Straße ... meine letzten Straßenkehrer – ha! ich muß immer lachen, wenn ich dran denk' ... das versteh' ich gar nicht ... Ob das bei allen Leuten so ist, wenn sie's einmal ganz sicher wissen? Halb vier auf der Nordbahnuhr ... jetzt ist nur die Frage, ob ich mich um sieben nach Bahnzeit oder nach Wiener Zeit erschieß'? ... Sieben ... ja, warum grad' sieben? ... Als wenn's gar nicht anders sein könnt' ... Hunger hab' ich – meiner Seel', ich hab' Hunger – kein Wunder ... seit wann hab' ich denn nichts gegessen? ... Seit – seit gestern sechs Uhr abends im Kaffeehaus ... ja! Wie mir der Kopetzky das Billett gegeben hat – eine Melange und zwei Kipfel. – Was der Bäckermeister sagen wird, wenn er's erfahrt? ... der verfluchte Hund! – Ah, der wird wissen, warum – dem wird der Knopf aufgeh'n – der wird draufkommen, was es heißt: Offizier! – So ein Kerl kann sich auf offener Straße prügeln lassen, und es hat keine Folgen, und unsereiner wird unter vier Augen insultiert und ist ein toter Mann ... Wenn sich so ein Fallot wenigstens schlagen möcht' – aber nein, da wär' er ja vorsichtiger, da möcht' er sowas nicht riskieren ... Und der Kerl lebt weiter, ruhig weiter, während ich – krepieren muß! – Der hat mich doch umgebracht ... Ja, Gustl, merkst d' was? – der ist es, der dich umbringt! Aber so glatt soll's ihm doch nicht ausgeh'n! – Nein, nein, nein! Ich werd' dem Kopetzky einen Brief schreiben, wo alles drinsteht, die ganze G'schicht' schreib' ich auf ... oder noch besser: ich schreib's dem Obersten, ich mach' eine Meldung ans Regimentskommando ... ganz wie eine dienstliche Meldung ... Ja, wart', du glaubst, daß sowas geheim bleiben kann? – Du irrst dich – aufgeschrieben wird's zum ewigen

Gedächtnis, und dann möcht' ich sehen, ob du dich noch ins Kaffeehaus traust – Ha! – »das möcht' ich sehen,« ist gut! ... Ich möcht' noch manches gern sehen, wird nur leider nicht möglich sein – aus is! –

Jetzt kommt der Johann in mein Zimmer, jetzt merkt er, daß der Herr Leutnant nicht zu Haus geschlafen hat. – Na, alles mögliche wird er sich denken; aber daß der Herr Leutnant im Prater übernachtet hat, das, meiner Seel', das nicht ... Ah, die Vierundvierziger! zur Schießstätte marschieren s' – lassen wir sie vorübergeh'n ... so, stellen wir uns daher ... – Da oben wird ein Fenster aufgemacht – hübsche Person – na, ich möcht' mir wenigstens ein Tüchel umnehmen, wenn ich zum Fenster geh' ... Vorigen Sonntag war's zum letztenmal ... Daß grad' die Steffi die letzte sein wird, hab' ich mir nicht träumen lassen. – Ach Gott, das ist doch das einzige reelle Vergnügen ... Na ja, der Herr Oberst wird in zwei Stunden nobel nachreiten ... die Herren haben's gut – ja, ja, rechts g'schaut! – Ist schon gut ... Wenn ihr wüßtet, wie ich auf euch pfeif'! – Ah, das ist nicht schlecht: der Katzer ... seit wann ist denn der zu den Vierundvierzigern übersetzt? – Servus, servus! – Was der für ein G'sicht macht? ... Warum deut' er denn auf seinen Kopf? – Mein Lieber, dein Schädel interessiert mich sehr wenig ... Ah, so! Nein, mein Lieber, du irrst dich: im Prater hab' ich übernachtet ... wirst schon heut' im Abendblatt lesen. – »Nicht möglich!« wird er sagen, »heut' früh, wie wir zur Schießstätte ausgerückt sind, hab' ich ihn noch auf der Praterstraße getroffen!« – Wer wird denn meinen Zug kriegen? – Ob sie ihn dem Walterer geben werden? – Na, da wird was Schönes herauskommen – ein Kerl ohne Schneid, der hätt' auch lieber Schuster werden sollen ... Was, geht schon die Sonne auf? – Das wird heut ein schöner Tag – so ein rechter Frühlingstag ... Ist doch eigentlich zum Teufelholen! – der Komfortabelkutscher wird noch um achte in der Früh auf der Welt sein, und ich ... na, was ist denn das? He, das wär' sowas – noch im letzten Moment die Kontenance verlieren wegen einem Komfortabelkutscher ... Was ist denn das, daß ich auf einmal so ein blödes Herzklopfen krieg'? – Das wird doch nicht deswegen sein ... Nein, o nein ... es ist, weil ich so lang' nichts gegessen hab'. – – Aber Gustl, sei doch aufrichtig mit dir selber: – Angst hast du – Angst, weil du's noch nie probiert hast ... Aber das hilft dir ja nichts, die Angst hat noch keinem was geholfen, jeder muß es einmal durchmachen, der eine früher, der andere später, und du kommst halt früher dran ... Viel wert bist du ja nie gewesen, so benimm dich wenigstens anständig zu guter Letzt, das verlang' ich von dir! – So, jetzt heißt's nur überlegen – aber was denn? ... Immer will ich mir was überlegen ... ist doch ganz einfach: – im Nachtkastelladel liegt er, geladen ist er auch, heißt's nur: losdrucken – das wird doch keine Kunst sein! – –

Die geht schon ins Geschäft ... die armen Mädeln! die Adel' war auch in einem G'schäft – ein paarmal hab' ich sie am Abend abg'holt ... Wenn sie in einem Geschäft sind, werd'n sie doch keine solchen Menscher ... Wenn die Steffi mir allein g'hören möcht', ich ließ sie Modistin werden oder sowas ... Wie wird sie's denn erfahren? – Aus der Zeitung! ... Sie wird sich ärgern, daß ich ihr's nicht geschrieben hab' ... Mir scheint, ich schnapp' doch noch über ... Was geht denn das mich an, ob sie sich ärgert ... Wie lang' hat denn die ganze G'schicht gedauert? ... Seit'm Jänner? ... Ah nein, es muß doch schon vor Weihnachten gewesen sein ... ich hab' ihr ja aus Graz Zuckerln mitgebracht, und zu Neujahr hat sie mir ein Brieferl g'schickt ... Richtig, die Briefe, die ich zu Haus hab', – sind keine da, die ich verbrennen sollt'? ... Hm, der vom Fallsteiner – wenn man den Brief findet ... der Bursch könnt' Unannehmlichkeiten haben ... Was mir das schon aufliegt! – Na, es ist ja keine große Anstrengung ... aber hervorsuchen kann ich den Wisch nicht ... Das beste ist, ich verbrenn' alles zusammen ... wer braucht's denn? Ist lauter Makulatur. – – Und meine paar Bücher könnt' ich dem Blany vermachen. – »Durch Nacht und Eis« ... schad', daß ich's nimmer auslesen kann ... bin wenig zum Lesen gekommen in der letzten Zeit ... Orgel – ah, aus der Kirche ... Frühmesse – bin schon lang bei keiner gewesen ... das letztemal im Feber, wie mein Zug dazu kommandiert war ... Aber das galt nichts – ich hab' auf meine Leut' aufgepaßt, ob sie andächtig sind und sich ordentlich benehmen ... – Möcht' in die Kirche hineingeh'n ... am End' ist doch was dran ... – Na, heut nach Tisch werd' ich's schon genau wissen ... Ah, »nach Tisch« ist sehr gut! ... Also, was ist, soll ich hineingeh'n? – Ich glaub', der Mama wär's ein Trost, wenn sie das wüßt'! ... Die Klara gibt weniger drauf ... Na, geh'n wir hinein – schaden kann's ja nicht!

Orgel – Gesang – hm! – was ist denn das? – Mir ist ganz schwindlig ... O Gott, o Gott, o Gott! ich möcht' einen Menschen haben, mit dem ich ein Wort reden könnt' vorher! – Das wär' so was – zur Beicht' geh'n! Der möcht' Augen machen, der

Pfaff', wenn ich zum Schluß sagen möcht': Habe die Ehre, Hochwürden; jetzt geh' ich mich umbringen! ... – Am liebsten läg' ich da auf dem Steinboden und tät' heulen ... Ah nein, das darf man nicht tun! Aber weinen tut manchmal so gut ... Setzen wir uns einen Moment – aber nicht wieder einschlafen wie im Prater! ... – Die Leut', die eine Religion haben, sind doch besser dran ... Na, jetzt fangen mir gar die Händ' zu zittern an! ... Wenn's so weitergeht, werd' ich mir selber auf die Letzt' so ekelhaft, daß ich mich vor lauter Schand' umbring'! – Das alte Weib da – um was betet denn die noch? ... Wär' eine Idee, wenn ich ihr sagen möcht': Sie, schließen Sie mich auch ein ... ich hab' das nicht ordentlich gelernt, wie man das macht ... Ha! mir scheint, das Sterben macht blöd'! – Aufsteh'n! – Woran erinnert mich denn nur die Melodie? – Heiliger Himmel! gestern abend! – Fort, fort! das halt' ich gar nicht aus! ... Pst! keinen solchen Lärm, nicht mit dem Säbel schleppern – die Leut' nicht in der Andacht stören – so! – doch besser im Freien ... Licht ... Ah, es kommt immer näher – wenn es lieber schon vorbei wär'! – Ich hätt's gleich tun sollen – im Prater ... man sollt' nie ohne Revolver ausgehn ... Hätt' ich gestern abend einen gehabt ... Herrgott noch einmal! – In das Kaffeehaus könnt' ich geh'n frühstücken ... Hunger hab' ich ... Früher ist's mir immer sonderbar vorgekommen, daß die Leut', die verurteilt sind, in der Früh noch ihren Kaffee trinken und ihr Zigarrl rauchen ... Donnerwetter, geraucht hab' ich gar nicht! gar keine Lust zum Rauchen! – Es ist komisch: ich hätt' Lust, in mein Kaffeehaus zu geh'n ... Ja, aufgesperrt ist schon, und von uns ist jetzt doch keiner dort – und wenn schon ... ist höchstens ein Zeichen von Kaltblütigkeit. »Um sechs hat er noch im Kaffeehaus gefrühstückt, und um sieben hat er sich erschossen« ... – Ganz ruhig bin ich wieder ... das Gehen ist so angenehm – und das Schönste ist, daß mich keiner zwingt. – Wenn ich wollt', könnt' ich noch immer den ganzen Krempel hinschmeißen ... Amerika ... Was ist das: »Krempel«? *Was* ist ein »Krempel«? Mir scheint, ich hab' den Sonnenstich! ... Oho, bin ich vielleicht deshalb so ruhig, weil ich mir immer noch einbild', ich muß nicht? ... Ich muß! Ich muß! Nein, ich will! – Kannst du dir denn überhaupt vorstellen, Gustl, daß du dir die Uniform ausziehst und durchgehst? Und der verfluchte Hund lacht sich den Buckel voll – und der Kopetzky selbst möcht' dir nicht mehr die Hand geben ... Mir kommt vor, ich bin ganz rot geworden. – – Der Wachmann salutiert mir . . . ich muß danken . . . »Servus!« – Jetzt hab' ich gar »Servus« gesagt! . . . Das freut so einen armen Teufel immer . . . Na, über mich hat sich keiner zu beklagen gehabt – außer Dienst war ich immer gemütlich. – Wie wir auf Manöver waren, hab' ich den Chargen von der Kompagnie Britannikas geschenkt; – einmal hab' ich gehört, wie ein Mann hinter mir bei den Gewehrgriffen was von »verfluchter Rackerei« g'sagt hat, und ich hab' ihn nicht zum Rapport geschickt – ich hab' ihm nur gesagt: »Sie, passen S' auf, das könnt' einmal wer anderer hören – da ging's Ihnen schlecht!« . . . Der Burghof . . . Wer ist denn heut auf der Wach'? – Die Bosniaken – schau'n gut aus – der Oberstleutnant hat neulich g'sagt: Wie wir im 78er Jahr unten waren, hätt' keiner geglaubt, daß uns die einmal so parieren werden! . . . Herrgott, bei so was hätt' ich dabei sein mögen – Da steh'n sie alle auf von der Bank. – Servus, servus! – Das ist halt zuwider, daß unsereiner nicht dazu kommt. – Wär' doch schöner gewesen, auf dem Felde der Ehre, fürs Vaterland, als so . . . Ja, Herr Doktor, Sie kommen eigentlich gut weg! . . . Ob das nicht einer für mich übernehmen könnt'? – Meiner Seel', das sollt' ich hinterlassen, daß sich der Kopetzky oder der Wymetal an meiner Statt mit dem Kerl schlagen . . . Ah, so leicht sollt' der doch nicht davonkommen! – Ah, was! Ist das nicht egal, was nachher geschieht? Ich erfahr's ja doch nimmer! – Da schlagen die Bäume aus . . . Im Volksgarten hab' ich einmal eine angesprochen – ein rotes Kleid hat sie angehabt – in der Strozzigasse hat sie gewohnt – nachher hat sie der Rochlitz übernommen . . . Mir scheint, er hat sie noch immer, aber er red't nichts mehr davon – er schämt sich vielleicht . . . Jetzt schlaft die Steffi noch . . . so lieb sieht sie aus, wenn sie schläft . . . als wenn sie nicht bis fünf zählen könnt'! – Na, wenn sie schlafen, schau'n sie alle so aus! – Ich sollt' ihr doch noch ein Wort schreiben . . . warum denn nicht? Es tut's ja doch ein jeder, daß er vorher noch Briefe schreibt. – Auch der Klara sollt' ich schreiben, daß sie den Papa und die Mama tröstet – und was man halt so schreibt! – und dem Kopetzky doch auch . . . Meiner Seel', mir kommt vor, es wär' viel leichter, wenn man ein paar Leuten Adieu gesagt hätt' . . . Und die Anzeige an das Regimentskommando – und die hundertsechzig Gulden für den Ballert . . . eigentlich noch viel zu tun . . . Na, es hat's mir ja keiner g'schafft, daß ich's um sieben tu' . . . von acht an ist noch immer Zeit genug zum Totsein! . . . Totsein, ja – so heißt's – da kann man nichts machen . . .

Ringstraße – jetzt bin ich ja bald in meinem Kaffeehaus ... Mir scheint gar, ich freu' mich aufs Frühstück ... es ist nicht zum glauben. – – Ja, nach dem Frühstück zünd' ich mir eine Zigarre an, und dann geh' ich nach Haus und schreib' ... Ja, vor allem mach' ich die Anzeige ans Kommando; dann kommt der Brief an die Klara – dann an den Kopetzky – dann an die Steffi ... Was soll ich denn dem Luder schreiben ... »Mein liebes Kind, du hast wohl nicht gedacht« ... – Ah, was, Unsinn! – »Mein liebes Kind, ich danke dir sehr« ... – »Mein liebes Kind, bevor ich von hinnen gehe, will ich es nicht verabsäumen« ... – Na, Briefschreiben war auch nie meine starke Seite ... »Mein liebes Kind, ein letztes Lebewohl von deinem Gustl« ... – Die Augen, die sie machen wird! Ist doch ein Glück, daß ich nicht in sie verliebt war ... das muß traurig sein, wenn man eine gern hat und so ... Na, Gustl, sei gut: so ist es auch traurig genug ... Nach der Steffi wär' ja noch manche andere gekommen, und am End' auch eine, die was wert ist – junges Mädel aus guter Familie mit Kaution – es wär' ganz schön gewesen ... – Der Klara muß ich ausführlich schreiben, daß ich nicht hab' anders können ... »Du mußt mir verzeihen, liebe Schwester, und bitte, tröste auch die lieben Eltern. Ich weiß, daß ich euch allen manche Sorge gemacht habe und manchen Schmerz bereitet; aber glaube mir, ich habe euch alle immer sehr lieb gehabt, und ich hoffe, du wirst noch einmal glücklich werden, meine liebe Klara, und deinen unglücklichen Bruder nicht ganz vergessen« ... – Ah, ich schreib' ihr lieber gar nicht! ... Nein, da wird mir zum Weinen ... es beißt mich ja schon in den Augen, wenn ich dran denk' ... Höchstens dem Kopetzky schreib' ich – ein kameradschaftliches Lebewohl, und er soll's den andern ausrichten ... – Ist's schon sechs? – Ah, nein: halb – dreiviertel. – Ist das ein liebes G'sichtel! ... der kleine Fratz mit den schwarzen Augen, den ich so oft in der Florianigasse treff'! – was die sagen wird? – Aber die weiß ja gar nicht, wer ich bin – die wird sich nur wundern, daß sie mich nimmer sieht ... Vorgestern hab' ich mir vorgenommen, das nächstemal sprech' ich sie an. – Kokettiert hat sie genug ... so jung war die – am End' war die gar noch eine Unschuld! ... Ja, Gustl! Was du heute kannst besorgen, das verschiebe nicht auf morgen! ... Der da hat sicher auch die ganze Nacht nicht geschlafen. – Na, jetzt wird er schön nach Haus geh'n und sich niederlegen – ich auch! – Haha! jetzt wird's ernst, Gustl, ja! ... Na, wenn nicht einmal das biss'l Grausen wär', so wär' ja schon gar nichts dran – und im ganzen, ich muß's schon selber sagen, halt' ich mich brav ... Ah, wohin denn noch? Da ist ja schon mein Kaffeehaus ... auskehren tun sie noch ... Na, geh'n wir hinein ...

Da hinten ist der Tisch, wo die immer Tarok spielen ... Merkwürdig, ich kann mir's gar nicht vorstellen, daß der Kerl, der immer da hinten sitzt an der Wand, derselbe sein soll, der mich ... – Kein Mensch ist noch da ... Wo ist denn der Kellner? ... He! Da kommt er aus der Küche ... er schlieft schnell in den Frack hinein ... Ist wirklich nimmer notwendig! ... ah, für ihn schon ... er muß heut' noch andere Leut' bedienen! –

»Habe die Ehre, Herr Leutnant!«

»Guten Morgen.«

»So früh heute, Herr Leutnant?«

»Ah, lassen S' nur – ich hab' nicht viel Zeit, ich kann mit'm Mantel dasitzen.«

»Was befehlen Herr Leutnant?«

»Eine Melange mit Haut.«

»Bitte gleich, Herr Leutnant!«

Ah, da liegen ja Zeitungen ... schon heutige Zeitungen? ... Ob schon was drinsteht? ... Was denn? – Mir scheint, ich will nachseh'n, ob drinsteht, daß ich mich umgebracht hab'! Haha! – Warum steh' ich denn noch immer? ... Setzen wir uns da zum Fenster ... Er hat mir ja schon die Melange hingestellt ... So, den Vorhang zieh' ich zu; es ist mir zuwider, wenn die Leut' hereingucken ... Es geht zwar noch keiner vorüber ... Ah, gut schmeckt der Kaffee – doch kein leerer Wahn, das Frühstücken! ... Ah, ein ganz anderer Mensch wird man – der ganze Blödsinn ist, daß ich nicht genachtmahlt hab' ... Was steht denn der Kerl schon wieder da? – Ah, die Semmeln hat er mir gebracht ...

»Haben Herr Leutnant schon gehört?« ...

»Was denn?« Ja, um Gotteswillen, weiß der schon was? ... Aber, Unsinn, es ist ja nicht möglich!

»Den Herrn Habetswallner ...«

Was? So heißt ja der Bäckermeister ... was wird der jetzt sagen? ... Ist der am End' schon dagewesen? Ist er am End' gestern schon dagewesen und hat's erzählt? ... Warum red't er denn nicht weiter? ... Aber er red't ja ...

»... hat heut' nacht um zwölf der Schlag getroffen.«

»Was?« ... Ich darf nicht so schreien ... nein, ich darf mir nichts anmerken lassen ... aber vielleicht träum' ich ... ich muß ihn noch einmal fragen . . . »Wen hat der Schlag getroffen?« – Famos, famos! – ganz harmlos hab' ich das gesagt! –

»Den Bäckermeister, Herr Leutnant! . . . Herr Leutnant werd'n ihn ja kennen . . . na, den Dicken, der jeden Nachmittag neben die Herren Offiziere seine Tarokpartie hat . . . mit'n Herrn Schlesinger und 'n Herrn Wasner von der Kunstblumenhandlung vis-a-vis!«

Ich bin ganz wach – stimmt alles – und doch kann ich's noch nicht recht glauben – ich muß ihn noch einmal fragen . . . aber ganz harmlos . . .

»Der Schlag hat ihn getroffen? . . . Ja, wieso denn? Woher wissen S' denn das?«

»Aber Herr Leutnant, wer soll's denn früher wissen, als unsereiner – die Semmel, die der Herr Leutnant da essen, ist ja auch vom Herrn Habetswallner. Der Bub, der uns das Gebäck um halber fünfe in der Früh bringt, hat's uns erzählt.«

Um Himmelswillen, ich darf mich nicht verraten . . . ich möcht' ja schreien . . . ich möcht' ja lachen . . . ich möcht' ja dem Rudolf ein Bussel geben . . . Aber ich muß ihn noch was fragen! . . . Vom Schlag getroffen werden, heißt noch nicht: tot sein . . . ich muß fragen, ob er tot ist . . . aber ganz ruhig, denn was geht mich der Bäckermeister an – ich muß in die Zeitung schau'n, während ich den Kellner frag' . . .

»Ist er tot?«

»Na, freilich, Herr Leutnant; auf'm Fleck ist er tot geblieben.«

O, herrlich, herrlich! – Am End' ist das alles, weil ich in der Kirchen g'wesen bin . . .

»Er ist am Abend im Theater g'wesen; auf der Stiegen ist er umg'fallen – der Hausmeister hat den Krach gehört . . . na, und dann haben s' ihn in die Wohnung getragen, und wie der Doktor gekommen ist, war's schon lang' aus.«

»Ist aber traurig. Er war doch noch in den besten Jahren.« – Das hab' ich jetzt famos gesagt – kein Mensch könnt' mir was anmerken . . . und ich muß mich wirklich zurückhalten, daß ich nicht schrei' oder aufs Billard spring' . . .

»Ja, Herr Leutnant, sehr traurig; war ein so lieber Herr, und zwanzig Jahr' ist er schon zu uns kommen – war ein guter Freund von unserm Herrn. Und die arme Frau . . .«

Ich glaub', so froh bin ich in meinem ganzen Leben nicht gewesen . . . Tot ist er – tot ist er! Keiner weiß was, und nichts ist g'scheh'n! – Und das Mordsglück, daß ich in das Kaffeehaus gegangen bin ... sonst hätt' ich mich ja ganz umsonst erschossen – es ist doch wie eine Fügung des Schicksals ... Wo ist denn der Rudolf? – Ah, mit dem Feuerburschen red't er ... – Also, tot ist er – tot ist er – ich kann's noch gar nicht glauben! Am liebsten möcht' ich hingeh'n, um's zu seh'n. – – Am End' hat ihn der Schlag getroffen aus Wut, aus verhaltenem Zorn ... Ah, warum, ist mir ganz egal! Die Hauptsach' ist: er ist tot, und ich darf leben, und alles g'hört wieder mein! ... Komisch, wie ich mir da immerfort die Semmel einbrock', die mir der Herr Habetswallner gebacken hat! Schmeckt mir ganz gut, Herr von Habetswallner! Famos! – So, jetzt möcht' ich noch ein Zigarrl rauchen ...

»Rudolf! Sie, Rudolf! Sie, lassen S' mir den Feuerburschen dort in Ruh'!«

»Bitte, Herr Leutnant!«

»Trabucco« ... – Ich bin so froh, so froh! ... Was mach' ich denn nur? ... Was mach ich denn nur? ... Es muß ja was gescheh'n, sonst trifft mich auch noch der Schlag vor lauter Freud'! ... In einer Viertelstund' geh ich hinüber in die Kasern' und laß mich vom Johann kalt abreiben ... um halb acht sind die Gewehrgriff', und um halb zehn ist Exerzieren. – Und der Steffi schreib' ich, sie muß sich für heut abend frei machen, und wenn's Graz gilt! Und nachmittag um vier ... na wart', mein Lieber, wart', mein Lieber! Ich bin grad' gut aufgelegt ... Dich hau' ich zu Krenfleisch!

DER BLINDE GERONIMO UND SEIN BRUDER

Der blinde Geronimo stand von der Bank auf und nahm die Gitarre zur Hand, die auf dem Tisch neben dem Weinglase bereit gelegen war. Er hatte das ferne Rollen der ersten Wagen vernommen. Nun tastete er sich den wohlbekannten Weg bis zur offenen Türe hin, und dann ging er die schmalen Holzstufen hinab, die frei in den gedeckten Hofraum hinunterliefen. Sein Bruder folgte ihm, und beide stellten sich gleich neben der Treppe auf, den Rücken zur Wand gekehrt, um gegen den naßkalten Wind geschützt zu sein, der über den feuchtschmutzigen Boden durch die offenen Tore strich.

Unter dem düsteren Bogen des alten Wirtshauses mußten alle Wagen passieren, die den Weg über das Stilfserjoch nahmen. Für die Reisenden, welche von Italien her nach Tirol wollten, war es die letzte Rast vor der Höhe. Zu langem Aufenthalte lud es nicht ein, denn gerade hier lief die Straße ziemlich eben, ohne Ausblicke, zwischen kahlen Erhebungen hin. Der blinde Italiener und sein Bruder Carlo waren in den Sommermonaten hier so gut wie zu Hause.

Die Post fuhr ein, bald darauf kamen andere Wagen. Die meisten Reisenden blieben sitzen, in Plaids und Mäntel wohl eingehüllt, andere stiegen aus und spazierten zwischen den Toren ungeduldig hin und her. Das Wetter wurde immer schlechter, ein kalter Regen klatschte herab. Nach einer Reihe schöner Tage schien der Herbst plötzlich und allzu früh hereinzubrechen.

Der Blinde sang und begleitete sich dazu auf der Gitarre; er sang mit einer ungleichmäßigen, manchmal plötzlich aufkreischenden Stimme, wie immer, wenn er getrunken hatte. Zuweilen wandte er den Kopf wie mit einem Ausdruck vergeblichen Flehens nach oben. Aber die Züge seines Gesichtes mit den schwarzen Bartstoppeln und den bläulichen Lippen blieben vollkommen unbeweglich. Der ältere Bruder stand neben ihm, beinahe regungslos. Wenn ihm jemand eine Münze in den Hut fallen ließ, nickte er Dank und sah dem Spender mit einem raschen, wie irren Blick ins Gesicht. Aber gleich, beinahe ängstlich, wandte er den Blick wieder fort und starrte gleich dem Bruder ins Leere. Es war, als schämten sich seine Augen des Lichts, das ihnen gewährt war, und von dem sie dem blinden Bruder keinen Strahl schenken konnten.

»Bring mir Wein,« sagte Geronimo, und Carlo ging, gehorsam wie immer. Während er die Stufen aufwärts schritt, begann Geronimo wieder zu singen. Er hörte längst nicht mehr auf seine eigene Stimme, und so konnte er auf das merken, was in seiner Nähe vorging. Jetzt vernahm er ganz nahe zwei flüsternde Stimmen, die eines jungen Mannes und einer jungen Frau. Er dachte, wie oft diese beiden schon den gleichen Weg hin und her gegangen sein mochten; denn in seiner Blindheit und in seinem Rausch war ihm manchmal, als kämen Tag für Tag dieselben Menschen über das Joch gewandert, bald von Norden gegen Süden, bald von Süden gegen Norden. Und so kannte er auch dieses junge Paar seit langer Zeit.

Carlo kam herab und reichte Geronimo ein Glas Wein. Der Blinde schwenkte es dem jungen Paare zu und sagte: »Ihr Wohl, meine Herrschaften!«

»Danke,« sagte der junge Mann; aber die junge Frau zog ihn fort, denn ihr war dieser Blinde unheimlich.

Jetzt fuhr ein Wagen mit einer ziemlich lärmenden Gesellschaft ein: Vater, Mutter, drei Kinder, eine Bonne.

»Deutsche Familie,« sagte Geronimo leise zu Carlo.

Der Vater gab jedem der Kinder ein Geldstück, und jedes durfte das seine in den Hut des Bettlers werfen. Geronimo neigte jedesmal den Kopf zum Dank. Der älteste Knabe sah dem Blinden mit ängstlicher Neugier ins Gesicht. Carlo betrachtete den Knaben. Er mußte, wie immer beim Anblick solcher Kinder, daran denken, daß Geronimo gerade so alt gewesen war, als das Unglück geschah, durch das er das Augenlicht verloren hatte. Denn er erinnerte sich jenes Tages auch heute noch, nach beinahe zwanzig Jahren, mit vollkommener Deutlichkeit. Noch heute klang ihm der grelle Kinderschrei ins Ohr, mit dem der kleine Geronimo auf den Rasen hingesunken war, noch heute sah er die Sonne auf der weißen Gartenmauer spielen und kringeln und hörte die Sonntagsglocken wieder, die gerade in jenem Augenblick getönt hatten. Er hatte wie oftmals mit dem Bolzen nach der Esche an der Mauer geschossen, und als er den Schrei hörte, dachte er gleich, daß er den kleinen Bruder verletzt haben mußte, der eben vorbeigelaufen war. Er ließ das Blasrohr aus den Händen gleiten, sprang durchs Fenster in den Garten und stürzte zu dem kleinen Bruder hin, der auf dem Grase lag, die Hände vors Gesicht geschlagen, und jammerte. Über die rechte Wange und den Hals floß ihm Blut herunter. In derselben Minute kam der Vater vom Felde heim, durch die kleine Gartentür, und nun knieten beide ratlos neben dem jammernden Kinde. Nachbarn eilten herbei; die alte Vanetti war die erste, der es gelang, dem Kleinen die Hände vom Gesicht zu entfernen. Dann kam auch der Schmied, bei dem Carlo damals in der Lehre war und der sich ein bißchen aufs Kurieren verstand; und der sah gleich, daß das rechte Auge verloren war. Der Arzt, der abends aus Poschiavo kam, konnte auch nicht mehr helfen. Ja, er deutete schon die Gefahr an, in der das andere Auge schwebte. Und er behielt recht. Ein Jahr später war die Welt für Geronimo in Nacht versunken. Anfangs versuchte man, ihm einzureden, daß er später geheilt werden könnte, und er schien es zu glauben. Carlo, der die Wahrheit wußte, irrte damals tage- und nächtelang auf der Landstraße, zwischen den Weinbergen und in den Wäldern umher, und war nahe daran, sich umzubringen. Aber der geistliche Herr, dem er sich anvertraute, klärte ihn auf, daß es seine Pflicht war, zu leben und sein Leben dem Bruder zu widmen. Carlo sah es ein. Ein ungeheures Mitleid ergriff ihn. Nur wenn er bei dem blinden Jungen war, wenn er ihm die Haare streicheln, seine Stirne küssen durfte, ihm Geschichten erzählte, ihn auf den Feldern hinter dem Hause und zwischen den Rebengeländen spazieren führte, milderte sich seine Pein. Er hatte gleich anfangs die Lehrstunden in der Schmiede vernachlässigt, weil er sich von dem Bruder gar nicht trennen mochte, und konnte sich nachher nicht mehr entschließen, sein Handwerk wieder aufzunehmen, trotzdem der Vater mahnte und in Sorge war. Eines Tages fiel es Carlo auf, daß Geronimo vollkommen aufgehört hatte, von seinem Unglück zu reden. Bald wußte er, warum: der Blinde war zur Einsicht gekommen, daß er nie den Himmel, die Hügel, die Straßen, die Menschen, das Licht wieder sehen würde. Nun litt Carlo noch mehr als früher, so sehr er sich auch selbst damit zu beruhigen suchte, daß er ohne jede Absicht das Unglück herbeigeführt hatte. Und manchmal, wenn er am frühen Morgen den Bruder betrachtete, der neben ihm ruhte, ward er von einer solchen Angst erfaßt, ihn erwachen zu sehen, daß er in den Garten hinauslief, nur um nicht dabei sein zu müssen, wie die toten Augen jeden Tag von neuem das Licht zu suchen schienen, das ihnen für immer erloschen war. Zu jener Zeit war es, daß Carlo auf den Einfall kam, Geronimo, der eine angenehme Stimme hatte, in der Musik weiter ausbilden zu lassen. Der Schullehrer von Tola, der manchmal Sonntags herüberkam, lehrte ihn die Gitarre spielen. Damals ahnte der Blinde freilich noch nicht, daß die neuerlernte Kunst einmal zu seinem Lebensunterhalt dienen würde.

Mit jenem traurigen Sommertag schien das Unglück für immer in das Haus des alten Lagardi eingezogen zu sein. Die Ernte mißriet ein Jahr nach dem anderen, um eine kleine Geldsumme, die der Alte erspart hatte, wurde er von einem Verwandten betrogen; und als er an einem schwülen Augusttag auf freiem Felde vom Schlag getroffen hinsank und starb, hinterließ er nichts als Schulden. Das kleine Anwesen wurde verkauft, die beiden Brüder waren obdachlos und arm und verließen das Dorf.

Carlo war zwanzig, Geronimo fünfzehn Jahre alt. Damals begann das Bettel- und Wanderleben, das sie bis heute führten. Anfangs hatte Carlo daran gedacht, irgendeinen Verdienst zu finden, der zugleich ihn und den Bruder ernähren könnte; aber es wollte nicht gelingen. Auch hatte Geronimo nirgend Ruhe; er wollte immer auf dem Wege sein.

Zwanzig Jahre war es nun, daß sie auf Straßen und Pässen herumzogen, im nördlichen Italien und im südlichen Tirol, immer dort, wo eben der dichtere Zug der Reisenden vorüberströmte.

Und wenn auch Carlo nach so vielen Jahren nicht mehr die brennende Qual verspürte, mit der ihn früher jedes Leuchten der Sonne, der Anblick jeder freundlichen Landschaft erfüllt hatte, es war doch ein stetes nagendes Mitleid in ihm, beständig und ihm unbewußt, wie der Schlag seines Herzens und sein Atem. Und er war froh, wenn Geronimo sich betrank.

Der Wagen mit der deutschen Familie war davongefahren. Carlo setzte sich, wie er gern tat, auf die untersten Stufen der Treppe, Geronimo aber blieb stehen, ließ die Arme schlaff herabhängen und hielt den Kopf nach oben gewandt.

Maria, die Magd, kam aus der Wirtsstube.

»Habt's viel verdient heut?« rief sie herunter.

Carlo wandte sich gar nicht um. Der Blinde bückte sich nach seinem Glas, hob es vom Boden auf und trank es Maria zu. Sie saß manchmal abends in der Wirtsstube neben ihm; er wußte auch, daß sie schön war.

Carlo beugte sich vor und blickte gegen die Straße hinaus.

Der Wind blies, und der Regen prasselte, so daß das Rollen des nahenden Wagens in den heftigen Geräuschen unterging. Carlo stand auf und nahm wieder seinen Platz an des Bruders Seite ein.

Geronimo begann zu singen, schon während der Wagen einfuhr, in dem nur ein Passagier saß. Der Kutscher spannte die Pferde eilig aus, dann eilte er hinauf in die Wirtsstube. Der Reisende blieb eine Weile in seiner Ecke sitzen, ganz eingewickelt in einen grauen Regenmantel; er schien auf den Gesang gar nicht zu hören. Nach einer Weile aber sprang er aus dem Wagen und lief mit großer Hast hin und her, ohne sich weit vom Wagen zu entfernen. Er rieb immerfort die Hände aneinander, um sich zu erwärmen. Jetzt erst schien er die Bettler zu bemerken. Er stellte sich ihnen gegenüber und sah sie lange wie prüfend an. Carlo neigte leicht den Kopf, wie zum Gruße. Der Reisende war ein sehr junger Mensch mit einem hübschen, bartlosen Gesicht und unruhigen Augen. Nachdem er eine ganze Weile vor den Bettlern gestanden, eilte er wieder zu dem Tore, durch das er weiterfahren sollte, und schüttelte bei dem trostlosen Ausblick in Regen und Nebel verdrießlich den Kopf.

»Nun?« fragte Geronimo.

»Noch nichts,« erwiderte Carlo. »Er wird wohl geben, wenn er fortfährt.«

Der Reisende kam wieder zurück und lehnte sich an die Deichsel des Wagens. Der Blinde begann zu singen. Nun schien der junge Mann plötzlich mit großem Interesse zuzuhören. Der Knecht erschien und spannte die Pferde wieder ein. Und jetzt erst, als besänne er sich eben, griff der junge Mann in die Tasche und gab Carlo einen Frank.

»O danke, danke,« sagte dieser.

Der Reisende setzte sich in den Wagen und wickelte sich wieder in seinen Mantel. Carlo nahm das Glas vom Boden auf und ging die Holzstufen hinauf. Geronimo sang weiter. Der Reisende beugte sich zum Wagen heraus und schüttelte den Kopf mit einem Ausdruck von Überlegenheit und Traurigkeit zugleich. Plötzlich schien ihm ein Einfall zu kommen, und er lächelte. Dann sagte er zu dem Blinden, der kaum zwei Schritte weit von ihm stand: »Wie heißt du?«

»Geronimo.«

»Nun, Geronimo, laß dich nur nicht betrügen.« In diesem Augenblick erschien der Kutscher auf der obersten Stufe der Treppe.

»Wieso, gnädiger Herr, betrügen?«

»Ich habe deinem Begleiter ein Zwanzig-Frankstück gegeben.«

»O Herr, Dank, Dank!«

»Ja; also paß auf.«

»Er ist mein Bruder, Herr; er betrügt mich nicht.«

Der junge Mann stutzte eine Weile, aber während er noch überlegte, war der Kutscher auf den Bock gestiegen und hatte die Pferde angetrieben. Der junge Mann lehnte sich zurück mit einer Bewegung des Kopfes, als wollte er sagen: Schicksal, nimm deinen Lauf! und der Wagen fuhr davon.

Der Blinde winkte mit beiden Händen lebhafte Gebärden des Dankes nach. Jetzt hörte er Carlo, der eben aus der Wirtsstube kam. Der rief herunter: »Komm, Geronimo, es ist warm heroben, Maria hat Feuer gemacht!«

Geronimo nickte, nahm die Gitarre unter den Arm und tastete sich am Geländer die Stufen hinauf. Auf der Treppe schon rief er: »Laß es mich anfühlen! Wie lang hab' ich schon kein Goldstück angefühlt!«

»Was gibt's?« fragte Carlo. »Was redest du da?«

Geronimo war oben und griff mit beiden Händen nach dem Kopf seines Bruders, ein Zeichen, mit dem er stets Freude oder Zärtlichkeit auszudrücken pflegte. »Carlo, mein lieber Bruder, es gibt doch gute Menschen!«

»Gewiß,« sagte Carlo. »Bis jetzt sind es zwei Lire und dreißig Zentesimi; und hier ist noch österreichisches Geld, vielleicht eine halbe Lira.«

»Und zwanzig Franken – und zwanzig Franken!« rief Geronimo. »Ich weiß es ja!« Er torkelte in die Stube und setzte sich schwer auf die Bank.

»Was weißt du?« fragte Carlo.

»So laß doch die Späße! Gib es mir in die Hand! Wie lang hab' ich schon kein Goldstück in der Hand gehabt!«

»Was willst du denn? Woher soll ich ein Goldstück nehmen? Es sind zwei Lire oder drei.«

Der Blinde schlug auf den Tisch. »Jetzt ist es aber genug, genug! Willst du es etwa vor mir verstecken?«

Carlo blickte den Bruder besorgt und verwundert an. Er setzte sich neben ihn, rückte ganz nahe und faßte wie begütigend seinen Arm: »Ich verstecke nichts vor dir. Wie kannst du das glauben? Niemandem ist es eingefallen, mir ein Goldstück zu geben.«

»Aber er hat mir's doch gesagt!«

»Wer?«

»Nun, der junge Mensch, der hin- und herlief.«

»Wie? Ich versteh' dich nicht!«

»So hat er zu mir gesagt: ›Wie heißt du?‹ und dann: ›Gib acht, gib acht, laß dich nicht betrügen!‹«

»Du mußt geträumt haben, Geronimo – das ist ja Unsinn!«

»Unsinn? Ich hab' es doch gehört, und ich höre gut. ›Laß dich nicht betrügen; ich habe ihm ein Goldstück . . .‹ – nein, so sagte er: ›Ich habe ihm ein Zwanzig-Frankstück gegeben.‹«

Der Wirt kam herein. »Nun, was ist's mit euch? Habt ihr das Geschäft aufgegeben? Ein Vierspänner ist gerade angefahren.«

»Komm!« rief Carlo, »komm!«

Geronimo blieb sitzen. »Warum denn? Warum soll ich kommen? Was hilft's mir denn? Du stehst ja dabei und –«

Carlo berührte ihn am Arm. »Still, komm jetzt hinunter!«

Geronimo schwieg und gehorchte dem Bruder. Aber auf den Stufen sagte er: »Wir reden noch, wir reden noch!«

Carlo begriff nicht, was geschehen war. War Geronimo plötzlich verrückt geworden? Denn, wenn er auch leicht in Zorn geriet, in dieser Weise hatte er noch nie gesprochen.

In dem eben angekommenen Wagen saßen zwei Engländer; Carlo lüftete den Hut vor ihnen, und der Blinde sang. Der eine Engländer war ausgestiegen und warf einige Münzen in Carlos Hut. Carlo sagte: »Danke« und dann, wie vor sich hin: »Zwanzig Zentisimi.« Das Gesicht Geronimos blieb unbewegt; er begann ein neues Lied. Der Wagen mit den zwei Engländern fuhr davon.

Die Brüder gingen schweigend die Stufen hinauf. Geronimo setzte sich auf die Bank, Carlo blieb beim Ofen stehen.

»Warum sprichst du nicht?« fragte Geronimo.

»Nun«, erwiderte Carlo, »es kann nur so sein, wie ich dir gesagt habe.« Seine Stimme zitterte ein wenig.

»Was hast du gesagt?« fragte Geronimo.

»Es war vielleicht ein Wahnsinniger.«

»Ein Wahnsinniger? Das wäre ja vortrefflich! Wenn einer sagt: ›Ich habe deinem Bruder zwanzig Franken gegeben‹, so ist er wahnsinnig! – Eh, und warum hat er gesagt: ›Laß dich nicht betrügen‹ – eh?«

»Vielleicht war er auch nicht wahnsinnig . . . aber es gibt Menschen, die mit uns armen Leuten Späße machen . . .«

»Eh!« schrie Geronimo, »Späße? – Ja, das hast du noch sagen müssen – darauf habe ich gewartet!« Er trank das Glas Wein aus, das vor ihm stand.

»Aber, Geronimo!« rief Carlo, und er fühlte, daß er vor Bestürzung kaum sprechen konnte, »warum sollte ich . . . wie kannst du glauben . . .?«

»Warum zittert deine Stimme . . . eh . . . warum . . .?«

»Geronimo, ich versichere dir, ich –«

»Eh – und ich glaube dir nicht! Jetzt lachst du . . . ich weiß ja, daß du jetzt lachst!«

Der Knecht rief von unten: »He, blinder Mann, Leut' sind da!«

Ganz mechanisch standen die Brüder auf und schritten die Stufen hinab. Zwei Wagen waren zugleich gekommen, einer mit drei Herren, ein anderer mit einem alten Ehepaar. Geronimo sang; Carlo stand neben ihm, fassungslos. Was sollte er nur tun? Der Bruder glaubte ihm nicht! Wie war das nur möglich? – Und er betrachtete Geronimo, der mit zerbrochener Stimme seine Lieder sang, angstvoll von der Seite. Es war ihm, als sähe er über diese Stirne Gedanken fliehen, die er früher dort niemals gewahrt hatte.

Die Wagen waren schon fort, aber Geronimo sang weiter. Carlo wagte nicht, ihn zu unterbrechen. Er wußte nicht, was er sagen sollte, er fürchtete, daß seine Stimme wieder zittern würde. Da tönte Lachen von oben, und Maria rief: »Was singst denn noch immer? Von mir kriegst du ja doch nichts!«

Geronimo hielt inne, mitten in einer Melodie; es klang, als wäre seine Stimme und die Saiten zugleich abgerissen. Dann ging er wieder die Stufen hinauf, und Carlo folgte ihm. In der Wirtsstube setzte er sich neben ihn. Was sollte er tun? Es blieb ihm nichts anderes übrig: er mußte noch einmal versuchen, den Bruder aufzuklären.

»Geronimo,« sagte er, »ich schwöre dir . . . bedenk doch, Geronimo, wie kannst du glauben, daß ich –«

Geronimo schwieg, seine toten Augen schienen durch das Fenster in den grauen Nebel hinauszublicken. Carlo redete weiter: »Nun, er braucht ja nicht wahnsinnig gewesen zu sein, er wird sich geirrt haben . . . ja, er hat sich geirrt . . .« Aber er fühlte wohl, daß er selbst nicht glaubte, was er sagte.

Geronimo rückte ungeduldig fort. Aber Carlo redete weiter, mit plötzlicher Lebhaftigkeit: »Wozu sollte ich denn – du weißt doch, ich esse und trinke nicht mehr als du, und wenn ich mir einen neuen Rock kaufe, so weißt du's doch . . . wofür brauch' ich denn soviel Geld? Was soll ich denn damit tun?«

Da stieß Geronimo zwischen den Zähnen hervor: »Lüg nicht, ich höre, wie du lügst!«

»Ich lüge nicht, Geronimo, ich lüge nicht!« sagte Carlo erschrocken.

»Eh! hast du ihr's schon gegeben, ja? Oder bekommt sie's erst nachher?« schrie Geronimo.

»Maria?«

»Wer denn, als Maria? Eh, du Lügner, du Dieb!« Und als wollte er nicht mehr neben ihm am Tische sitzen, stieß er mit dem Ellbogen den Bruder in die Seite.

Carlo stand auf. Zuerst starrte er den Bruder an, dann verließ er das Zimmer und ging über die Stiege in den Hof. Er schaute mit weit offenen Augen auf die Straße hinaus, die vor ihm in bräunlichen Nebel versank. Der Regen hatte nachgelassen. Carlo steckte die Hände in die Hosentaschen und ging ins Freie. Es war ihm, als hätte ihn sein Bruder davongejagt. Was war denn nur geschehen? ... Er konnte es noch immer nicht fassen. Was für ein Mensch mochte das gewesen sein? Einen Franken schenkt er her und sagt, es waren zwanzig! Er mußte doch irgendeinen Grund dazu gehabt haben? ... Und Carlo suchte in seiner Erinnerung, ob er sich nicht irgendwo jemanden zum Feind gemacht, der nun einen anderen hergeschickt hatte, um sich zu rächen ... Aber soweit er zurückdenken mochte, nie hatte er jemanden beleidigt, nie irgendeinen ernsten Streit mit jemandem vorgehabt. Er hatte ja seit zwanzig Jahren nichts anderes getan, als daß er in Höfen oder an Straßenrändern gestanden war mit dem Hut in der Hand ... War ihm vielleicht einer wegen eines Frauenzimmers böse? ... Aber wie lange hatte er schon mit keiner was zu tun gehabt ... die Kellnerin in La Rosa war die letzte gewesen, im vorigen Frühjahr ... aber um die war ihm gewiß niemand neidisch ... Es war nicht zu begreifen! ... Was mochte es da draußen in der Welt, die er nicht kannte, für Menschen geben? ... Von überall her kamen sie ... was wußte er von ihnen? ... Für diesen Fremden hatte es wohl irgendeinen Sinn gehabt, daß er zu Geronimo sagte: Ich habe deinem Bruder zwanzig Franken gegeben ... Nun ja ... Aber was war nun zu tun? ... Mit einemmal war es offenbar geworden, daß Geronimo ihm mißtraute! ... Das konnte er nicht ertragen! Irgend etwas mußte er dagegen unternehmen ... Und er eilte zurück.

Als er wieder in die Wirtsstube trat, lag Geronimo auf der Bank ausgestreckt und schien das Eintreten Carlos nicht zu bemerken. Maria brachte den beiden Essen und Trinken. Sie sprachen während der Mahlzeit kein Wort. Als Maria die Teller abräumte, lachte Geronimo plötzlich auf und sagte zu ihr: »Was wirst du dir denn dafür kaufen?«

»Wofür denn?«

»Nun, was? Einen neuen Rock oder Ohrringe?«

»Was will er denn von mir?« wandte sie sich an Carlo.

Indes dröhnte unten der Hof von lastenbeladenen Fuhrwerken, laute Stimmen tönten herauf und Maria eilte hinunter. Nach ein paar Minuten kamen drei Fuhrleute und nahmen an einem Tische Platz; der Wirt trat zu ihnen und begrüßte sie. Sie schimpften über das schlechte Wetter.

»Heute Nacht werdet ihr Schnee haben,« sagte der eine.

Der zweite erzählte, wie er vor zehn Jahren Mitte August auf dem Joch eingeschneit und beinahe erfroren war. Maria setzte sich zu ihnen. Auch der Knecht kam herbei und erkundigte sich nach seinen Eltern, die unten in Bormio wohnten.

Jetzt kam wieder ein Wagen mit Reisenden. Geronimo und Carlo gingen hinunter, Geronimo sang, Carlo hielt den Hut hin, und die Reisenden gaben ihr Almosen. Geronimo schien jetzt ganz ruhig. Er fragte manchmal: »Wieviel?« und nickte zu den Antworten Carlos leicht mit dem Kopfe. Indes versuchte Carlo selbst seine Gedanken zu fassen. Aber er hatte immer nur das dumpfe Gefühl, daß etwas Schreckliches geschehen und daß er ganz wehrlos war.

Als die Brüder wieder die Stufen hinaufschritten, hörten sie die Fuhrleute oben wirr durcheinander reden und lachen. Der jüngste rief dem Geronimo entgegen: »Sing uns doch auch was vor, wir zahlen schon! – Nicht wahr?« wandte er sich an die anderen.

Maria, die eben mit einer Flasche rotem Wein kam, sagte: »Fangt heut nichts mit ihm an, er ist schlechter Laune.«

Statt jeder Antwort stellte sich Geronimo mitten ins Zimmer hin und fing an zu singen. Als er geendet, klatschten die Fuhrleute in die Hände.

»Komm her, Carlo!« rief einer, »wir wollen dir unser Geld auch in den Hut werfen wie die Leute unten!« Und er nahm eine kleine Münze und hielt die Hand hoch, als wollte er sie in den Hut fallen lassen, den ihm Carlo entgegenstreckte. Da griff der Blinde nach dem Arm des Fuhrmannes und sagte: »Lieber mir, lieber mir! Es könnte daneben fallen – daneben!«

»Wieso daneben?«

»Eh, nun! Zwischen die Beine Marias!«

Alle lachten, der Wirt und Maria auch, nur Carlo stand regungslos da. Nie hatte Geronimo solche Späße gemacht! ...

»Setz dich zu uns!« riefen die Fuhrleute. »Du bist ein lustiger Kerl!« Und sie rückten zusammen, um Geronimo Platz zu machen. Immer lauter und wirrer war das Durcheinanderreden; Geronimo redete mit, lauter und lustiger als sonst, und hörte nicht auf zu trinken. Als Maria eben wieder hereinkam, wollte er sie an sich ziehen; da sagte der eine von den Fuhrleuten lachend: »Meinst du vielleicht, sie ist schön? Sie ist ja ein altes häßliches Weib!«

Aber der Blinde zog Maria auf seinen Schoß. »Ihr seid alle Dummköpfe,« sagte er. »Glaubt ihr, ich brauche meine Augen, um zu sehen? Ich weiß auch, wo Carlo jetzt ist – eh! – dort am Ofen steht er, hat die Hände in den Hosentaschen und lacht.«

Alle schauten auf Carlo, der mit offenem Munde am Ofen lehnte und nun wirklich das Gesicht zu einem Grinsen verzog, als dürfte er seinen Bruder nicht Lügen strafen.

Der Knecht kam herein; wenn die Fuhrleute noch vor Dunkelheit in Bormio sein wollten, mußten sie sich beeilen. Sie standen auf und verabschiedeten sich lärmend. Die beiden Brüder waren wieder allein in der Wirtsstube. Es war die Stunde, um die sie sonst manchmal zu schlafen pflegten. Das ganze Wirtshaus versank in Ruhe wie immer um diese Zeit der ersten Nachmittagsstunden. Geronimo, den Kopf auf dem Tisch, schien zu schlafen. Carlo ging anfangs hin und her, dann setzte er sich auf die Bank. Er war sehr müde. Es schien ihm, als wäre er in einem schweren Traum befangen. Er mußte an allerlei denken, an gestern, vorgestern und alle Tage, die früher waren, und besonders an warme Sommertage und an weiße Landstraßen, über die er mit seinem Bruder zu wandern pflegte, und alles war so weit und unbegreiflich, als wenn es nie wieder so sein könnte.

Am späten Nachmittage kam die Post aus Tirol und bald darauf in kleinen Zwischenpausen Wagen, die den gleichen Weg nach dem Süden nahmen. Noch viermal mußten die Brüder in den Hof hinab. Als sie das letztemal heraufgingen, war die Dämmerung hereingebrochen, und das Öllämpchen, das von der Holzdecke herunterhing, fauchte. Arbeiter kamen, die in einem nahen Steinbruche beschäftigt waren und ein paar hundert Schritte unterhalb des Wirtshauses ihre Holzhütten aufgeschlagen hatten. Geronimo setzte sich zu ihnen; Carlo blieb allein an seinem Tische. Es war ihm, als dauerte seine Einsamkeit schon sehr lange.

Er hörte, wie Geronimo drüben laut, beinahe schreiend, von seiner Kindheit erzählte: daß er sich noch ganz gut an allerlei erinnerte, was er mit seinen Augen gesehen, Personen und Dinge: an den Vater, wie er auf dem Felde arbeitete, an den kleinen Garten mit der Esche an der Mauer, an das niedrige Häuschen, das ihnen gehörte, an die zwei kleinen Töchter des Schusters, an den Weinberg hinter der Kirche, ja an sein eigenes Kindergesicht, wie es ihm aus dem Spiegel entgegengeblickt hatte. Wie oft hatte Carlo das alles gehört. Heute ertrug er es nicht. Es klang anders als sonst: jedes Wort, das Geronimo sprach, bekam einen neuen Sinn und schien sich gegen ihn zu richten. Er schlich hinaus und ging wieder auf die Landstraße, die nun ganz im Dunkel lag. Der Regen hatte aufgehört, die Luft war sehr kalt, und der Gedanke erschien Carlo beinahe verlockend, weiterzugehen, immer weiter, tief in die Finsternis hinein, sich am Ende irgendwohin in den Straßengraben zu legen, einzuschlafen, nicht mehr zu erwachen. – Plötzlich hörte er das Rollen eines Wagens und erblickte den Lichtschimmer von zwei Laternen, die immer näher kamen. In dem Wagen, der vorüberfuhr, saßen zwei Herren. Einer von ihnen mit einem schmalen, bartlosen Gesichte fuhr erschrocken zusammen, als Carlos Gestalt im Lichte der Laternen aus dem Dunkel hervortauchte. Carlo, der stehen geblieben war, lüftete den Hut. Der Wagen und die Lichter verschwanden. Carlo stand wieder in tiefer Finsternis. Plötzlich schrak er zusammen. Das erstemal in seinem Leben machte ihm das Dunkel Angst. Es war ihm, als könnte er es keine Minute länger ertragen. In einer sonderbaren Art vermengten sich in seinem dumpfen Sinnen die Schauer, die er für sich selbst empfand, mit einem quälenden Mitleid für den blinden Bruder und jagten ihn nach Hause.

Als er in die Wirtsstube trat, sah er die beiden Reisenden, die vorher an ihm vorbeigefahren waren, bei einer Flasche Rotwein an einem Tische sitzen und sehr angelegentlich miteinander reden. Sie blickten kaum auf, als er eintrat.

An dem anderen Tische saß Geronimo wie früher unter den Arbeitern.

»Wo steckst du denn, Carlo?« sagte ihm der Wirt schon an der Tür. »Warum läßt du deinen Bruder allein?«

»Was gibt's denn?« fragte Carlo erschrocken.

»Geronimo traktiert die Leute. Mir kann's ja egal sein, aber ihr solltet doch denken, daß bald wieder schlechtere Zeiten kommen.«

Carlo trat rasch zu dem Bruder und faßte ihn am Arme. »Komm!« sagte er.

»Was willst du?« schrie Geronimo.

»Komm zu Bett,« sagte Carlo.

»Laß mich, laß mich! *Ich* verdiene das Geld, ich kann mit meinem Gelde tun, was ich will – eh! – alles kannst du ja doch nicht einstecken! Ihr meint wohl, er gibt mir alles! O nein! Ich bin ja ein blinder Mann! Aber es gibt Leute – es gibt gute Leute, die sagen mir: ›Ich habe deinem Bruder zwanzig Franken gegeben!‹«

Die Arbeiter lachten auf.

»Es ist genug,« sagte Carlo, »komm!« Und er zog den Bruder mit sich, schleppte ihn beinah die Treppe hinauf bis in den kahlen Bodenraum, wo sie ihr Lager hatten. Auf dem ganzen Wege schrie Geronimo: »Ja, nun ist es an den Tag gekommen, ja, nun weiß ich's! Ah, wartet nur. Wo ist sie? Wo ist Maria? Oder legst du's ihr in die Sparkassa? – Eh, ich singe für dich, ich spiele Gitarre, von mir lebst du – und du bist ein Dieb!« Er fiel auf den Strohsack hin.

Vom Gang her schimmerte ein schwaches Licht herein; drüben stand die Tür zu dem einzigen Fremdenzimmer des Wirtshauses offen, und Maria richtete die Betten für die Nachtruhe her. Carlo stand vor seinem Bruder und sah ihn daliegen mit dem gedunsenen Gesicht, mit den bläulichen Lippen, das feuchte Haar an der Stirne klebend, um viele Jahre älter aussehend, als er war. Und langsam begann er zu verstehen. Nicht von heute konnte das Mißtrauen des Blinden sein, längst mußte es in ihm geschlummert haben, und nur der Anlaß, vielleicht der Mut hatte ihm gefehlt, es auszusprechen. Und alles, was Carlo für ihn getan, war vergeblich gewesen; vergeblich die Reue, vergeblich das Opfer seines ganzen Lebens. Was sollte er nun tun? – Sollte er noch weiterhin Tag für Tag, wer weiß wie lange noch, ihn durch die ewige Nacht führen, ihn betreuen, für ihn betteln und keinen anderen Lohn dafür haben als Mißtrauen und Schimpf? Wenn ihn der Bruder für einen Dieb hielt, so konnte ihm ja jeder Fremde dasselbe oder Besseres leisten als er. Wahrhaftig, ihn allein lassen, sich für immer von ihm trennen, das wäre das Klügste. Dann mußte Geronimo wohl sein Unrecht einsehen, denn dann erst würde er erfahren, was es heißt, betrogen und bestohlen werden, einsam und elend sein. Und er selbst, was sollte er beginnen? Nun, er war ja noch nicht alt; wenn er für sich allein war, konnte er noch mancherlei anfangen. Als Knecht zum mindesten fand er überall sein Unterkommen. Aber während diese Gedanken durch seinen Kopf zogen, blieben seine Augen immer auf den Bruder geheftet. Und er sah ihn plötzlich vor sich, allein am Rande einer sonnbeglänzten Straße auf einem Stein sitzen, mit den weit offenen, weißen Augen zum Himmel starrend, der ihn nicht blenden konnte, und mit den Händen in die Nacht greifend, die immer um ihn war. Und er fühlte, so wie der Blinde niemand anderen auf der Welt hatte als ihn, so hatte auch er niemand anderen als diesen Bruder. Er verstand, daß die Liebe zu diesem Bruder der ganze Inhalt seines Lebens war, und wußte zum ersten Male mit völliger Deutlichkeit, nur der Glaube, daß der Blinde diese Liebe erwiderte und ihm verziehen, hatte ihn alles Elend so geduldig tragen lassen. Er konnte auf diese Hoffnung nicht mit einem Male verzichten. Er fühlte, daß er den Bruder gerade so notwendig brauchte als der Bruder ihn. Er konnte nicht, er wollte ihn nicht verlassen. Er mußte entweder das Mißtrauen erdulden oder ein Mittel finden, um den Blinden von der Grundlosigkeit seines Verdachtes zu überzeugen ... Ja, wenn er sich irgendwie das Goldstück verschaffen könnte! Wenn er dem Blinden morgen früh sagen könnte: »Ich habe es nur aufbewahrt, damit du's nicht mit den Arbeitern vertrinkst, damit es dir die Leute nicht stehlen« ... oder sonst irgend etwas ...

Schritte näherten sich auf der Holztreppe; die Reisenden gingen zur Ruhe. Plötzlich durchzuckte seinen Kopf der Einfall, drüben anzuklopfen, den Fremden wahrheitsgetreu den heutigen Vorfall zu erzählen und sie um die zwanzig Franken zu bitten. Aber er wußte auch gleich: das war vollkommen aussichtslos! Sie würden ihm die ganze Geschichte nicht einmal glauben. Und er erinnerte sich jetzt, wie erschrocken der eine blasse zusammengefahren war, als er, Carlo, plötzlich im Dunkel vor dem Wagen aufgetaucht war.

Er streckte sich auf den Strohsack hin. Es war ganz finster im Zimmer. Jetzt hörte er, wie die Arbeiter laut redend und mit schweren Schritten über die Holzstufen hinabgingen. Bald darauf wurden beide Tore geschlossen. Der Knecht ging noch einmal die Treppe auf und ab, dann war es ganz still. Carlo hörte nur mehr das Schnarchen Geronimos. Bald verwirrten sich seine Gedanken in beginnenden Träumen. Als er erwachte, war noch tiefe Dunkelheit um ihn. Er sah nach der Stelle, wo das Fenster war; wenn er die Augen anstrengte, gewahrte er dort mitten in dem undurchdringlichen Schwarz ein tiefgraues Viereck. Geronimo schlief noch immer den schweren Schlaf des Betrunkenen. Und Carlo dachte an den Tag, der morgen war; und ihn schauderte. Er dachte an die Nacht nach diesem Tage, an den Tag nach dieser Nacht, an die Zukunft, die vor ihm lag, und Grauen erfüllte ihn vor der Einsamkeit, die ihm bevorstand. Warum war er abends nicht mutiger gewesen? Warum war er nicht zu den Fremden gegangen und hatte sie um die zwanzig Franken gebeten? Vielleicht hätten sie doch Erbarmen mit ihm gehabt. Und doch – vielleicht war es gut, daß er sie nicht gebeten hatte. Ja, warum war es gut? ... Er setzte sich jäh auf und fühlte sein Herz klopfen. Er wußte, warum es gut war: Wenn sie ihn abgewiesen hätten, so wäre er ihnen jedenfalls verdächtig geblieben – so aber ... Er starrte auf den grauen Fleck, der matt zu leuchten begann ... Das, was ihm gegen seinen eigenen Willen durch den Kopf gefahren, war ja unmöglich, vollkommen unmöglich! ... Die Tür drüben war versperrt – und überdies: sie konnten aufwachen ... Ja, dort – der graue leuchtende Fleck mitten im Dunkel war der neue Tag – – –

Carlo stand auf, als zöge es ihn dorthin, und berührte mit der Stirn die kalte Scheibe. Warum war er denn aufgestanden? Um zu überlegen? ... Um es zu versuchen? ... Was denn? ... Es war ja unmöglich – und überdies war es ein Verbrechen. Ein Verbrechen? Was bedeuten zwanzig Franken für solche Leute, die zum Vergnügen tausend Meilen weit reisen? Sie würden ja gar nicht merken, daß sie ihnen fehlten ... Er ging zur Türe und öffnete sie leise. Gegenüber war die andere, mit zwei Schritten zu erreichen, geschlossen. An einem Nagel im Pfosten hingen Kleidungsstücke. Carlo fuhr mit der Hand über sie ... Ja, wenn die Leute ihre Börsen in der Tasche ließen, dann wäre das Leben sehr einfach, dann brauchte bald niemand mehr betteln zu gehen ... Aber die Taschen waren leer. Nun, was blieb übrig? Wieder zurück ins Zimmer, auf den Strohsack. Es gab vielleicht doch eine bessere Art, sich zwanzig Franken zu verschaffen – eine weniger gefährliche und rechtlichere. Wenn er wirklich jedesmal einige Zentesimi von den Almosen zurückbehielte, bis er zwanzig Franken zusammengespart, und dann das Goldstück kaufte ... Aber wie lang konnte das dauern – Monate, vielleicht ein Jahr. Ah, wenn er nur Mut hätte! Noch immer stand er auf dem Gang. Er blickte zur Tür hinüber ... Was war das für ein Streif, der senkrecht von oben auf den Fußboden fiel? War es möglich? Die Tür war nur angelehnt, nicht versperrt? ... Warum staunte er denn darüber? Seit Monaten schon schloß die Tür nicht. Wozu auch? Er erinnerte sich: nur dreimal hatten hier in diesem Sommer Leute geschlafen, zweimal Handwerksburschen und einmal ein Tourist, der sich den Fuß verletzt hatte. Die Tür schließt nicht – er braucht jetzt nur Mut – ja, und Glück! Mut? Das Schlimmste, was ihm geschehen kann, ist, daß die beiden aufwachen, und da kann er noch immer eine Ausrede finden. Er lugt durch den Spalt ins Zimmer. Es ist noch so dunkel, daß er eben nur die Umrisse von zwei auf den Betten lagernden Gestalten gewahren kann. Er horcht auf: sie atmen ruhig und gleichmäßig. Carlo öffnet die Tür leicht und tritt mit seinen nackten Füßen völlig geräuschlos ins Zimmer. Die beiden Betten stehen der Länge nach an der gleichen Wand dem Fenster gegenüber. In der Mitte des Zimmers ist ein Tisch; Carlo schleicht bis hin. Er fährt mit der Hand über die Fläche und fühlt einen Schlüsselbund, ein Federmesser, ein kleines Buch – weiter nichts . . . Nun natürlich! . . . Daß er nur daran denken konnte, sie würden ihr Geld auf den Tisch legen! Ah, nun kann er gleich wieder fort! . . . Und doch, vielleicht braucht es nur einen guten Griff und es ist geglückt . . . Und er nähert sich dem Bett neben der Tür; hier auf dem Sessel liegt etwas – er fühlt danach – es ist ein Revolver . . . Carlo zuckt zusammen . . . Ob er ihn nicht lieber gleich behalten sollte? Denn warum hat dieser Mensch den Revolver bereitliegen? Wenn er erwacht und ihn bemerkt . . . Doch nein, er würde ja sagen: Es ist drei Uhr, gnädiger Herr, aufstehn! . . . Und er läßt den Revolver liegen.

Und er schleicht tiefer ins Zimmer. Hier auf dem anderen Sessel unter den Wäschestücken . . . Himmel! das ist sie . . . das ist eine Börse – er hält sie in der Hand! . . . In diesem Moment hört er ein leises Krachen. Mit einer raschen Bewegung streckt er sich der Länge nach zu Füßen des Bettes hin . . . Noch einmal dieses Krachen – ein schweres Aufatmen – ein Räuspern – dann wieder Stille, tiefe Stille. Carlo bleibt auf dem Boden liegen, die Börse in der Hand, und wartet. Es rührt sich nichts mehr. Schon fällt der Dämmer blaß ins Zimmer herein. Carlo wagt nicht aufzustehen, sondern kriecht auf dem Boden vorwärts bis zur Tür, die weit genug offen steht, um ihn durchzulassen, kriecht weiter bis auf den Gang hinaus, und hier erst erhebt er sich langsam, mit einem tiefen Atemzug. Er öffnet die Börse; sie ist dreifach geteilt: links und rechts nur kleine Silberstücke. Nun öffnet Carlo den mittleren Teil, der durch einen Schieber nochmals verschlossen ist, und fühlt drei Zwanzigfrankenstücke. Einen Augenblick denkt er daran, zwei davon zu nehmen, aber rasch weist er diese Versuchung von sich, nimmt nur ein Goldstück heraus und schließt die Börse zu. Dann kniet er nieder, blickt durch die Spalte in die Kammer, in der es wieder völlig still ist, und dann gibt er der Börse einen Stoß, so daß sie bis unter das zweite Bett gleitet. Wenn der Fremde aufwacht, wird er glauben müssen, daß sie vom Sessel heruntergefallen ist. Carlo erhebt sich langsam. Da knarrt der Boden leise, und im gleichen Augenblick hört er eine Stimme von drinnen: »Was ist's? Was gibt's denn?« Carlo macht rasch zwei Schritte rückwärts, mit verhaltenem Atem, und gleitet in seine eigene Kammer. Er ist in Sicherheit und lauscht ... Noch einmal kracht drüben das Bett, und dann ist alles still. Zwischen seinen Fingern hält er das Goldstück. Es ist gelungen – gelungen! Er hat die zwanzig Franken, und er kann seinem Bruder sagen: ›Siehst du nun, daß ich kein Dieb bin!‹ Und sie werden sich noch heute auf die Wanderschaft machen – gegen den Süden zu, nach Bormio, dann weiter durchs Veltlin ... dann nach Tirano ... nach Edole ... nach Breno ... an den See von Iseo wie voriges Jahr ... Das wird durchaus nicht verdächtig sein, denn schon vorgestern hat er selbst zum Wirt gesagt: »In ein paar Tagen gehen wir hinunter.«

Immer lichter wird es, das ganze Zimmer liegt in grauem Dämmer da. Ah, wenn Geronimo nur bald aufwachte! Es wandert sich so gut in der Frühe! Noch vor Sonnenaufgang werden sie fortgehen. Einen guten Morgen dem Wirt, dem Knecht und Maria auch, und dann fort, fort ... Und erst wenn sie zwei Stunden weit sind, schon nahe dem Tale, wird er es Geronimo sagen.

Geronimo reckt und dehnt sich. Carlo ruft ihn an: »Geronimo!«

»Nun, was gibt's?« Und er stützt sich mit beiden Händen und setzt sich auf.

»Geronimo, wir wollen aufstehen.«

»Warum?« Und er richtet die toten Augen auf den Bruder. Carlo weiß, daß Geronimo sich jetzt des gestrigen Vorfalles besinnt, aber er weiß auch, daß der keine Silbe darüber reden wird, ehe er wieder betrunken ist.

»Es ist kalt, Geronimo, wir wollen fort. Es wird heuer nicht mehr besser; ich denke, wir gehen. Zu Mittag können wir in Boladore sein.«

Geronimo erhob sich. Die Geräusche des erwachenden Hauses

wurden vernehmbar. Unten im Hof sprach der Wirt mit dem Knecht. Carlo stand auf und begab sich hinunter. Er war immer früh wach und ging oft schon in der Dämmerung auf die Straße hinaus. Er trat zum Wirt hin und sagte: »Wir wollen Abschied nehmen.«

»Ah, geht ihr schon heut?« fragte der Wirt.

»Ja. Es friert schon zu arg, wenn man jetzt im Hof steht, und der Wind zieht durch.«

»Nun, grüß mir den Baldetti, wenn du nach Bormio hinunterkommst, und er soll nicht vergessen, mir das Öl zu schicken.«

»Ja, ich will ihn grüßen. Im übrigen – das Nachtlager von heut.« Er griff in den Sack.

»Laß sein, Carlo,« sagte der Wirt. »Die zwanzig Zentesimi schenk' ich deinem Bruder; ich hab' ihm ja auch zugehört. Guten Morgen.«

»Dank,« sagte Carlo. »Im übrigen, so eilig haben wir's nicht. Wir sehen dich noch, wenn du von den Hütten zurückkommst; Bormio bleibt am selben Fleck stehen, nicht wahr?« Er lachte und ging die Holzstufen hinauf.

Geronimo stand mitten im Zimmer und sagte: »Nun, ich bin bereit zu gehen.«

»Gleich,« sagte Carlo.

Aus einer alten Kommode, die in einem Winkel des Raumes stand, nahm er ihre wenigen Habseligkeiten und packte sie in ein Bündel. Dann sagte er: »Ein schöner Tag, aber sehr kalt.«

»Ich weiß,« sagte Geronimo. Beide verließen die Kammer.

»Geh leise,« sagte Carlo, »hier schlafen die zwei, die gestern Abend gekommen sind.« Behutsam schritten sie hinunter. »Der Wirt läßt dich grüßen,« sagte Carlo; »er hat uns die zwanzig Zentesimi für heut Nacht geschenkt. Nun ist er bei den Hütten draußen und kommt erst in zwei Stunden wieder. Wir werden ihn ja im nächsten Jahre wiedersehen.«

Geronimo antwortete nicht. Sie traten auf die Landstraße, die im Dämmerschein vor ihnen lag. Carlo ergriff den linken Arm seines Bruders, und beide schritten schweigend talabwärts. Schon nach kurzer Wanderung waren sie an der Stelle, wo die Straße in langgezogenen Kehren weiterzulaufen beginnt. Nebel stiegen nach aufwärts, ihnen entgegen, und über ihnen die Höhen schienen von den Wolken wie eingeschlungen. Und Carlo dachte: Nun will ich's ihm sagen.

Carlo sprach aber kein Wort, sondern nahm das Goldstück aus

der Tasche und reichte es dem Bruder; dieser nahm es zwischen die Finger der rechten Hand, dann führte er es an die Wange und an die Stirn, endlich nickte er. »Ich hab's ja gewußt,« sagte er.

»Nun ja,« erwiderte Carlo und sah Geronimo befremdet an.

»Auch wenn der Fremde mir nichts gesagt hätte, ich hätte es doch gewußt.«

»Nun ja,« sagte Carlo ratlos. »Aber du verstehst doch, warum ich da oben vor den anderen – ich habe gefürchtet, daß du das Ganze auf einmal – – Und sieh, Geronimo, es wäre doch an der Zeit, hab' ich mir gedacht, daß du dir einen neuen Rock kaufst und ein Hemd und Schuhe auch, glaube ich; darum habe ich . . .«

Der Blinde schüttelte heftig den Kopf. »Wozu?« Und er strich mit der einen Hand über seinen Rock. »Gut genug, warm genug; jetzt kommen wir nach dem Süden.«

Carlo begriff nicht, daß Geronimo sich gar nicht zu freuen schien, daß er sich nicht entschuldigte. Und er redete weiter: »Geronimo, war es denn nicht recht von mir? Warum freust du dich denn nicht? Nun haben wir es doch, nicht wahr? Nun haben wir es ganz. Wenn ich dir's oben gesagt hätte, wer weiß . . . Oh, es ist gut, daß ich dir's nicht gesagt habe – gewiß!«

Da schrie Geronimo: »Hör' auf zu lügen, Carlo, ich habe genug davon!«

Carlo blieb stehen und ließ den Arm des Bruders los. »Ich lüge nicht.«

»Ich weiß doch, daß du lügst! . . . Immer lügst du! . . . Schon hundertmal hast du gelogen! . . . Auch das hast du für dich behalten wollen, aber Angst hast du bekommen, das ist es!«

Carlo senkte den Kopf und antwortete nichts. Er faßte wieder den Arm des Blinden und ging mit ihm weiter. Es tat ihm weh, daß Geronimo so sprach; aber er war eigentlich erstaunt, daß er nicht trauriger war.

Die Nebel zerteilten sich. Nach langem Schweigen sprach Geronimo: »Es wird warm.« Er sagte es gleichgültig, selbstverständlich, wie er es schon hundertmal gesagt, und Carlo fühlte in diesem Augenblick: für Geronimo hatte sich nichts geändert. Für Geronimo war er immer ein Dieb gewesen.

»Hast du schon Hunger?« fragte er.

Geronimo nickte, zugleich nahm er ein Stück Käse und Brot aus der Rocktasche und aß davon. Und sie gingen weiter.

Die Post von Bormio begegnete ihnen; der Kutscher rief sie an:

»Schon hinunter?« Dann kamen noch andere Wagen, die alle aufwärts fuhren.

»Luft aus dem Tal,« sagte Geronimo, und im gleichen Augenblick, nach einer raschen Wendung, lag das Veltlin zu ihren Füßen.

Wahrhaftig – nichts hat sich geändert, dachte Carlo . . . Nun hab' ich gar für ihn gestohlen – und auch das ist umsonst gewesen.

Die Nebel unter ihnen wurden immer dünner, der Glanz der Sonne riß Löcher hinein. Und Carlo dachte: ›Vielleicht war es doch nicht klug, so rasch das Wirtshaus zu verlassen . . . Die Börse liegt unter dem Bett, das ist jedenfalls verdächtig . . .‹ Aber wie gleichgültig war das alles! Was konnte ihm noch Schlimmes geschehen? Sein Bruder, dem er das Licht der Augen zerstört, glaubte sich von ihm bestohlen und glaubte es schon jahrelang und wird es immer glauben – was konnte ihm noch Schlimmes geschehen?

Da unter ihnen lag das große weiße Hotel wie in Morgenglanz gebadet, und tiefer unten, wo das Tal sich zu weiten beginnt, lang hingestreckt, das Dorf. Schweigend gingen die beiden weiter, und immer lag Carlos Hand auf dem Arm des Blinden. Sie gingen an dem Park des Hotels vorüber, und Carlo sah auf der Terrasse Gäste in lichten Sommergewändern sitzen und frühstücken. »Wo willst du rasten?« fragte Carlo.

»Nun, im ›Adler‹, wie immer.«

Als sie bei dem kleinen Wirtshause am Ende des Dorfes angelangt waren, kehrten sie ein. Sie setzten sich in die Schenke und ließen sich Wein geben.

»Was macht ihr so früh bei uns?« fragte der Wirt.

Carlo erschrak ein wenig bei dieser Frage. »Ist's denn so früh? Der zehnte oder elfte September – nicht?«

»Im vergangenen Jahr war es gewiß viel später, als ihr herunterkamt.«

»Es ist so kalt oben,« sagte Carlo. »Heut Nacht haben wir gefroren. Ja richtig, ich soll dir bestellen, du möchtest nicht vergessen, das Öl hinaufzuschicken.«

Die Luft in der Schenke war dumpf und schwül. Eine sonderbare Unruhe befiel Carlo; er wollte gern wieder im Freien sein, auf der großen Straße, die nach Tirano, nach Edole, nach dem See von Iseo, überallhin, in die Ferne führt! Plötzlich stand er auf.

»Gehen wir schon?« fragte Geronimo.

»Wir wollen doch heut Mittag in Boladore sein, im ›Hirschen‹ halten die Wagen Mittagsrast; es ist ein guter Ort.«

Und sie gingen. Der Friseur Benozzi stand rauchend vor seinem Laden. »Guten Morgen,« rief er. »Nun, wie sieht's da oben aus? Heut Nacht hat es wohl geschneit?«

»Ja, ja«, sagte Carlo und beschleunigte seine Schritte.

Das Dorf lag hinter ihnen, weiß dehnte sich die Straße zwischen Wiesen und Weinbergen, dem rauschenden Fluß entlang. Der Himmel war blau und still. ›Warum hab' ich's getan?‹ dachte Carlo. Er blickte den Blinden von der Seite an. ›Sieht sein Gesicht denn anders aus als sonst? Immer hat er es geglaubt – immer bin ich allein gewesen – und immer hat er mich gehaßt.‹ Und ihm war, als schritte er unter einer schweren Last weiter, die er doch niemals von den Schultern werfen dürfte, und als könnte er die Nacht sehen, durch die Geronimo an seiner Seite schritt, während die Sonne leuchtend auf allen Wegen lag.

Und sie gingen weiter, gingen, gingen stundenlang. Von Zeit zu Zeit setzte sich Geronimo auf einen Meilenstein, oder sie lehnten beide an einem Brückengeländer, um zu rasten. Wieder kamen sie durch ein Dorf. Vor dem Wirtshause standen Wagen, Reisende waren ausgestiegen und gingen hin und her; aber die beiden Bettler blieben nicht. Wieder hinaus auf die offene Straße. Die Sonne stieg immer höher; Mittag mußte nahe sein. Es war ein Tag wie tausend andere.

»Der Turm von Boladore,« sagte Geronimo. Carlo blickte auf. Er wunderte sich, wie genau Geronimo die Entfernungen berechnen konnte: wirklich war der Turm von Boladore am Horizont erschienen. Noch von ziemlich weither kam ihnen jemand entgegen. Es schien Carlo, als sei er am Wege gesessen und plötzlich aufgestanden. Die Gestalt kam näher. Jetzt sah Carlo, daß es ein Gendarm war, wie er ihnen so oft auf der Landstraße begegnete. Trotzdem schrak Carlo leicht zusammen. Aber als der Mann näher kam, erkannte er ihn und war beruhigt. Es war Pietro Tenelli; erst im Mai waren die beiden Bettler im Wirtshaus des Raggazzi in Morignone mit ihm zusammen gesessen, und er hatte ihnen eine schauerliche Geschichte erzählt, wie er von einem Strolch einmal beinahe erdolcht worden war.

»Es ist einer stehen geblieben,« sagte Geronimo.

»Tenelli, der Gendarm,« sagte Carlo.

Nun waren sie an ihn herangekommen.

»Guten Morgen, Herr Tenelli,« sagte Carlo und blieb vor ihm stehen.

»Es ist nun einmal so,« sagte der Gendarm, »ich muß euch vorläufig beide auf den Posten nach Boladore führen.«

»Eh!« rief der Blinde.

Carlo wurde blaß. ›Wie ist das nur möglich?‹ dachte er. ›Aber es kann sich nicht darauf beziehen. Man kann es ja hier unten noch nicht wissen.‹

»Es scheint ja euer Weg zu sein,« sagte der Gendarm lachend, »es macht euch wohl nichts, wenn ihr mitgeht.«

»Warum redest du nichts, Carlo?« fragte Geronimo.

»O ja, ich rede ... Ich bitte, Herr Gendarm, wie ist es denn möglich ... was sollen wir denn ... oder vielmehr, was soll ich ... wahrhaftig, ich weiß nicht ...«

»Es ist nun einmal so. Vielleicht bist du auch unschuldig. Was weiß ich. Jedenfalls haben wir die telegraphische Anzeige ans Kommando bekommen, daß wir euch aufhalten sollen, weil ihr verdächtig seid, dringend verdächtig, da oben den Leuten Geld gestohlen zu haben. Nun, es ist auch möglich, daß ihr unschuldig seid. Also vorwärts!«

»Warum sprichst du nichts, Carlo?« fragte Geronimo.

»Ich rede – o ja, ich rede ...«

»Nun geht endlich! Was hat es für einen Sinn, auf der Straße stehen zu bleiben! Die Sonne brennt. In einer Stunde sind wir an Ort und Stelle. Vorwärts!«

Carlo berührte den Arm Geronimos wie immer, und so gingen sie langsam weiter, der Gendarm hinter ihnen.

»Carlo, warum redest du nicht?« fragte Geronimo wieder.

»Aber was willst du, Geronimo, was soll ich sagen? Es wird sich alles herausstellen; ich weiß selber nicht ...«

Und es ging ihm durch den Kopf: ›Soll ich's ihm erklären, eh wir vor Gericht stehen? ... Es geht wohl nicht. Der Gendarm hört uns zu ... Nun, was tut's. Vor Gericht werd' ich ja doch die Wahrheit sagen. »Herr Richter,« werd' ich sagen, »es ist doch kein Diebstahl wie ein anderer. Es war nämlich so: ...« Und nun mühte er sich, die Worte zu finden, um vor Gericht die Sache klar und verständlich darzustellen. »Da fuhr gestern ein Herr über den Paß ... es mag ein Irrsinniger gewesen sein – oder am End' hat er sich nur geirrt ... und dieser Mann ...«

Aber was für ein Unsinn! Wer wird es glauben? ... Man wird ihn gar nicht so lange reden lassen. – Niemand kann diese dumme Geschichte glauben ... nicht einmal Geronimo glaubt sie ... – Und er sah ihn von der Seite an. Der Kopf des Blinden bewegte sich nach alter Gewohnheit während des Gehens wie im Takte auf und ab, aber das Gesicht war regungslos, und die leeren Augen stierten in die Luft. – Und Carlo wußte plötzlich, was für Gedanken hinter dieser Stirne liefen ... ›So also stehen die Dinge,‹ mußte Geronimo wohl denken. – ›Carlo bestiehlt nicht nur mich, auch die anderen Leute bestiehlt er ... Nun, er hat es gut, er hat Augen, die sehen, und er nützt sie aus ...‹ – Ja, das denkt Geronimo, ganz gewiß ... Und auch, daß man kein Geld bei mir finden wird, kann mir nicht helfen, – nicht vor Gericht, nicht vor Geronimo. Sie werden mich einsperren und ihn ... Ja, ihn geradeso wie mich, denn er hat ja das Geldstück. – Und er konnte nicht mehr weiter denken, er fühlte sich so sehr verwirrt. Es schien ihm, als verstünde er überhaupt nichts mehr von der ganzen Sache, und wußte nur eines: daß er sich gern auf ein Jahr in den Arrest setzen ließe ... oder auf zehn, wenn nur Geronimo wüßte, daß er für ihn allein zum Dieb geworden war.

Und plötzlich blieb Geronimo stehen, so daß auch Carlo innehalten mußte.

»Nun, was ist denn?« sagte der Gendarm ärgerlich. »Vorwärts, vorwärts!« Aber da sah er mit Verwunderung, daß der Blinde die Gitarre auf den Boden fallen ließ, seine Arme erhob und mit beiden Händen nach den Wangen des Bruders tastete. Dann näherte er seine Lippen dem Munde Carlos, der zuerst nicht wußte, wie ihm geschah, und küßte ihn.

»Seid ihr verrückt?« fragte der Gendarm. »Vorwärts! vorwärts! Ich habe keine Lust zu braten.«

Geronimo hob die Gitarre vom Boden auf, ohne ein Wort zu sprechen. Carlo atmete tief auf und legte die Hand wieder auf den Arm des Blinden. War es denn möglich? Der Bruder zürnte ihm nicht mehr? Er begriff am Ende –? Und zweifelnd sah er ihn von der Seite an.

»Vorwärts!« schrie der Gendarm. »Wollt ihr endlich –!« Und er gab Carlo eins zwischen die Rippen.

Und Carlo, mit festem Druck den Arm des Blinden leitend, ging wieder vorwärts. Er schlug einen viel rascheren Schritt ein als früher. Denn er sah Geronimo lächeln in einer milden glückseligen Art wie er es seit den Kinderjahren nicht mehr an ihm gesehen hatte. Und Carlo lächelte auch. Ihm war, als könnte ihm jetzt nichts Schlimmes mehr geschehen, weder vor Gericht, noch sonst irgendwo auf der Welt. – Er hatte seinen Bruder wieder ... Nein, er hatte ihn zum erstenmal ...

LEGENDE

[FRAGMENT]

Vor dreitausend Jahren geschah es, daß in Indien der junge und geliebte Fürst des Landes von einem schweren Übel befallen wurde, so daß er nicht gehen, die Hände nicht rühren und sich überhaupt in keiner Weise bewegen konnte. Die berühmtesten Ärzte des Landes wurden um Rat gefragt, aber ihre Kunst war verloren. In allen Tempeln des Landes wurden Gebete zum heiligen Brahma aufgesandt, aber die Krankheit des Fürsten wollte nicht weichen. Regungslos lag er auf seinem Ruhebette in dem hohen Saal des Palastes, oder man trug ihn über die Marmorstufen hinunter in den weiten Park, wo ihm unter mächtigen Bäumen ein Lager bereitet war. Und seine Traurigkeit war tief.

Da drang in das Schloß die Kunde von einem wundertätigen Bild des heiligen Brahma im fernsten Süden des Landes, zu welchem Kranke und Gebrechliche zu wallfahren pflegten und dessen Anbetung selbst da, wo weder Arzt noch Priester mehr helfen konnte, sichere Rettung gebracht haben sollte. Das Gerücht erzählte von Blinden, die dort ihr Gesicht, von Tauben, die ihr Gehör, von Stummen, die ihre Sprache, von Gelähmten, die den Gebrauch ihrer Glieder wiedergewonnen hatten, und selbst von Altersschwachen, in deren müdem Leib eine neue Jugend aufgeflammt war. So wurde denn im fürstlichen Rate, an dem sowohl Minister und Gelehrte als Priester teilnahmen, beschlossen, den Fürsten darum anzuflehen, eine Wallfahrt zu jenem Wunderbilde zu unternehmen. Der Fürst nahm den Vorschlag mit größerer Bereitwilligkeit auf, als seine Räte erwartet hatten, und schon am Morgen des nächsten Tages machte er sich mit einem großen Gefolge auf die lange und beschwerliche Reise. Dem fürstlichen Zuge schlossen sich schon in der Residenz und auch auf dem Wege, der sie an vielen Städten vorbeiführte, eine Menge von Leuten anderer Stände an, die als unheilbar krank erklärt worden waren und nun einer letzten Hoffnung entgegenwallten. Nach einem Monat leuchtete dem Fürsten die silberne Kuppel des Tempels entgegen, in dem das wundertätige Bild wohnte, und ringsum lag die Abendsonne auf weißen Zelten, als wäre ein großes Kriegslager hier aufgeschlagen; doch dies waren die beweglichen Wohnungen der Wallfahrer, die an einem Tage aufgerichtet und am andern wieder abgebrochen wurden. Bei hereinbrechender Nacht ließ sich der Fürst durch die Reihen der Zelte über die einzelnen Stufen in den Tempel tragen, und als seine Bahre vor dem wundertätigen Bildnis hingestellt war, hielten ihm ein Arzt und ein Priester das Haupt in die Höhe, damit er seine Augen fest und inbrünstig auf das heilige Bildnis richten könne. Es war ein Bild, das den heiligen Brahma darstellte, so wie Menschenaugen glauben, daß sich ihnen der Gewaltige enthüllen würde: unter der Gestalt eines würdigen, ernsten und weisen Alten, in einfaches graues Gewand gekleidet. Das Bild war ohne jede Kunst ausgeführt, hölzern eingerahmt, und niemand hätte es unter den vielen glänzenden und seltsamen Werken, die der Tempel enthielt, bemerkt, wenn es nicht über dem großen Altare, wie zwischen zwei Säulen schwebend, dem Eintretenden sich offenbart hätte. Der Fürst aber sprach: »Heiliger Brahma, der du schon so vielen geholfen, hilf auch mir! Ich sehe, wie sich jeder auf seine Weise dir dankbar zeigt, wenn du ihm hilfst; überall sehe ich ihre Geschenke, die deiner Gnade geweiht sind; unter Glas, auf kleinen Altären sehe ich Augen aus Wachs, Gliedmaßen aus Holz und Stein, Figuren aus edlem Metall, und endlich seh' ich einfache Pergamentblätter an den Wänden hängen, darauf die Genesenen dir ihren Dank sagen. Und so bringt dir jeder nach seinem Vermögen und nach seinem Sinn die Zeichen seiner Verehrung. Ich, heiliger Brahma, der ich der Fürst dieses ungeheuren Landes bin, will dir mehr schenken als Alle. Wenn du mir die Gesundheit wiedergibst, will ich rings um diesen steinernen Tempel mit der silbernen Kuppel einen neuen, gewaltigen aus reinem Golde errichten lassen mit einer Kuppel aus Edelsteinen, so daß dein altes Haus nicht mehr bedeuten wird als einen zweiten Rahmen für dein Bildnis. Hilf mir, heiliger Brahma! Gib mir die Beweglichkeit und Kraft meiner Glieder wieder, daß ich mich meines Lebens freuen darf und meine Völker lieben!«

Dieses gleiche Gebet verrichtete der Fürst nach Weisung des Hohepriesters sieben Mal' jeden Tag durch sieben Tage. Am Abend des siebenten wurde die Heimreise angetreten. Vier Wochen später trug man den Fürsten die Stufen des Palastes wieder hinauf, und Tage und Nächte verrannen wie früher. Regungslos lag der Fürst auf dem Ruhebett im hohen Saal oder unter den mächtigen Bäumen in seinem Park, und wenn er nicht die Lippen öffnete, um zu reden, und wenn seine Augen nicht aufleuchteten, sah er wie ein Wachsbild aus. Niemand aus seiner Umgebung wagte es, von dem Wallfahrtsort zu sprechen, und es schien, als hätte der Fürst selbst daran vergessen wollen, denn nie, seit er zurückgekehrt, war ein Wort über seine Reise und seinen Aufenthalt, kein Wort über seine Hoffnungen und seine Enttäuschungen von seinen Lippen gedrungen. Daher waren seine Räte sehr erstaunt, als er, gerade ein Jahr nach Antritt der ersten Reise, den Befehl gab, man möge alles zu einer neuen Wallfahrt rüsten. Schon am Morgen darauf setzte der Zug sich wieder in Bewegung, und viele Menschen schlossen sich an. Und wieder nach einem Monat leuchtete ihnen die silberne Kuppel des Tempels innerhalb der weißen Zelte entgegen; aber über all dem lag ein roter Glanz, der immer heller wurde, je näher sie kamen. Bald gewahrten sie, daß außerhalb des Zeltlagers eine Flamme aus dem Boden schlüge; hörten ein wüstes Schreien und Lärmen und sahen endlich eine große Menge von Menschen, die rings um das Feuer tanzte. Krüppel ließen sich von Leuten mit gesunden Gliedern in die Höhe heben, Blinde hüpften an der Hand von Sehenden umher, und nun sah der Fürst, daß hier ein Scheiterhaufen lohte und daß in den Flammen eine dunkel glühende Masse, welche noch die Gestalt eines Menschen hatte, immer unförmlicher wurde und sich in nichts aufzulösen schien. Er sandte fragen, an wem hier ein so schauerliches Gericht vollzogen würde, und erfuhr alsbald, daß man hier einen Elenden den Flammen übergeben hatte, der gewagt, Brahma zu lästern, weil er ihm keine Hilfe gesandt. Der Hohepriester selbst hatte diese Strafe angeordnet, und diejenigen, welche die Scheite in Brand gesteckt, waren die Siechsten und Schwerstheimgesuchten von allen gewesen; die dachten, eben darum die Gnade des heiligen Brahma zu erlangen. Nachdem der Fürst all dies schweigend vernommen, hieß er den Zug sich wieder in Bewegung setzen und ließ sich in den Tempel vor das Wunderbild tragen. Er verrichtete sein Gebet wie vor einem Jahre und tat desgleichen sieben Tage lang je sieben Mal', wie ihn der Hohepriester gelehrt hatte. Und am Abend des siebenten Tages trat er die Heimreise an. Auf der großen Heerstraße begegneten ihm viele Menschen, die alle den Weg gingen, den er gekommen war. Oft ließ er anhalten und fragte die Leute, warum sie zu dem heiligen Bilde wallfahrten, aber von tausend hörte er, daß sie Heilung suchten, eh er einen fand, der hinunterzog, um seinen Dank und ein Weihegeschenk darzubringen. Als er in sein Schloß zurückgekehrt war, begann er in die Tiefen seiner Seele zu schauen und forschte darin, ob er je mit Bewußtsein ein Unrecht oder eine Sünde begangen. Doch er erinnerte sich keiner. Da er aber seinem Gedächtnis mißtraute, rief er seine Räte und fragte alle, ob sie von einer Sünde oder einem Unrecht wüßten, das er begangen. Sie wußten ihm keines zu nennen. Aber er mißtraute ihrer Ehrlichkeit, und darum ließ er rings im Volke fragen, ob einer aufstehen könnte, ihn eines Unrechts beschuldigen, und jedem, der dessen fähig wäre, versprach er ein so reiches Geschenk, daß es ihm Sorgenlosigkeit für den Rest seines Lebens sichern sollte. Doch keiner rings im Lande stand auf, dem der Fürst das geringste Unrecht zugefügt, denn er war der Edelste von allen, die je in diesem Lande geherrscht hatten. Da verfiel der Fürst in eine noch tiefere Traurigkeit als früher. Schweigend lag er auf seinem Ruhebett, Tage und Nächte lang, und wäre das Leuchten seiner Augen nicht gewesen, so hätte man ihn für einen Toten halten können, denn er sprach kein Wort mehr. Doch als der Tag im Jahr nahe war, an dem er schon zweimal ausgezogen, um vor dem wundertätigen Bilde seine Genesung zu erflehen, sandte er Boten nach jenem Orte aus, die den Befehl zu überbringen hatten, daß neben dem Tempel mit dem Wunderbild ein anderer errichtet würde, so groß wie der frühere, vom selben Ansehen, aber aus schwarzem Marmor und ohne Altar, ohne jeden Schmuck und ohne jedes Bildnis. Und am Tage, da sich der Antritt seiner Reise wieder jährte, zog er zum dritten Male aus, und nun war es, als zöge sein halbes Reich mit ihm. Der Fürst staunte, daß es so viel Elend und so viel Hoffnung in seinem Lande gebe. Und als er nach einem Monat sich dem Ort seiner Bestimmung näherte, sah er schon neben der silbernen Kuppel die matte Höhe des neugebauten Tempels ragen, und der Himmel erstrahlte von glühendem Rot. Bald erblickte er Flammen, die emporstiegen, und endlich sah er, daß vor den Zelten viele Scheiterhaufen angezündet waren und rings um die Lohe, in der Menschen verbrannten, eine wütende Menge tobte und tanzte. Und der Fürst fragte nicht mehr. An den Scheiterhaufen und Zelten vorüber ließ er sich zu dem neuen Tempel tragen, der gleich neben dem alten stand. Und als seine Tragbahre auf den nackten Fliesen zwischen den nackten Wänden stand, verrichtete er sein Gebet. Dies lautete also: »Brahma, auch ich habe zu dir gefleht! Warum hast du mir nicht geholfen? Ich bin nach meinen Kräften und nach meinem Wissen ein guter Fürst gewesen, warum lässest du mich so jung und elend verkommen? Brahma, du hast uns niemals offenbart, was deine Absicht mit uns ist, wenn wir unsere irdische Hülle verlassen, und hast uns niemals offenbart, warum du so oft Gerechte leiden und Ungerechte glückselig sein lässest. Aber da du Dank von denen hinnimmst, denen es auf Erden wohlgeht, so kann es dein Wille nicht sein, daß man die verbrennt, die an dir verzweifeln. Brahma, ich verzweifle und sterbe!« Die Augen des Fürsten leuchteten noch einmal auf, er tat einen tiefen Atemzug und war tot. Aber in dem gleichen Augenblick erschienen die Worte seines Gebetes zum ungeheuren Staunen aller Anwesenden in die Marmorwand gegenüber dem Eingangstor mit riesigen Buchstaben eingegraben. Sogleich drang die Kunde von dem Tode des Fürsten und von dem Wunder, das geschehen, unter die Menge vor dem Tempel, und der Hohepriester erschien. Auf den Stufen des Tempels stehend, erklärte er vor dem versammelten Volke, daß der Fürst ein großer Lästerer gewesen und daß ihm darum das heilige Bild nicht geholfen habe. Zugleich befahl er, daß die Leiche des Fürsten aus dem Tempel geschafft und verbrannt würde, und da die Leute wußten, daß ein lebendiger Hohepriester größere Macht besitzt als ein toter Fürst, so schwiegen sie und ließen die Priester gewähren, die nun die Bahre des toten Fürsten hinaustrugen und auf den freien Platz vor dem Tempel stellten. Dort aber nahmen die treuen Diener des Fürsten die Leiche in Empfang, und noch in derselben Nacht machten sie sich auf den Weg nach der Heimat. Indessen erteilte der Hohepriester den Befehl, man möge den neuen Tempel sofort niederreißen. Aber als die Arbeiter nahten, die den Befehl des Hohenpriesters ausführen sollten, standen so viele Menschen rings um den Tempel, auf den Stufen und im Innern, daß es unmöglich war, mit der Arbeit zu beginnen. Da befahl der Hohepriester, daß man den Platz vor dem Tempel, die Stufen und das Innere mit Gewalt räumen sollte. Aber es schien, als hätte sein Wort an Macht verloren, und die Menge rührte sich nicht. Es waren viele unter diesen, welche schon zum zweiten Male und noch öfter an diesem Orte weilten und vergeblich das Bildnis des heiligen Brahma angerufen hatten. Und diese flüsterten, niemand wußte, wer es zuerst geflüstert: »Auch wir verzweifeln und sterben!« Und das Flüstern wurde zum Schreien, das Schreien zum Jammern, und ringsum tönte es immer weiter bis zu den Zelten, zu den Scheiterhaufen, hinaus auf die Landstraße, den Neuangekommenen entgegen: »Wir verzweifeln und sterben!« Und mit einem Mal sah man eine ganze Anzahl von Kranken die Stufen hinaufeilen, sich durch die Menge drängen und Pergamentblätter mit eisernen Stiften an die Wand heften, auf denen die Geschichte ihres Leids, ihre Klagen und ihre Verzweiflung aufgezeichnet waren. Und ehe die Sonne neu aufging, hingen Hunderte solcher Blätter an der Wand. Und als die Sonne aufging, waren alle Scheiterhaufen verlöscht. Und die Priester hörten, wie die Worte der Demut und des Flehens und die spärlichen Worte des Dankes tausendfach übertönt wurden von den Rufen des Grimms und der Verzweiflung. Ehe sieben Tage vergangen waren, gab es in dem neuen Tempel keinen Platz mehr für die Pergamentblätter. Aber auch in diesem Tempel gab es Priester: das waren die, welche am tiefsten das Leid der anderen fühlten. Mit einer ungeheuren Geschwindigkeit wuchs nun neben dem neuen Tempel ein zweiter aus dem Boden, der gleichen Bestimmung geweiht, und noch im Laufe desselben Jahres dreißig andere. Denn es war eine neue Andacht ins Land gekommen, und es galt wie ein Gesetz, daß nicht nur die, denen geholfen war, hierher wallten, um zu danken, sondern daß auch die anderen wiederkommen mußten, die Brahma nicht erhört hatte. Und für die, welche nicht wiederkommen konnten, weil sie daheim gestorben waren, kamen die Hinterbliebenen, die Andacht der Verzweiflung verrichten. Und so kam es, daß im Laufe der Jahre immer neue Tempel ringsum entstanden: es wurde eine Riesenstadt von schwarzen Tempeln, und mitten unter ihnen, wie verschlungen von der dunklen Masse, stand der älteste, in welchem nach wie vor das Gnadenbild des heiligen Brahma hing und ein Hohepriester die Betenden empfing. Und während ringsum in den tausend Tempeln aus schwarzem Marmor das Jammern der Verlorenen, Verlassenen und Verzweifelten tönt, beten in dem alten Tempel der Gnade wie in alter Zeit die Geretteten, preisen die Güte und Gerechtigkeit des heiligen Brahma, der gerade ihnen geholfen hat, wissen nicht von den Millionen Gebeten, die rings um sie zum heiligen Brahma vergeblich aufgestiegen sind, nichts von ihren unzähligen Brüdern, die verzweifeln und sterben. –

Bedeutende Schilderung der Scheiterhaufen.

Kampf zwischen dem Kranken und dem Gesunden.

Die Verwandten der Kranken.

Der Sohn des Fürsten heftet ein Blatt an die Wand oder läßt einen Tempel bauen, an dessen Wände diejenigen, denen nicht geholfen wurde, ihre Klagen heften.

Der Hohepriester wird umgebracht. Revolte.

Die Worte des Königs, sehr laut gesprochen, erscheinen nicht an der Wand.

Die Scheiterhaufen werden ausgelöscht, nachdem die Priester verbrannt wurden.

Nach einiger Zeit beruhigt sich alles.

Der Tempel wird verbrannt.

Nach einem Jahr steht wieder das Bild der Gnade dort – ein anderes, wieder Wunder wirkend.

WOHLTATEN

STILL UND REIN GEGEBEN

Er ging, so schnell er konnte; zuweilen lief er geradezu. Aber es war ganz vergeblich – ihn fror immer heftiger. Seit Anbruch der Dunkelheit schneite es überdies, und die Straßen leuchteten im Laternenschein. Was sollte er beginnen? Er konnte sich nicht einmal mehr in eine Branntweinbudike wagen; die letzten paar Heller hatte er nachmittags für einen Kaffee ausgegeben. Er war hungrig geworden, nachdem er den ganzen Tag treppauf treppab gelaufen war. Vor acht Tagen, als die ersten trügerischen Frühjahrsdüfte wehten, hatte er seinen dicken Rock verkauft, und nun, zu allem anderen Elend, schien ein neuer Winter einbrechen zu wollen.

Die Straße öffnete sich. Franz befand sich einem großen Gebäude gegenüber, vor dem Bogenlampen brannten und dessen riesige Fenster in hellem Licht erstrahlten. Wagen näherten sich in geschlossener dichter Reihe langsam dem Tor, von verschiedenen Seiten kamen Fußgänger mit heraufgeschlagenen Kragen und verschwanden in der Halle. Franz wußte, daß er vor dem Sophiensaal stand. Drüben lief ein großer Bursche hin und her, der die Wagentüren öffnete und von den Aussteigenden Trinkgeld erhielt.

In Franz regte sich der Neid. Wenn er sich doch auch zu dergleichen entschließen könnte. Aber das war ja schon Bettelei. Und er war Student ... inskribiert an der Universität. Mit Erbitterung erinnerte er sich, wie er vor ein paar Monaten, der Verzweiflung nahe so wie heute, beim Studentenverein um Unterstützung eingekommen war, wie er dann mit dreißig oder vierzig anderen in einem großen Vorraum hatte warten müssen, wie ihm ein Herr mit einer Brille an einem grünen Tisch ein paar Gulden eingehändigt und, als er danken wollte, mit einem »schon gut, vorwärts – der Nächste« förmlich die Tür gewiesen hatte.

Ein junger Mann und eine Dame gingen an ihm vorüber; sie aßen gebratene Kastanien und lachten, als ob sie das sehr komisch fänden, daß sie naschen durften, während andere hungerten. Der

Geruch stieg Franz verlockend in die Nase. Am liebsten hätte er ihnen die warmen duftenden Dinger einfach aus der Hand gerissen und verschlungen, und er spürte, daß ihm zu einer solchen Handlung eigentlich nichts fehlte als der Mut. Er biß die Zähne zusammen vor Wut, wenn er daran dachte, was für einen feigen Hungerleider die Not aus dem frischen Knaben von einst gemacht hatte. Wäre er doch daheim geblieben. Ein tüchtiges Handwerk oder irgendeine Arbeit auf freiem Feld, das wäre seine Sache gewesen, da wär' er heute stark und gesund wie früher, als er sich in Wäldern und auf Bergen herumtreiben oder stundenlang auf den Wiesen liegen und in den Himmel starren durfte. Daheim hätt' er schon irgendwie ehrlich sein Brot verdient, ohne sich demütigen zu müssen wie hier. Was war aus ihm geworden!

Durch die stille kalte Luft drangen die Klänge der Tanzmusik scheinbar stärker als früher zu ihm. In diesem Augenblick merkte er, daß ihn jemand betrachtete, wie er zähneklappernd, die Hände in den Hosentaschen, an der Laterne lehnte. Ein junger Mann im Pelz, mit einem kleinen Schnurrbart, war es, der gemächlich durch den Schnee gestapft kam und plötzlich vor ihm stehen blieb. Er schlug den Pelz zurück, griff mit einer weißbehandschuhten Hand in die Tasche und zog seine Börse hervor. Gegen seinen Willen, ja mit einem dumpfen Staunen über sich selbst, hielt Franz die Augen auf den Herrn fast flehentlich gerichtet und die Rechte wie zum Empfang ausgestreckt. Der Herr suchte in seiner Börse, offenbar ohne zu finden, was er wollte. Dann schüttelte er leicht den Kopf, murmelte »ah, was« und reichte Franz ein Zehnkronenstück. Franz riß unwillkürlich Mund und Augen auf. Ein ungeheures Entzücken erfüllte ihn. Er wußte, daß er in einer Minute essen konnte. Er roch den Duft von Braten und frisch gebackenem Brot. Mit Inbrunst faßte er die Hand des jungen Mannes – drückte sie und preßte sie endlich an die Lippen. Dieser wich, wie erstaunt, zurück, schien etwas fragen zu wollen, rasch aber besann er sich, ging eilends über die Fahrstraße, wand sich drüben zwischen zwei Wagen durch und verschwand in der Halle. Franz hatte ihm nachgeschaut, solang er konnte, in der dunklen Empfindung, daß er sich die Gestalt und den Gang seines Retters einprägen müsse. Dann führte er das Goldstück mit plötzlicher Angst näher an die Augen, und tief atmete er auf, als er sah, daß er sich nicht getäuscht hatte. Nun lief er eine ganze Weile durch die Straßen, ohne an Hunger, Durst und Kälte zu denken. Aber als er an einer Ecke die erleuchteten Fenster eines bescheidenen Gasthauses blinken sah, kam er zu Besinnung und trat ein.

Das Lokal war sehr spärlich besucht. An einem länglichen Tisch saß eine kleine Gesellschaft von älteren Leuten, die laut redeten und sich um den Eintretenden nicht kümmerten. Franz setzte sich an einen großen runden Tisch in die andere Ecke, bestellte sich ein Nachtmahl, aß und trank hastig und mit schmerzlich süßem Behagen. Als er fertig war, schob er den Teller weg und lehnte sich zurück. Er hatte keine Eile. In das schmutzige Quartier, wo er die letzten Nächte verbracht hatte, kam er immer noch früh genug. Auch war ihm die Aussicht, wieder in den Schnee hinaus zu müssen, immer unangenehmer.

Es schien ihm, als sähen die anderen zu ihm herüber. Unruhig rückte er auf seinem Sessel hin und her. Jetzt, da er in einem warmen Lokal saß, mit gesättigtem Magen wie andere Leute, war ihm beinahe, als wenn er in den letzten Stunden nicht ganz bei Verstande gewesen wäre. Mit Unbehagen dachte er an den Moment, in dem er dem jungen Herrn flehentlich die Hand entgegengestreckt hatte, und noch viel ärgerlicher an den Augenblick, der gleich darauf gefolgt war ... Er hatte nicht übel Lust, wieder zum Sophiensaal zurückzukehren, um dort seinen Wohltäter beim Ausgang abzupassen und ihm zu erklären, daß er keineswegs ein Bettler sei.

Franz zahlte und ging. Auf der Straße schwindelte ihm ein wenig, vor dem trübseligen Gasthof in der Brigittenau graute ihm noch heftiger als früher, und so trat er gleich wieder in ein Kaffeehaus, um noch einen Schnaps zu trinken.

Hier schlug ihm eine schwüle rauchige Luft entgegen; der geräumige, aber niedrige Saal war ziemlich gefüllt, auf den Billardbrettern rollten die Kugeln, lachende laute Stimmen tönten überall. Franz fand ein kleines Tischchen am letzten Fenster frei. Nicht weit von ihm saßen zwei junge Leute im Frack, in Gesellschaft eines hübschen jungen Mädchens mit dunklen unruhigen Augen. Der eine Herr sah einen Moment lang scharf auf Franz hinüber, der zusammenzuckte, denn er hatte schon geglaubt, den Herrn im Pelz zu erkennen. Dann ärgerte er sich aber, daß er so erschrocken war. Gerade als hätte er nicht das Recht, die gleichen Lokale zu besuchen wie jener andere. Der tanzte wohl in diesem Augenblick mit schönen Damen durch den leuchtenden Saal und hatte das stolze Gefühl, einen armen Teufel glücklich gemacht, zu ewigem Dank verpflichtet zu haben. Franz biß sich in die Lippen ... Ja, wenn es zehnmal soviel gewesen wäre – oder hundertmal! ... Ja, dann hätte er ihm wohl die Hand küssen dürfen. Dann hätte er seine Existenz von Grund auf ändern, ein neues Leben beginnen, ein Mensch ... ein Mensch wie andere Menschen werden können! ... Aber dieses eine Goldstück! ... Es war gerade genug, um ihn seine Armut noch bitterer empfinden zu lassen und ihn tiefer zu erniedrigen als je zuvor ... Die Erinnerung trieb ihm die Schamröte in die Wangen ... Er wünschte seinen Wohltäter eintreten zu sehen – er würde aufstehen, sich vor ihn hinpflanzen und ihm den Rest des Geldes vor die Füße schmeißen ...

Franz merkte, daß die Gesellschaft drüben auf ihn aufmerksam wurde. Vielleicht hatte er in der Erregung halblaut gesprochen. Das Mädchen hatte ihm den Rücken zugewandt, ihre Frisur war ein wenig verwirrt, feine lose Haare kräuselten sich ihr im Nacken. Franz dachte an einen Sommerabend daheim: wie er auf der Bank am Mühlenweg saß und wie die Kellnerin von der »Grünen Traube« ganz erhitzt über die Wiese zu ihm gelaufen kam; im Mondenschein hatte es ausgesehen, als flöge sie über das Gras. Es war an dem Abend gewesen, bevor er in die Stadt mußte, und seither hatte er keine mehr in den Armen gehalten. Eine plötzliche Sehnsucht nach dem blonden Geschöpf mit den heißen feuchten Wangen, an das er so lange nicht mehr gedacht hatte, ergriff ihn, und er bekam förmlich Lust, sich morgen früh aufzumachen und zu Fuß nach Hause zu wandern über die verschneiten Straßen und Hügel.

Ein blasses Mädchen stand plötzlich vor ihm, ganz still, mit einem Körbchen voll Blumen, und hielt ihm, ohne ihn recht anzusehen, ein kleines Bukett von roten Nelken und Reseda entgegen. In seiner Verlegenheit griff er wie mechanisch nach dem Sträußchen und legte es vor sich hin. Während er nach einem Zwanzighellerstück suchte, nahm das Mädchen die Blumen vom Tische auf und steckte sie ihm ins Knopfloch, immer schweigsam, ohne die Miene zu verziehen, als dächte sie an etwas ganz anderes. Franz hatte endlich das Geldstück aus dem Sack hervorgeholt – es war zwar eine Krone, aber er schämte sich weiterzusuchen und gab der Kleinen die Münze. Sie lächelte ein wenig, und Franz sah, daß sie viel älter sein mußte, als er anfangs vermutet hatte. »Küss' die Hand, gnädiger Herr«, sagte sie, indem sie sich entfernte. Der Klang dieser Worte durchbebte ihn ... Und wie er jetzt wieder seine Blicke zu den anderen Tischen sandte, kam es ihm vor, als sähe man ihn überall mit einer gewissen ruhigen und selbstverständlichen Hochschätzung an. Unwillkürlich nahm er eine leichtere Haltung an, winkte dem Kellner, verlangte Zigaretten und zündete sich eine an. Dann ging er.

Es schneite noch immer, und die Straßen, durch die er jetzt spazierte, waren menschenleer. Die Kälte empfand er nicht mehr, aber der Boden schwankte ein wenig unter den Füßen.

Ein verlockender Gedanke fuhr ihm durch den Sinn. Er schauerte zusammen ... und blieb einen Augenblick lang stehen. Dann stapfte er mit den Füßen durch den Schnee weiter und empfand ein gewisses Vergnügen daran, den Schritt des Herrn im Pelz nachzuahmen ...

In einer ganz engen Gasse kamen ihm zwei Frauenzimmer entgegen; die eine hielt einen Muff vors Gesicht. Als sie Franz gerade gegenüberstand, ließ sie den Arm heruntergleiten und zeigte ein lachendes Gesicht. Franz starrte sie an. Die andere Frauensperson ging weiter, als gäbe sie von vornherein jede Hoffnung auf. Die mit dem Muff faßte nach dem Sträußchen und drängte sich an Franz. Er war sehr verlegen. »Ich habe keine Zeit«, sagte er. – »Was hast' denn so spät bei der Nacht andres zu tun? Komm nur; das ist schon mein Haustor.« Und resolut zog sie an der Glocke. Sie trällerte einen Gassenhauer und schaute Franz lachend an. Er rührte sich nicht ... Das Tor wurde geöffnet und schloß sich gleich darauf wieder hinter den beiden.

Das Zimmer, in das er mit ihr trat, war klein und niedrig, auf dem Fensterbrett stand eine Petroleumlampe, die matt brannte und nach der das ganze Zimmer roch. Wieder dachte Franz an jene letzte Sommernacht daheim, an den kühlen Duft der Wiesen und Wälder, der ihn damals umströmt hatte, und wäre am liebsten davongelaufen. Aber er blieb.

Später schlummerte er an ihrer Seite ein.

Im Traum ging er eine große Treppe in ein schönes Haus hinauf, wo er in den ersten Wochen seines Wiener Aufenthalts Lektion gegeben hatte. Da standen Männer oben, die sich nicht um ihn kümmerten. Plötzlich ertönte hinter ihnen eine Stimme, schrill wie ein Befehl – da wandten sich die beiden zu ihm und trieben ihn mit Fußtritten die Treppe hinunter. Aber unten, auf einer samtgepolsterten Bank, saß der Herr vom Sophiensaal, hielt das Blumenmädchen auf dem Schoß, und sie aßen beide Kastanien und erkannten Franz nicht, was ihn wütend machte. Er schrie sie an – sie hörten ihn nicht. Und alle, die vorbeigingen, hunderte, tausende Menschen, lachten nun über ihn. Er wollte um sich schlagen, aber er konnte sich nicht rühren.

Er erwachte jäh und stand auf. Das Frauenzimmer erhob sich im Bett, hatte offenbar schon tief geschlafen und war sehr ärgerlich. Sie kleidete sich notdürftig an und schlürfte in zerrissenen Pantoffeln herum. Franz mußte ihr beinah den ganzen Rest seines Geldes geben und eilte davon.

Als das Haustor hinter ihm zudröhnte, schlug es eben drei Uhr von einem nahen Kirchturm. Franz nahm den Weg schnurgerade zum Sophiensaal. Den Herrn im Pelz mußte er finden; wenn es ihm jetzt nicht gelang, so wollte er die Stadt nach allen Ecken und Enden durchstreifen, bis er ihm begegnete. Die Sache war nicht in Ordnung, und sie mußte geregelt werden. Auf den Lippen hatte er ein schmerzlich brennendes Gefühl. Es war ihm jetzt, als wenn er dem Herrn die Hand geküßt hätte, nicht für die zehn Kronen, die er ihm geschenkt, sondern für all das Nichtige und Erbärmliche, auf das das Geld aufgegangen war ... Die Erlebnisse der Nacht wirrten ihm durcheinander. Jetzt erst fiel ihm mit vollkommener Deutlichkeit ein, daß er dem völligen Elend gegenüberstand, daß er wieder einmal nicht wußte, wovon er morgen leben sollte.

Die Straße war verlassen, der kalte Morgenwind wehte über den Schnee. Eine Budike, an der er vorbeiging, wurde eben geöffnet, verschlafen und ungekämmt staubte ein dickes Judenmädel den Schanktisch ab. Franz trat ein, und wie sich selber und der ganzen Welt zum Trotz stürzte er noch ein Glas Branntwein hinunter. Dann eilte er weiter, und in ein paar Minuten war er an seinem Ziel. Nah beim Tor nahm er Aufstellung und wartete. Noch immer klang die Tanzmusik durch die leise klirrenden Fenster. War es wirklich kaum eine Nacht, die seither vergangen war? ...

Leere Wagen fuhren vor. Herren und Damen kamen aus der Halle und stiegen ein, andere eilten zu Fuß davon. Franz wunderte sich selbst über die Sicherheit, mit der er einige Herren passieren ließ, die doch einen ähnlichen Pelz trugen wie sein Wohltäter. Er war entschlossen, nicht vom Platze zu weichen, ehe der letzte Ballgast das Gebäude verlassen hätte. –

Er wartete.

Plötzlich stand ihm das Herz still ... Das war Er ... Da trat er aus dem Tor, knöpfte den Pelz zu und schlug den Kragen hinauf. Es war ein rechtes Glück, daß ihn Franz noch hinter der

Glastür erkannt hatte, denn jetzt war er beinahe vermummt. Franz wartete, beide Hände in den Taschen, und der Herr stapfte wieder mit den Füßen durch den Schnee, was Franz erbitterte. Er stellte sich dem Herrn in den Weg. Dieser blickte auf und fragte: »Wie? ...« Dann schien er ihn zu erkennen und lächelte.

»Mein Herr ...«, begann Franz, aber es schnürte ihm die Kehle zusammen, und er konnte nicht weiter. Der hochmütige Blick des andern, der zugleich die Erinnerung an seine außergewöhnliche Freigebigkeit von gestern abend und unbewußte Verachtung für den Bettler ausstrahlte, der da vor ihm stand, erbitterte Franz bis zum Wahnsinn, so daß ihm die Augen zu glühen begannen. Ein unsäglicher Haß grimmte in ihm auf – breit ausholend hob er seine Hand und gab dem Wohltäter eine mächtige Ohrfeige, daß ihm der Zylinder herunterfiel. Der junge Herr riß zuerst vor Entsetzen den Mund weit auf, dann packte er den erhobenen Arm des Bettlers und fing an, nach der Wache zu schreien. Einige Leute, die aus der Halle kamen, blieben stehen, Kutscher liefen herüber, ein Polizeimann war sofort zur Stelle. »Ist der Kerl verrückt?« schrie der Wohltäter, indem er seinen Zylinder aufhob. »Ich habe nämlich zu bemerken«, rief er in größter Erregung, ohne die Kraft, seine bisherige Vornehmheit aufrechtzuerhalten, »daß ich diesem Kerl gestern eine Unsumme – zehn Kronen! – ja, zehn Kronen! ... bitte, Herr Sicherheitswachmann ...«, dabei stülpte er sich den Hut auf den Kopf, »... nie ist mir etwas Ähnliches vorgekommen!«

Franz ließ den Herrn schreien, befand sich sehr wohl und sprach kein Wort. Die Sache war erledigt. Er hatte seine Dankesschuld abgetragen. Und gleichsam erlöst, mit einem heiteren Lächeln auf den Lippen, ließ er sich auf die Wache führen.

DIE GRÜNE KRAWATTE

Ein junger Herr namens Cleophas wohnte zurückgezogen in seinem Hause nah der Stadt. Eines Morgens wandelte ihn die Lust an, unter Menschen zu gehen. Da kleidete er sich wohlanständig an wie immer, tat eine neue grüne Krawatte um und begab sich in den Park. Die Leute grüßten ihn höflich, fanden, daß ihm die grüne Krawatte vorzüglich zu Gesicht stehe, und sprachen durch einige Tage mit viel Anerkennung von der grünen Krawatte des Herrn Cleophas. Einige versuchten, es ihm gleichzutun, und legten grüne Krawatten an wie er – freilich waren sie aus gemeinerem Stoff und ohne Anmut geknüpft.

Bald darauf machte Herr Cleophas wieder einen Spaziergang durch den Park, in einem neuen Gewand, aber mit der gleichen grünen Krawatte. Da schüttelten einige bedenklich den Kopf und sagten: »Schon wieder trägt er die grüne Krawatte ... Er hat wohl keine andere ...« Die etwas nervöser waren, riefen aus: »Er wird uns noch zur Verzweiflung bringen mit seiner grünen Krawatte!«

Als Herr Cleophas das nächste Mal unter die Leute ging, trug er eine blaue Krawatte. Da riefen einige: »Was für eine Idee, plötzlich mit einer blauen Krawatte daher zu kommen?« Die Nervöseren aber riefen laut: »Wir sind gewohnt, ihn mit einer grünen zu sehen! Wir brauchen es uns nicht gefallen zu lassen, daß er heute mit einer blauen erscheint!« Aber manche waren sehr schlau und sagten: »Ah, uns wird er nicht einreden, daß diese Krawatte blau ist. Herr Cleophas trägt sie, und daher ist sie grün.«

Das nächste Mal erschien Herr Cleophas, wohlanständig gekleidet wie immer, und trug eine Krawatte vom schönsten Violett. Als man ihn von weitem kommen sah, riefen die Leute höhnisch aus: »Da kommt der Herr mit der grünen Krawatte!«

Besonders gab es eine Gesellschaft von Leuten, der ihre Mittel nichts anderes erlauben, als Zwirnsfäden um den Hals zu schlingen. Diese erklärten, daß Zwirnsfäden das Eleganteste und

Vornehmste seien, und haßten überhaupt alle, die Krawatten trugen und besonders Herrn Cleophas, der immer wohlanständig gekleidet war und schönere und besser geknüpfte Krawatten trug als irgendeiner. Da schrie einmal der Lauteste unter diesen Menschen, als er Herrn Cleophas des Weges kommen sah: »Die Herren mit der grünen Krawatte sind Wüstlinge!« Herr Cleophas kümmerte sich nicht um ihn und ging seines Weges.

Als Herr Cleophas das nächste Mal im Park spazierenging, schrie der laute Herr mit dem Zwirnsfaden um den Hals: »Die Herren mit der grünen Krawatte sind Diebe!« Und manche schrien mit. Cleophas zuckte die Achseln und dachte, daß es mit den Herren, die jetzt grüne Krawatten trugen, doch weit gekommen sein müßte. Als er das dritte Mal wieder kam, schrie die ganze Menge, allen voran der laute Herr mit dem Zwirnsfaden um den Hals: »Die Herren mit der grünen Krawatte sind Meuchelmörder!« Da bemerkte Cleophas, daß viele Augen auf ihn gerichtet waren. Er erinnerte sich, daß er auch öfters grüne Krawatten getragen hatte, trat auf den Gesellen mit dem Zwirnsfaden zu und fragte: »Wen meinen Sie denn eigentlich? Am Ende mich auch?« Da erwiderte jener: »Aber, Herr Cleophas, wie können Sie glauben –? Sie tragen doch gar keine grüne Krawatte!« Und er schüttelte ihm die Hand und versicherte ihn seiner Hochachtung.

Cleophas grüßte und ging. Aber als er sich in gemessener Entfernung befand, klatschte der Mann mit dem Zwirnsfaden in die Hände und rief: »Seht ihr, wie er sich getroffen fühlt? Wer darf jetzt noch daran zweifeln, daß Cleophas ein Wüstling, Dieb und Meuchelmörder ist?!«

NACHWORT

UND BIBLIOGRAPHISCHES VERZEICHNIS

Die siebenbändige Taschenbuchausgabe enthält alle erzählenden Schriften, die zu Lebzeiten Arthur Schnitzlers als Einzelausgaben, in Zeitschriften und in den früheren Gesamtausgaben erschienen waren, sowie bisher aus dem Nachlaß veröffentlichte Novellen.

Die Anordnung ist chronologisch, eine hier allerdings problematische Methode, da es die Arbeitsweise des Dichters nahezu unmöglich macht, das Entstehungsjahr eines Werkes mit Genauigkeit anzugeben. Da Arthur Schnitzler alle Skizzen und Vorarbeiten zu seinen Schriften sorgfältig aufbewahrte, und zwar weil er sie – wie es in den testamentarischen Bestimmungen über den literarischen Nachlaß heißt – »zum Mindesten interessant als Beiträge zur Physiologie (auch Pathologie!) des Schaffens« erachtete, läßt sich diese Arbeitsweise genau rekonstruieren. Der erste Einfall wurde meist in Form einer kurzen, oft nur wenige Zeilen umfassenden Notiz niedergeschrieben. Der erste Versuch einer Ausarbeitung wurde dann (in früheren Jahren handgeschrieben, in späteren der Sekretärin in die Maschine diktiert und immer genau datiert) mit Absicht weggelegt und nach einiger Zeit, oft erst nach mehreren Jahren, wieder vorgenommen und mit zahlreichen, oft nur schwer zu entziffernden Korrekturen versehen. Die so erarbeitete Neufassung wurde wieder niedergeschrieben, beziehungsweise diktiert, ein Vorgang, der sich mehrmals wiederholte, bis schließlich eine Fassung zustande kam, die der Veröffentlichung wert erschien. Auf diese Weise erstreckte sich die Arbeit an einzelnen Werken meist über Jahrzehnte, wobei nicht selten auch die Form grundlegende Veränderungen erfuhr. Als ein typisches Beispiel mag die »Abenteurernovelle« dienen. Der Stoff wurde zuerst im Jahre 1902 skizziert, und zwar als fünfaktiges Versdrama. Diese frühere Form erfuhr weitere Umgestaltungen in den Jahren 1909, 1911 und 1913, bis endlich im Jahre 1925 der erste Entwurf der erzählenden Fassung niedergeschrieben wurde. Das hier zum Abdruck gelangende Fragment wurde in den ersten Monaten des Jahres 1928 diktiert. Als ein weiteres Beispiel sei die Novelle »Der Sohn« erwähnt, die, im Jahre 1892 veröffentlicht, eine Vorstudie zu dem fast vier Jahrzehnte später (1928) erschienenen Roman »Therese« darstellt. Die wohl einzige Ausnahme bildet die Monolognovelle »Leutnant Gustl«, die innerhalb von fünf Tagen (13. bis 17. Juli 1900) entstand.

Die im nachfolgenden bibliographischen Verzeichnis den einzelnen Titeln beigefügten Jahreszahlen bedeuten also nicht eigentlich Entstehungsjahre, sondern jeweils den Zeitpunkt, zu dem die Arbeit an dem betreffenden Werk abgeschlossen wurde. Bei in den früheren Gesamtausgaben enthaltenen Werken wurden die dort verwendeten, also noch vom Dichter selbst autorisierten Jahreszahlen übernommen, wobei sich allerdings in einigen Fällen Korrekturen offensichtlicher Irrtümer als notwendig erwiesen. Bei aus dem Nachlaß veröffentlichten Arbeiten wurde das Jahr der letzten Abschrift angegeben. Die in diesen, durchwegs in Maschinenschrift vorliegenden Abschriften enthaltenen handschriftlichen Notizen wurden nach Möglichkeit, d.h. soweit ihre Absicht unmißverständlich war, berücksichtigt.

Im Nachlaß befinden sich außer den hier veröffentlichten Arbeiten noch zahlreiche weitere Novellen und Novellenfragmente aus früheren Jahren, die teilweise in den Band »Entworfenes und Verworfenes«, hrsg. von Reinhard Urbach (S. Fischer Verlag, Frankfurt a. Main 1977) aufgenommen wurden.

Das folgende Verzeichnis gibt Auskunft über Erstdrucke und erste Buchausgaben und stützt sich weitgehend auf den »Schnitzler-Kommentar zu den erzählenden Schriften und dramatischen Werken«, von Reinhard Urbach (Winkler Verlag, München 1974), wo auch genaue Angaben über Wiederabdrucke einzelner Werke in Zeitschriften und Almanachen, sowie über spätere, in manchen Fällen illustrierte Einzelausgaben, zu finden sind.

Die folgenden Abkürzungen wurden verwendet: E – Erstdruck, B – Erste Buchausgabe, SFV – S. Fischer Verlag, Berlin.

15. Mai 1862: Arthur Schnitzler in Wien geboren

WELCH EINE MELODIE (1885); Nachlaß. E: Die Neue Rundschau, XLIII. Jahrgang, 5. Heft, Mai 1932. B: Die kleine Komödie, SFV, 1932.

ER WARTET AUF DEN VAZIERENDEN GOTT (1886). E: Deutsche Wochenschrift, IV. Jahrgang, 50. Heft, 12. Dezember 1886. B: Die kleine Komödie, SFV, 1932.

AMERIKA (1887). E: An der schönen blauen Donau, IV. Jahrgang, 9. Heft, 1889. B: Die kleine Komödie, SFV, 1932.

ERBSCHAFT (1887); Nachlaß. E und B: Die kleine Komödie, SFV, 1932.

MEIN FREUND YPSILON (1887). E: An der schönen blauen Donau, IV. Jahrgang, 2. Heft, 1889. B: Die kleine Komödie, SFV, 1932.

DER FÜRST IST IM HAUSE (1888); Nachlaß. E: Arbeiter-Zeitung, Wien, 15. Mai 1932. B: Die kleine Komödie, SFV, 1932.

DER ANDERE (1889). E: An der schönen blauen Donau, IV. Jahrgang, 21. Heft, 1889. B: Die kleine Komödie, SFV, 1932.

REICHTUM (1889). E: Moderne Rundschau, III. Jahrgang, 11. und 12. Heft, 1891. B: Die kleine Komödie, SFV, 1932.

DER SOHN (1889). E: Freie Bühne für den Entwicklungskampf der Zeit, III. Jahrgang, 1. Heft, Januar 1892. B: Die kleine Komödie, SFV, 1932.

DIE DREI ELIXIRE (1890). E: Moderner Musen-Almanach; 2. Jahrgang; München, 1894. B: Die kleine Komödie, SFV, 1932.

DIE BRAUT (1891); Nachlaß. E und B: Die kleine Komödie, SFV, 1932.

STERBEN (1892). E: Neue Deutsche Rundschau, V. Jahrgang, 10. bis 12. Heft, Oktober-Dezember 1894. B: SFV, 1895.

DIE KLEINE KOMÖDIE (1893). E: Neue Deutsche Rundschau, VI. Jahrgang, 8. Heft, August 1895. B: Die kleine Komödie, SFV, 1932.

KOMÖDIANTINNEN: HELENE – FRITZI (1893); Nachlaß. E und B: Die kleine Komödie, SFV, 1932.

BLUMEN (1894). E: Neue Revue; V. Jahrgang, 33. Heft, Wien, August 1894. B: Die Frau des Weisen, SFV, 1898.

DER WITWER (1894). E: Wiener Allgemeine Zeitung, 25. Dezember 1894. B: Die kleine Komödie, SFV, 1932.

EIN ABSCHIED (1895). E: Neue Deutsche Rundschau, VII. Jahrg., 2. Heft, Februar 1896. B: Die Frau des Weisen, SFV, 1898.

DER EMPFINDSAME (1895). E: Die Neue Rundschau, XL. Jahrgang, 5. Heft, Mai 1932. B: Die kleine Komödie, SFV, 1932.

DIE FRAU DES WEISEN (1896). E: Die Zeit, X. Band, Nr. 118–120, Wien, 2., 9. u. 16. Januar 1897. B: Die Frau des Weisen, SFV, 1898.

DER EHRENTAG (1897). E: Die Romanwelt, V. Jahrgang, I. Band, 16. Heft, Berlin, 1897. B: Die Frau des Weisen, SFV, 1898.

DIE TOTEN SCHWEIGEN (1897). E: Cosmopolis, VIII. Jahrgang, Nr. 22, Oktober 1897. B: Die Frau des Weisen, SFV, 1898.

UM EINE STUNDE (1899). E: Neue Freie Presse, Wien, 24. Dezember 1899. B: Die kleine Komödie, SFV, 1932.

DIE NÄCHSTE (1899); Nachlaß. E: Neue Freie Presse, Wien, 27. März 1932. B: Die kleine Komödie, SFV, 1932.

ANDREAS THAMEYERS LETZTER BRIEF (1900). E: Die Zeit, XXXII. Band, Nr. 408, Wien, 26. Juli 1902. B: Die griechische Tänzerin, Wiener Verlag, Wien und Leipzig, 1905.

FRAU BERTA GARLAN (1900). E: Neue Deutsche Rundschau, XII. Jahrgang, 1. bis 3. Heft, Januar–März 1901. B: SFV, 1901.

EIN ERFOLG (1900); Nachlaß. E: Die Neue Rundschau, XL. Jahrgang, 5. Heft, Mai 1932. B: Die kleine Komödie, SFV, 1932.
LEUTNANT GUSTL (1900). E: Neue Freie Presse, Wien, 25. Dezember 1900. B: SFV, 1901.
DER BLINDE GERONIMO UND SEIN BRUDER (1900). E: Die Zeit, XXV. Band, Nr. 325–326, und XXVI. Band, Nr. 327–328; Wien, Dezember 1900 – Januar 1901. B: Die griechische Tänzerin, Wiener Verlag, Wien und Leipzig, 1905.
LEGENDE (FRAGMENT) (1900); Nachlaß. E und B: Die kleine Komödie, SFV, 1932.
WOHLTATEN, STILL UND REIN GEGEBEN (1900); Nachlaß. E: Neues Wiener Tagblatt, 25. Dezember 1931. B: Die kleine Komödie, SFV, 1932.
DIE GRÜNE KRAWATTE (1901). E: Neues Wiener Journal, 25. Oktober 1903. B: Die kleine Komödie, SFV, 1932.
DIE FREMDE (1902). E (unter dem Titel DÄMMERSEELE): Neue Freie Presse, Wien, 18. Mai 1902. B: Dämmerseelen, SFV, 1907.
EXZENTRIK (1902). E: Jugend, Nr. 30, München, 1902. B: Die griechische Tänzerin, Wiener Verlag, Wien und Leipzig, 1905.
DIE GRIECHISCHE TÄNZERIN (1902). E: Die Zeit, Wien, 28. September 1902. B: Die griechische Tänzerin, Wiener Verlag, Wien und Leipzig, 1905.
DIE WEISSAGUNG (1902). E: Neue Freie Presse, Wien, 24. Dezember 1905. B: Dämmerseelen, SFV, 1907.
DAS SCHICKSAL DES FREIHERRN VON LEISENBOHG (1903). E: Die Neue Rundschau, XV. Jahrgang, 7. Heft, Juli 1904. B: Dämmerseelen, SFV, 1907.
DAS NEUE LIED (1905). E: Neue Freie Presse, Wien, 23. April 1905. B: Dämmerseelen, SFV, 1907.
DER TOTE GABRIEL (1906). E: Neue Freie Presse, Wien, 19. Mai 1907. B: Masken und Wunder, SFV, 1912.
GESCHICHTE EINES GENIES (1907). E: Arena, II. Jahrgang, 12. Heft, März 1907. B: Die kleine Komödie, SFV, 1932.
DER TOD DES JUNGGESELLEN (1907). E: Österreichische Rundschau, XV. Band, 1. Heft, Wien, April 1908. B: Masken und Wunder, SFV, 1912.
DER WEG INS FREIE (1908). E: Die Neue Rundschau, XIX. Jahrgang, 1. bis 6. Heft, Januar–Juni 1908. B: SFV, 1908.
DIE HIRTENFLÖTE (1909). E: Die Neue Rundschau, XXII. Jahrgang, 9. Heft, September 1911. B: Deutsch-Österreichischer Verlag, Wien 1912.
DIE DREIFACHE WARNUNG (1909). E: Die Zeit, Wien, 4. Juni 1911. B: Masken und Wunder, SFV, 1912.
DAS TAGEBUCH DER REDEGONDA (1909). E: Süddeutsche Monatshefte, IX. Jahrgang, 1. Heft, Oktober 1911. B: Masken und Wunder, SFV, 1912.
DER MÖRDER (1910). E: Neue Freie Presse, Wien, 4. Juni 1911. B: Masken und Wunder, SFV, 1912.
FRAU BEATE UND IHR SOHN (1912). E: Die Neue Rundschau, XXIV. Jahrgang, 2.–4. Heft, Februar–April 1913. B: SFV, 1913.

DOKTOR GRÄSLER, BADEARZT (1914). E: Berliner Tageblatt, 10. Februar–17. März 1917. B: SFV, 1917.

DER LETZTE BRIEF EINES LITERATEN (1917); Nachlaß. E: Die Neue Rundschau, XLIII. Jahrgang, 1. Heft, Januar 1932. B: Ausgewählte Erzählungen, S. Fischer Verlag, Frankfurt am Main, 1950.

CASANOVAS HEIMFAHRT (1917). E: Die Neue Rundschau, XXIX. Jahrgang, 7.–9. Heft, Juli–September 1918. B: SFV, 1918.

FLUCHT IN DIE FINSTERNIS (1917). E: Vossische Zeitung, Berlin, 13.–30. Mai 1931. B: SFV, 1931.

FRÄULEIN ELSE (1923). E: Die Neue Rundschau, XXXV. Jahrgang, 10. Heft, Oktober 1924. B: Paul Zsolnay Verlag, Berlin, Wien, Leipzig, 1924.

DIE FRAU DES RICHTERS (1924). E: Vossische Zeitung, Berlin, August 1925. B: Propyläen Verlag, Berlin, ohne Jahr (1925).

TRAUMNOVELLE (1925). E: Die Dame, LIII. Jahrgang, 6.–12. Heft, Berlin, 1925–26. B: SFV, 1926.

SPIEL IM MORGENGRAUEN (1926). E: Berliner Illustrierte Zeitung, XXXV. und XXXVI. Jahrgang, 5. Dezember 1926–9. Januar 1927. B: SFV, 1927.

BOXERAUFSTAND (FRAGMENT) (1926?); Nachlaß. E: Die Neue Rundschau, LXVIII. Jahrgang, 1. Heft (1957). B: Gesammelte Werke. Die erzählenden Schriften, Bd. I, S. Fischer Verlag, Frankfurt a. Main, 1961.

ABENTEURERNOVELLE (FRAGMENT) (1928); Nachlaß. E und B: Bermann-Fischer Verlag, Wien, 1937.

DER SEKUNDANT (1927–31); Nachlaß. E: Vossische Zeitung, Berlin, 1.–4. Januar 1932. B: Gesammelte Werke. Die erzählenden Schriften, Bd. II, S. Fischer Verlag, Frankfurt a. Main, 1961.

THERESE (1928). E und B: SFV, 1928.

21. Oktober 1931: Arthur Schnitzler in Wien gestorben

Bitte umblättern:

auf den nächsten Seiten informieren wir Sie über weitere interessante Fischer Taschenbücher.

ARTHUR SCHNITZLER

Das dramatische Werk

Taschenbuchausgabe in acht Bänden

BAND 1
*Alkandi's Lied - Anatol - Anatols Größenwahn - Das Märchen
Die überspannte Person - Halbzwei - Liebelei*

BAND 2
*Freiwild - Reigen - Das Vermächtnis - Paracelsus
Die Gefährtin*

BAND 3
*Der grüne Kakadu - Der Schleier der Beatrice - Silvesternacht
Lebendige Stunden*

BAND 4
*Der einsame Weg - Marionetten - Zwischenspiel
Der Ruf des Lebens*

BAND 5
*Komtesse Mizzi oder Der Familientag
Die Verwandlungen des Pierrot – Der tapfere Kassian (Singspiel)
Der junge Medardus*

BAND 6
*Das weite Land - Der Schleier der Pierrette
Professor Bernhardi*

BAND 7
*Komödie der Worte - Fink und Fliederbusch
Die Schwestern oder Casanova in Spa*

BAND 8
*Der Gang zum Weiher - Komödie der Verführung
Im Spiel der Sommerlüfte*

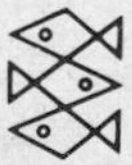

ARTHUR SCHNITZLER

Das erzählerische Werk

Taschenbuchausgabe in sieben Bänden

BAND 1

Welch eine Melodie - Er wartet auf den vazierenden Gott
Amerika - Erbschaft - Mein Freund Ypsilon
Der Fürst ist im Haus - Der Andere - Reichtum - Der Sohn
Die drei Elixiere - Die Braut - Sterben - Die kleine Komödie
Komödiantinnen - Blumen - Der Witwer - Ein Abschied
Der Empfindsame - Die Frau des Weisen

BAND 2

Der Ehrentag - Die Toten schweigen - Um eine Stunde
Die Nächste - Andreas Thameyers letzter Brief
Frau Berta Garlan - Ein Erfolg - Leutnant Gustl
Der blinde Geronimo und sein Bruder - Legende
Wohltaten, still und rein gegeben - Die grüne Krawatte

BAND 3

Die Fremde - Exentrik - Die griechische Tänzerin
Die Weissagung - Das Schicksal des Freiherrn von Leisenbogh
Das neue Lied - Der tote Gabriel - Geschichte eines Genies
Der Tod des Junggesellen - Die Hirtenflöte
Die dreifache Warnung - Das Tagebuch der Redegonda
Der Mörder - Frau Beate und ihr Sohn
Doktor Gräsler, Badearzt

BAND 4

Der Weg ins Freie

BAND 5

Der letzte Brief eines Literaten - Casanovas Heimfahrt
Flucht in die Finsternis - Fräulein Else

BAND 6

Die Frau des Richters - Traumnovelle - Spiel im Morgengrauen
Boxeraufstand - Abenteuernovelle - Der Sekundant

BAND 7

Therese

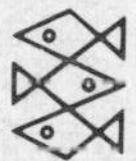

Fischer Taschenbücher

HUGO VON HOFMANNSTHAL

GESAMMELTE WERKE
IN ZEHN EINZELBÄNDEN

Herausgegeben von Bernd Schoeller
in Beratung mit Rudolf Hirsch

GEDICHTE
DRAMEN I (1891–1898)

Gedichte. Gestalten. Prologe und Trauerreden.
Idylle. Gestern. Der Tod des Tizian.
Der Tor und der Tod. Die Frau im Fenster.
Die Hochzeit der Sobeide. Das Kleine Welttheater.
Der Weiße Fächer. Der Kaiser und die Hexe.
Der Abenteurer und die Sängerin
Band 2159

DRAMEN II (1892–1905)

Ascanio und Gioconda. Alkestis.
Das Bergwerk zu Falun. Elektra.
Das gerettete Venedig. Ödipus und die Sphinx
Band 2160

DRAMEN III (1906–1927)

Jedermann. Das Große Welttheater.
Der Turm. Prologe und Vorspiele.
Dramen-Fragmente
Band 2161

DRAMEN IV (LUSTSPIELE)

Silvia im »Stern«. Cristinas Heimreise.
Der Schwierige. Der Unbestechliche.
Timon der Redner. Mutter und Tochter
Band 2162

DRAMEN V (OPERNDICHTUNGEN)

Der Rosenkavalier. Ariadne auf Naxos.
Die Frau ohne Schatten. Danae.
Die Ägyptische Helena. Arabella
Band 2163

DRAMEN VI
(BALLETTE, PANTOMIMEN, BEARBEITUNGEN, ÜBERSETZUNGEN)

Pantomime zum »Großen Welttheater«.
Sophokles »König Ödipus«.
Molière »Die Lästigen«. »Der Bürger als Edelmann«.
Raimund »Der Sohn des Geisterkönigs«.
Calderon »Dame Kobold« u. a.
Band 2164

ERZÄHLUNGEN
ERFUNDENE GESPRÄCHE UND BRIEFE. REISEN

Märchen der 672. Nacht.
Die Wege und die Begegnungen. Lucidor.
Andreas oder die Vereinigten. Die Frau ohne Schatten.
Brief des Lord Chandos. Das Gespräch über Gedichte.
Augenblicke in Griechenland u. a.
Band 2165

REDEN UND AUFSÄTZE I (1891–1913)

Poesie und Leben.
Shakespeares Könige und große Herren.
Der Dichter und diese Zeit. Eleonora Duse.
Schiller. Balzac. Deutsche Erzähler.
Goethes »West-östlicher Divan«. Raoul Richter u. a.
Band 2166

REDEN UND AUFSÄTZE II (1914–1924)

Beethoven. Rede auf Grillparzer.
Shakespeare und wir. Ferdinand Raimund.
Deutsches Lesebuch. Max Reinhardt.
Appell an die oberen Stände. Preuße und Österreicher u. a.
Band 2167

REDEN UND AUFSÄTZE III (1925–1929)
AUFZEICHNUNGEN

Das Schrifttum als geistiger Raum der Nation.
Wert und Ehre deutscher Sprache.
Gotthold Ephraim Lessing. Der Freiherr vom Stein.
Maria Theresia. Buch der Freunde. Ad me ipsum u. a.
Band 2168